최상위 수학

Light 라이트

중 3-2

디딤돌

Structure

상위권으로 가는 필수 교재, 최상위 수학 라이트

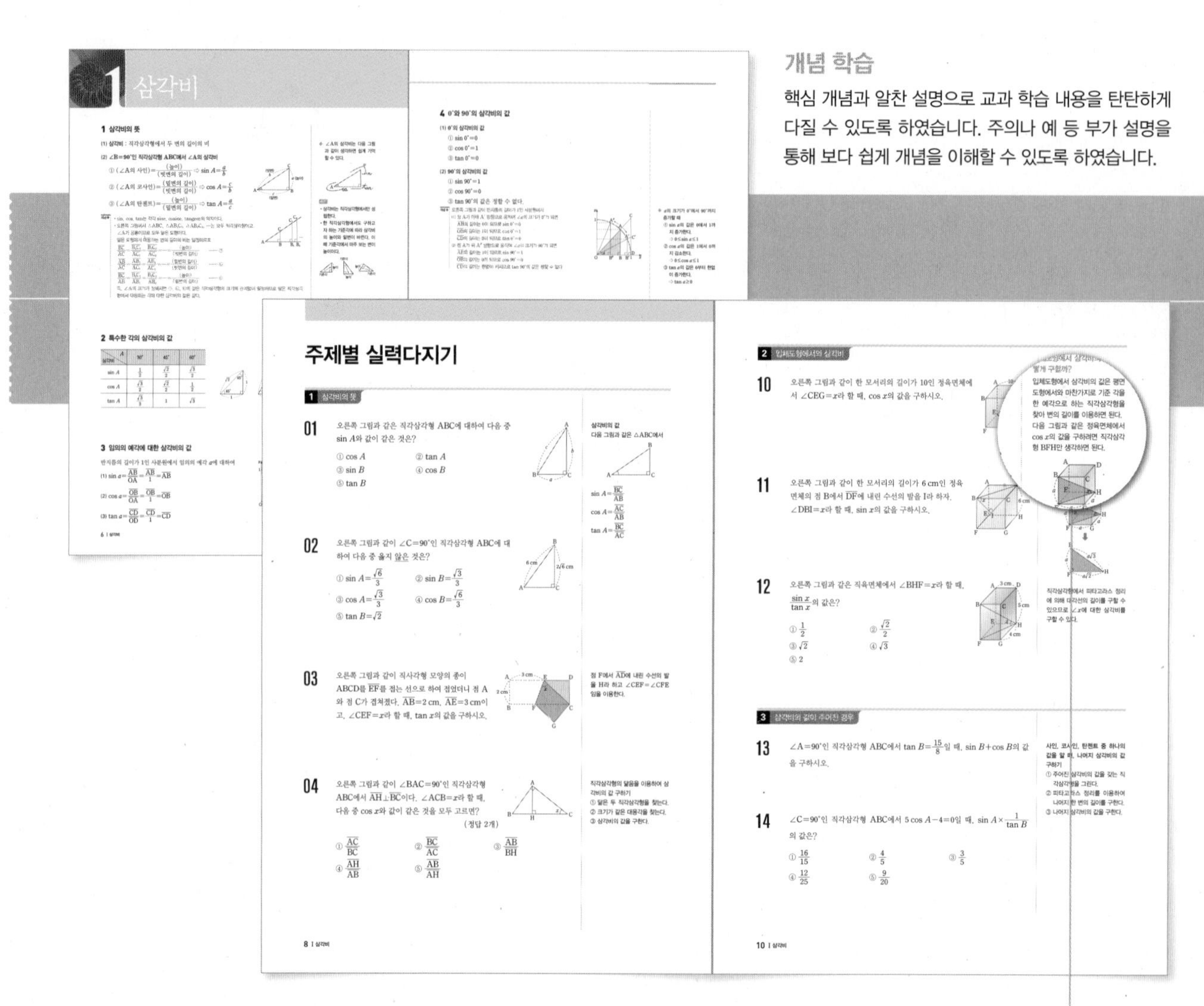

개념 학습

핵심 개념과 알찬 설명으로 교과 학습 내용을 탄탄하게 다질 수 있도록 하였습니다. 주의나 예 등 부가 설명을 통해 보다 쉽게 개념을 이해할 수 있도록 하였습니다.

주제별 실력다지기

중단원별로 세분화 유형 중 시험에 잘 나오거나 틀리기 쉬운 핵심 유형을 수록하여 집중 연습할 수 있도록 하였습니다. 내신 고득점을 위한 최상위 문제를 제시하여 문제해결 능력을 키울 수 있도록 하였습니다.

최상위 Q&A

학습에 필요한 궁금증을 해결해 주고, 학년별 연계를 통하여 핵심 내용을 볼 수 있도록 하였습니다.

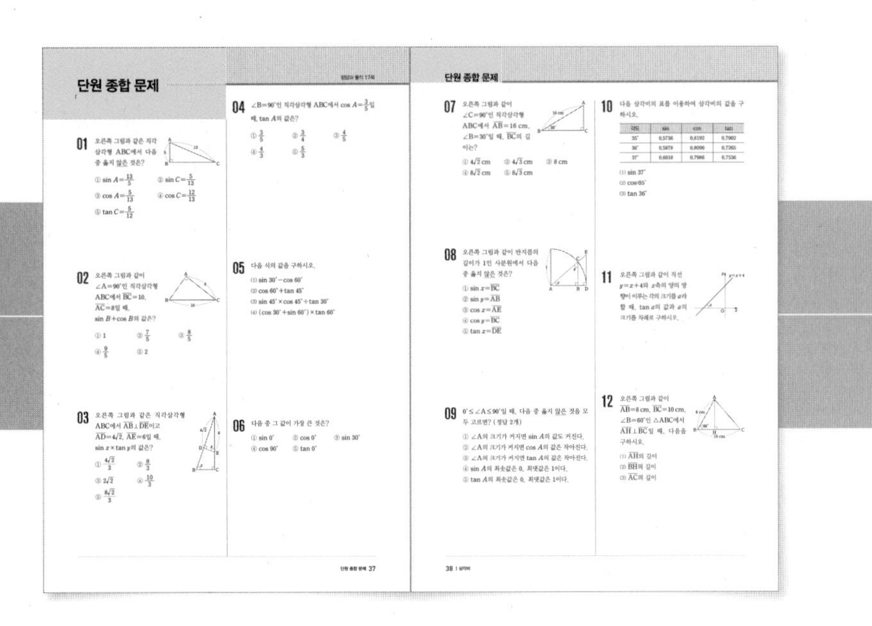

단원 종합 문제

대단원 학습 내용을 정리할 수 있도록
학습 내용, 난이도, 문제 형태를 고려하여
엄선된 문제를 구성하였습니다.

Contents

Ⅰ 삼각비

1 삼각비 ···· 006
2 삼각비의 활용 ···· 023
단원 종합 문제 ···· 037

Ⅱ 원의 성질

1 원과 직선 ···· 042
2 원주각 ···· 060
3 원주각의 활용 ···· 068
단원 종합 문제 ···· 078

Ⅲ 통계

1 대푯값과 산포도 ···· 084
2 상관관계 ···· 096
단원 종합 문제 ···· 107

삼각비의 표 ···· 112

I 삼각비

1. 삼각비

2. 삼각비의 활용

1 삼각비

1 삼각비의 뜻

(1) **삼각비** : 직각삼각형에서 두 변의 길이의 비

(2) **∠B=90°인 직각삼각형 ABC에서 ∠A의 삼각비**

① (∠A의 사인)$=\dfrac{(\text{높이})}{(\text{빗변의 길이})}$ ⇨ $\sin A=\dfrac{a}{b}$

② (∠A의 코사인)$=\dfrac{(\text{밑변의 길이})}{(\text{빗변의 길이})}$ ⇨ $\cos A=\dfrac{c}{b}$

③ (∠A의 탄젠트)$=\dfrac{(\text{높이})}{(\text{밑변의 길이})}$ ⇨ $\tan A=\dfrac{a}{c}$

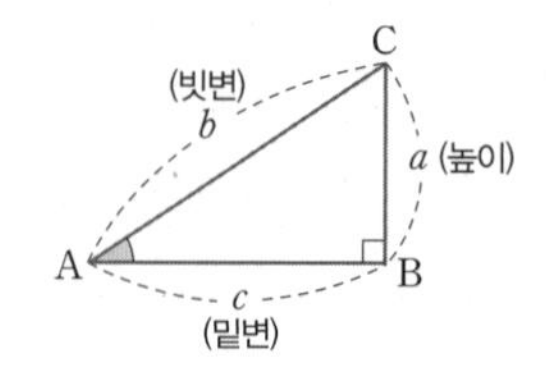

개념+
- sin, cos, tan는 각각 sine, cosine, tangent의 약자이다.
- 오른쪽 그림에서 $\triangle ABC$, $\triangle AB_1C_1$, $\triangle AB_2C_2$, …는 모두 직각삼각형이고, ∠A가 공통이므로 모두 닮은 도형이다.
  닮은 도형에서 대응하는 변의 길이의 비는 일정하므로

  $\dfrac{\overline{BC}}{\overline{AC}}=\dfrac{\overline{B_1C_1}}{\overline{AC_1}}=\dfrac{\overline{B_2C_2}}{\overline{AC_2}}=\cdots=\dfrac{(\text{높이})}{(\text{빗변의 길이})}$ …… ㉠

  $\dfrac{\overline{AB}}{\overline{AC}}=\dfrac{\overline{AB_1}}{\overline{AC_1}}=\dfrac{\overline{AB_2}}{\overline{AC_2}}=\cdots=\dfrac{(\text{밑변의 길이})}{(\text{빗변의 길이})}$ …… ㉡

  $\dfrac{\overline{BC}}{\overline{AB}}=\dfrac{\overline{B_1C_1}}{\overline{AB_1}}=\dfrac{\overline{B_2C_2}}{\overline{AB_2}}=\cdots=\dfrac{(\text{높이})}{(\text{밑변의 길이})}$ …… ㉢

  즉, ∠A의 크기가 정해지면 ㉠, ㉡, ㉢의 값은 직각삼각형의 크기에 관계없이 일정하므로 닮은 직각삼각형에서 대응하는 각에 대한 삼각비의 값은 같다.

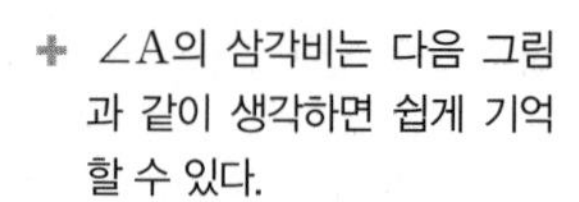

+ ∠A의 삼각비는 다음 그림과 같이 생각하면 쉽게 기억할 수 있다.

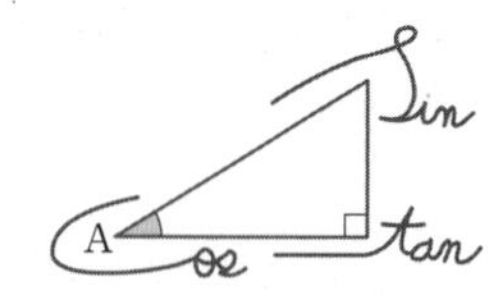

주의
- 삼각비는 직각삼각형에서만 성립한다.
- 한 직각삼각형에서도 구하고자 하는 기준각에 따라 삼각비의 높이와 밑변이 바뀐다. 이때 기준각에서 마주 보는 변이 높이이다.

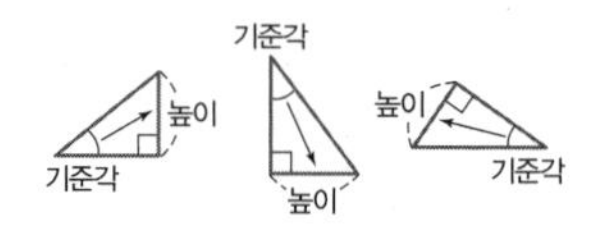

2 특수한 각의 삼각비의 값

삼각비 \ A	30°	45°	60°
$\sin A$	$\dfrac{1}{2}$	$\dfrac{\sqrt{2}}{2}$	$\dfrac{\sqrt{3}}{2}$
$\cos A$	$\dfrac{\sqrt{3}}{2}$	$\dfrac{\sqrt{2}}{2}$	$\dfrac{1}{2}$
$\tan A$	$\dfrac{\sqrt{3}}{3}$	1	$\sqrt{3}$

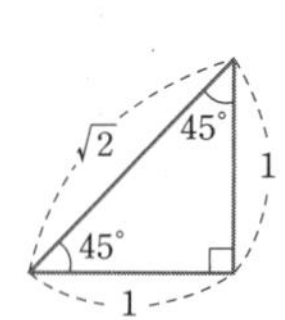

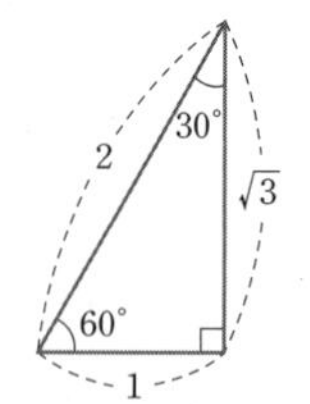

+ 다음 그림과 같은 직각삼각형에서 한 변의 길이가 주어지면 나머지 두 변의 길이도 구할 수 있다.

A, 10, B 30°, C

$\sin 30°=\dfrac{\overline{AC}}{10}=\dfrac{1}{2}$

$\therefore \overline{AC}=5$

$\cos 30°=\dfrac{\overline{BC}}{10}=\dfrac{\sqrt{3}}{2}$

$\therefore \overline{BC}=5\sqrt{3}$

3 임의의 예각에 대한 삼각비의 값

반지름의 길이가 1인 사분원에서 임의의 예각 a에 대하여

(1) $\sin a=\dfrac{\overline{AB}}{\overline{OA}}=\dfrac{\overline{AB}}{1}=\overline{AB}$

(2) $\cos a=\dfrac{\overline{OB}}{\overline{OA}}=\dfrac{\overline{OB}}{1}=\overline{OB}$

(3) $\tan a=\dfrac{\overline{CD}}{\overline{OD}}=\dfrac{\overline{CD}}{1}=\overline{CD}$

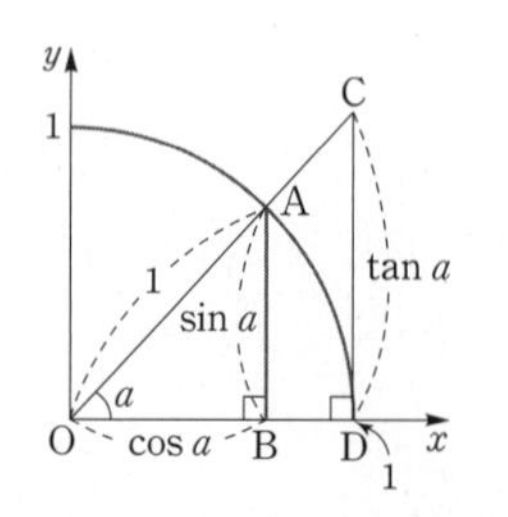

+ 반지름의 길이가 1인 사분원을 이용하는 이유는 빗변의 길이가 1이므로 보다 간단하게 삼각비의 값을 표현할 수 있기 때문이다.

4 0°와 90°의 삼각비의 값

(1) 0°의 삼각비의 값

① $\sin 0° = 0$

② $\cos 0° = 1$

③ $\tan 0° = 0$

(2) 90°의 삼각비의 값

① $\sin 90° = 1$

② $\cos 90° = 0$

③ $\tan 90°$의 값은 정할 수 없다.

개념+ 오른쪽 그림과 같이 반지름의 길이가 1인 사분원에서

(1) 점 A가 아래 A′ 방향으로 움직여 $\angle a$의 크기가 0°가 되면
$\overline{AB}$의 길이는 0이 되므로 $\sin 0° = 0$
$\overline{OB}$의 길이는 1이 되므로 $\cos 0° = 1$
$\overline{CD}$의 길이는 0이 되므로 $\tan 0° = 0$

(2) 점 A가 위 A″ 방향으로 움직여 $\angle a$의 크기가 90°가 되면
$\overline{AB}$의 길이는 1이 되므로 $\sin 90° = 1$
$\overline{OB}$의 길이는 0이 되므로 $\cos 90° = 0$
$\overline{CD}$의 길이는 한없이 커지므로 $\tan 90°$의 값은 정할 수 없다.

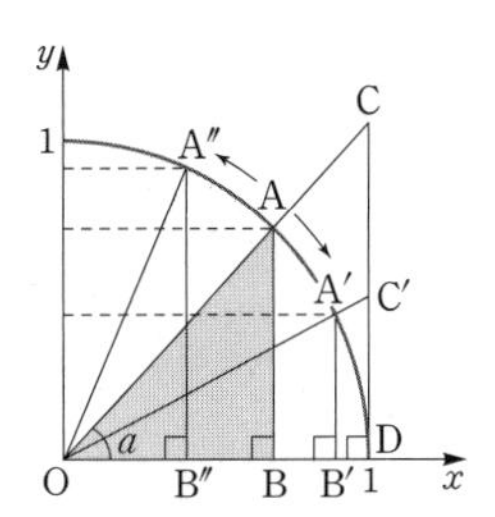

+ a의 크기가 0°에서 90°까지 증가할 때
① $\sin a$의 값은 0에서 1까지 증가한다.
⇨ $0 \le \sin a \le 1$
② $\cos a$의 값은 1에서 0까지 감소한다.
⇨ $0 \le \cos a \le 1$
③ $\tan a$의 값은 0부터 한없이 증가한다.
⇨ $\tan a \ge 0$

5 0°에서 90°의 삼각비의 대소 관계

(1) $0° \le x < 45°$이면 $\sin x < \cos x$, $\tan x < 1$

(2) $x = 45°$이면 $\sin x = \cos x$, $\tan x = 1$

(3) $45° < x \le 90°$이면 $\cos x < \sin x$, $\tan x > 1$

6 삼각비의 표

(1) **삼각비의 표** : 0°에서 90°까지 1° 단위로 삼각비를 소수점 아래 다섯째 자리에서 반올림한 값으로 계산하여 만든 표

(2) 삼각비의 표를 보는 방법

삼각비의 표에서 가로줄과 세로줄이 만나는 곳의 수가 삼각비의 값이다.

각도	sin	cos	tan
⋮	⋮	⋮	⋮
23°	0.3907	0.9205	0.4245
24°	0.4067	0.9135	0.4452
25°	0.4226	0.9063	0.4663
⋮	⋮	⋮	⋮

예 위의 삼각비의 표에서 $\cos 24°$의 값은 각도 24°의 가로줄과 cos의 세로줄이 만나는 곳의 값인 0.9135이다.
즉, $\cos 24° = 0.9135$

+ 주어진 삼각비의 값을 이용하여 삼각비의 표에서 각의 크기를 구할 수 있다.
$\sin x = 0.3907$이면 $x = 23°$이다.

주제별 실력다지기

1 삼각비의 뜻

01 오른쪽 그림과 같은 직각삼각형 ABC에 대하여 다음 중 $\sin A$와 값이 같은 것은?

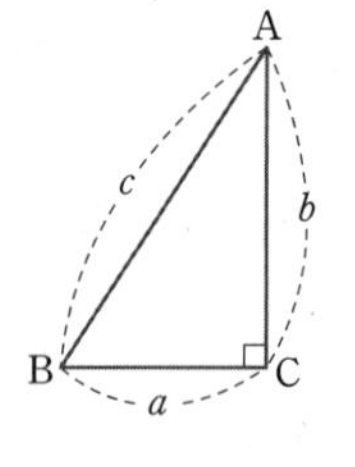

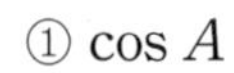

① $\cos A$　② $\tan A$
③ $\sin B$　④ $\cos B$
⑤ $\tan B$

> **삼각비의 값**
> 다음 그림과 같은 △ABC에서
>
> 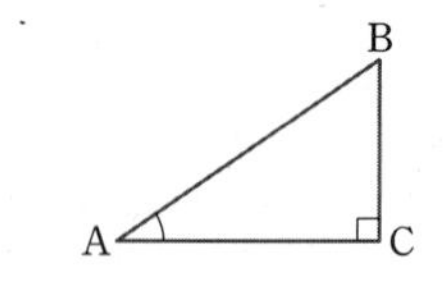
>
>
> $\sin A=\dfrac{\overline{BC}}{\overline{AB}}$
> $\cos A=\dfrac{\overline{AC}}{\overline{AB}}$
> $\tan A=\dfrac{\overline{BC}}{\overline{AC}}$

02 오른쪽 그림과 같이 $\angle C=90°$인 직각삼각형 ABC에 대하여 다음 중 옳지 않은 것은?

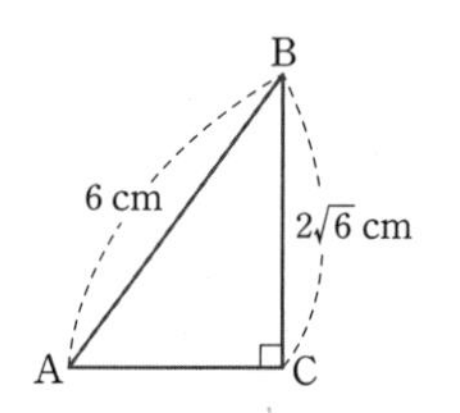

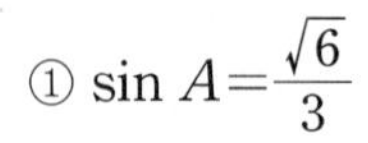

① $\sin A=\dfrac{\sqrt{6}}{3}$　② $\sin B=\dfrac{\sqrt{3}}{3}$
③ $\cos A=\dfrac{\sqrt{3}}{3}$　④ $\cos B=\dfrac{\sqrt{6}}{3}$
⑤ $\tan B=\sqrt{2}$

03 오른쪽 그림과 같이 직사각형 모양의 종이 ABCD를 $\overline{EF}$를 접는 선으로 하여 접었더니 점 A와 점 C가 겹쳐졌다. $\overline{AB}=2$ cm, $\overline{AE}=3$ cm이고, $\angle CEF=x$라 할 때, $\tan x$의 값을 구하시오.

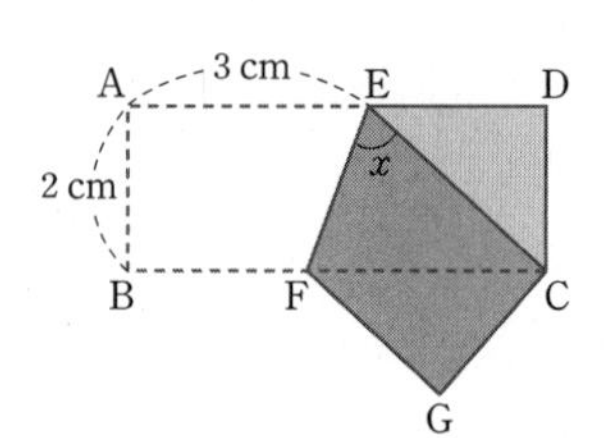

> 점 F에서 $\overline{AD}$에 내린 수선의 발을 H라 하고 $\angle CEF=\angle CFE$임을 이용한다.

04 오른쪽 그림과 같이 $\angle BAC=90°$인 직각삼각형 ABC에서 $\overline{AH}\perp\overline{BC}$이다. $\angle ACB=x$라 할 때, 다음 중 $\cos x$와 값이 같은 것을 모두 고르면? (정답 2개)

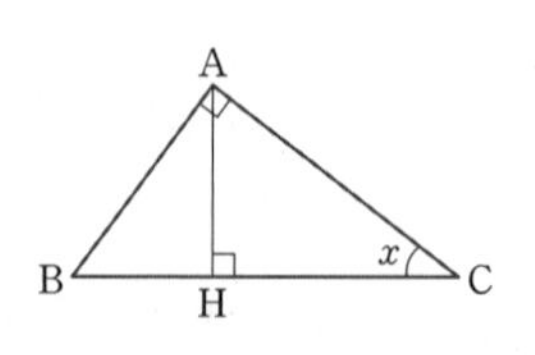

① $\dfrac{\overline{AC}}{\overline{BC}}$　② $\dfrac{\overline{BC}}{\overline{AC}}$　③ $\dfrac{\overline{AB}}{\overline{BH}}$
④ $\dfrac{\overline{AH}}{\overline{AB}}$　⑤ $\dfrac{\overline{AB}}{\overline{AH}}$

> 직각삼각형의 닮음을 이용하여 삼각비의 값 구하기
> ① 닮은 두 직각삼각형을 찾는다.
> ② 크기가 같은 대응각을 찾는다.
> ③ 삼각비의 값을 구한다.

05

오른쪽 그림과 같이 $\angle A=90^\circ$인 직각삼각형 ABC에서 $\overline{AH}\perp\overline{BC}$이고 $\angle BAH=x$, $\angle CAH=y$라 할 때, $\sin x+\sin y$의 값은?

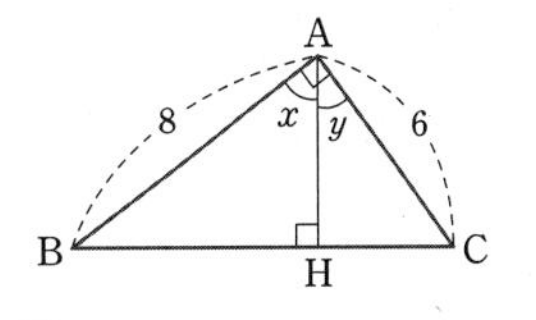

① $\frac{9}{10}$　② $\frac{6}{5}$　③ $\frac{7}{5}$
④ $\frac{8}{5}$　⑤ $\frac{9}{5}$

△ABC에서 $\angle x$, $\angle y$와 크기가 같은 각을 찾아본다.

06

오른쪽 그림과 같이 $\angle C=90^\circ$인 직각삼각형 ABC에서 $\overline{AB}\perp\overline{CD}$이고 $\overline{AB}=13$ cm, $\overline{BC}=5$ cm이다. $\angle ACD=x$라 할 때, $\tan x$의 값을 구하시오.

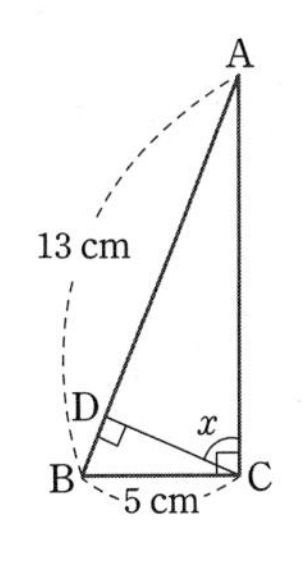

07

오른쪽 그림과 같이 $\angle A=90^\circ$인 직각삼각형 ABC에서 $\overline{ED}\perp\overline{BC}$이고 $\overline{AB}=3$, $\overline{BC}=9$이다. $\angle CED=x$라 할 때, $\sqrt{2}\sin x+\cos x$의 값은?

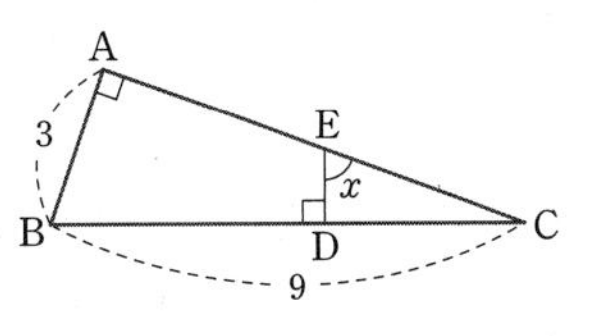

① $\frac{\sqrt{2}}{3}$　② $\sqrt{2}$　③ $\frac{5}{3}$
④ $\frac{4\sqrt{2}}{3}$　⑤ 2

△CDE∽△CAB임을 이용하여 $\angle x$에 대응하는 각을 찾아본다.

08

오른쪽 그림과 같은 직사각형 ABCD에서 $\overline{AC}\perp\overline{BE}$이고 $\overline{AB}=4$, $\overline{BC}=8$이다. $\angle CBE=x$라 할 때, $\sin x-\cos x$의 값은?

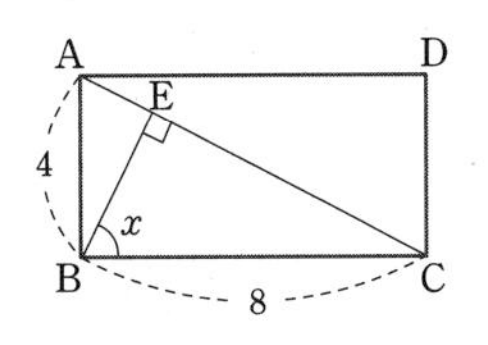

① $\frac{\sqrt{5}}{5}$　② $\frac{\sqrt{3}}{3}$　③ $\sqrt{2}$
④ $\sqrt{3}$　⑤ $\sqrt{5}$

09

오른쪽 그림과 같이 $\angle A=90^\circ$인 직각삼각형 △ABC에서 $\overline{AD}\perp\overline{BC}$, $\overline{AB}\perp\overline{DE}$이다. $\overline{AE}=2$ cm, $\overline{BE}=6$ cm이고, $\angle BAD=x$, $\angle CAD=y$라 할 때, $\sin y+\cos x$의 값을 구하시오.

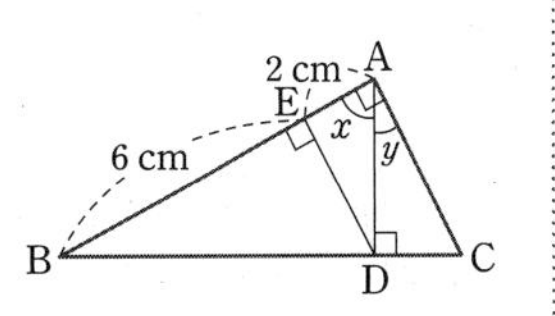

닮음을 이용하여 $\overline{AD}$의 길이를 구한 후, △ABD에서 $\sin y$, $\cos x$의 값을 각각 구해본다.

2 입체도형에서의 삼각비

10 오른쪽 그림과 같이 한 모서리의 길이가 10인 정육면체에서 $\angle CEG=x$라 할 때, $\cos x$의 값을 구하시오.

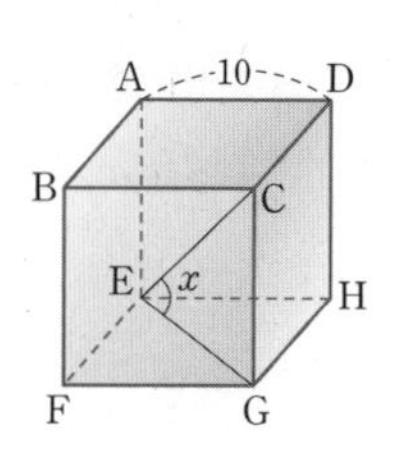

11 오른쪽 그림과 같이 한 모서리의 길이가 6 cm인 정육면체의 점 B에서 $\overline{DF}$에 내린 수선의 발을 I라 하자. $\angle DBI=x$라 할 때, $\sin x$의 값을 구하시오.

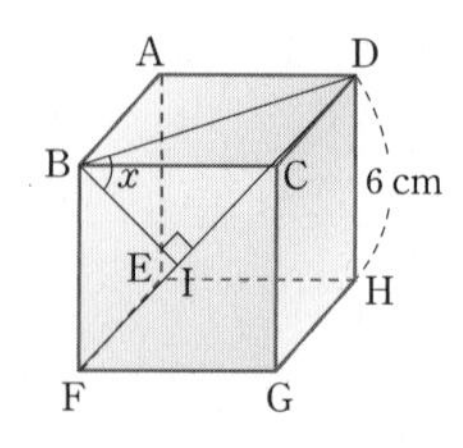

12 오른쪽 그림과 같은 직육면체에서 $\angle BHF=x$라 할 때, $\dfrac{\sin x}{\tan x}$의 값은?

① $\dfrac{1}{2}$　② $\dfrac{\sqrt{2}}{2}$　③ $\sqrt{2}$　④ $\sqrt{3}$　⑤ 2

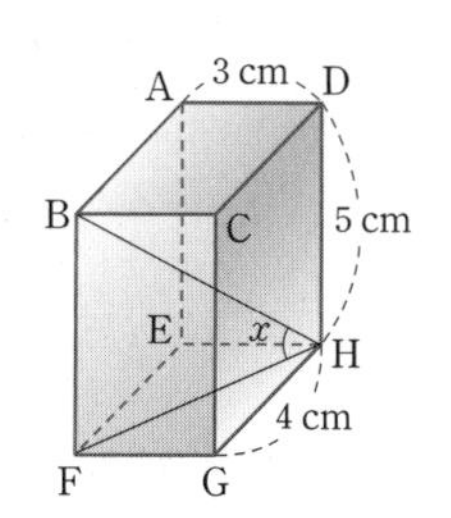

최상위 Q&A 001

입체도형에서 삼각비의 값을 어떻게 구할까?

입체도형에서 삼각비의 값은 평면도형에서와 마찬가지로 기준 각을 한 예각으로 하는 직각삼각형을 찾아 변의 길이를 이용하면 된다.
다음 그림과 같은 정육면체에서 $\cos x$의 값을 구하려면 직각삼각형 BFH만 생각하면 된다.

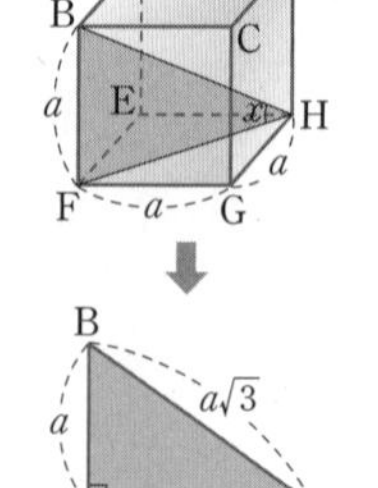

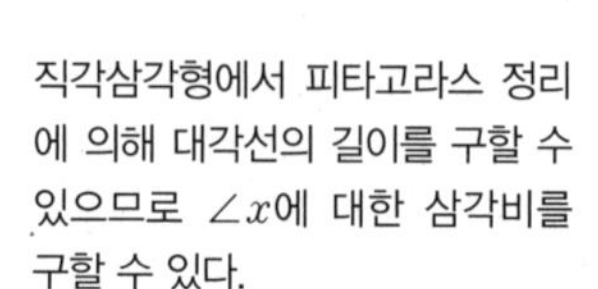

직각삼각형에서 피타고라스 정리에 의해 대각선의 길이를 구할 수 있으므로 $\angle x$에 대한 삼각비를 구할 수 있다.

3 삼각비의 값이 주어진 경우

13 $\angle A=90^\circ$인 직각삼각형 ABC에서 $\tan B=\dfrac{15}{8}$일 때, $\sin B+\cos B$의 값을 구하시오.

14 $\angle C=90^\circ$인 직각삼각형 ABC에서 $5\cos A-4=0$일 때, $\sin A\times\dfrac{1}{\tan B}$의 값은?

① $\dfrac{16}{15}$　② $\dfrac{4}{5}$　③ $\dfrac{3}{5}$　④ $\dfrac{12}{25}$　⑤ $\dfrac{9}{20}$

사인, 코사인, 탄젠트 중 하나의 값을 알 때, 나머지 삼각비의 값 구하기

① 주어진 삼각비의 값을 갖는 직각삼각형을 그린다.
② 피타고라스 정리를 이용하여 나머지 한 변의 길이를 구한다.
③ 나머지 삼각비의 값을 구한다.

15 $\angle \mathrm{B}=90^{\circ}$인 직각삼각형 ABC에서 $3\sin A-2=0$일 때, $\cos A\times\dfrac{1}{\tan C}$의 값은?

① $\dfrac{1}{6}$ ② $\dfrac{4\sqrt{5}}{15}$ ③ $\dfrac{2}{3}$
④ $\dfrac{\sqrt{5}}{3}$ ⑤ $\dfrac{5}{6}$

16 $\sin A=\dfrac{12}{13}$일 때, $\cos A\times\tan A$의 값은? (단, $0^{\circ}<A<90^{\circ}$)

① $\dfrac{5}{13}$ ② $\dfrac{12}{13}$ ③ $\dfrac{13}{12}$
④ $\dfrac{4}{3}$ ⑤ $\dfrac{12}{5}$

$\angle$A를 예각으로 하는 직각삼각형을 그려본다.

17 오른쪽 그림과 같은 직각삼각형 ABC에서 $\overline{\mathrm{AC}}=2\text{ cm}$이고 $\sin B=\dfrac{1}{5}$일 때, $\overline{\mathrm{BC}}$의 길이는?

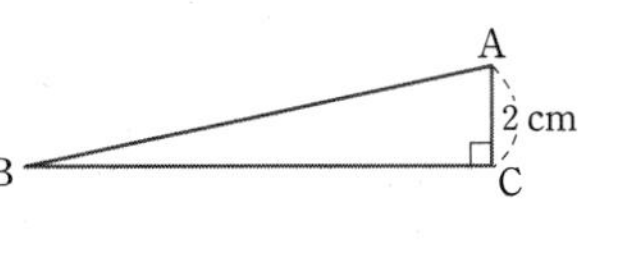

① $2\sqrt{2}$ cm ② 4 cm ③ $2\sqrt{6}$ cm
④ $4\sqrt{2}$ cm ⑤ $4\sqrt{6}$ cm

변의 길이 구하기
① 주어진 한 변의 길이와 삼각비의 값을 이용하여 다른 한 변의 길이를 구한다.
② 피타고라스 정리를 이용하여 나머지 한 변의 길이를 구한다.

18 오른쪽 그림과 같은 직각삼각형 ABC에서 $\overline{\mathrm{BC}}=9\text{ cm}$이고 $\cos C=\dfrac{3}{5}$일 때, $\triangle$ABC의 둘레의 길이는?

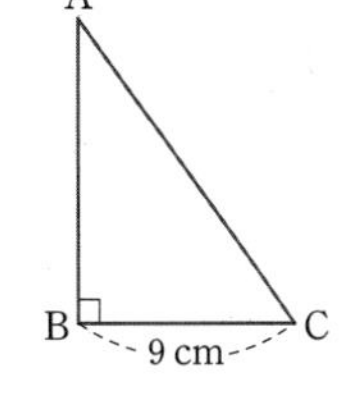

① 32 cm ② 34 cm
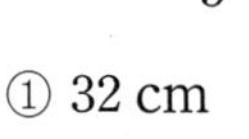
③ 36 cm ④ 38 cm
⑤ 40 cm

19 오른쪽 그림과 같은 직각삼각형 ABC에서 $\overline{\mathrm{AB}}=5$, $\tan B=\sqrt{2}$일 때, $\overline{\mathrm{BC}}\times\cos C$의 값을 구하시오.

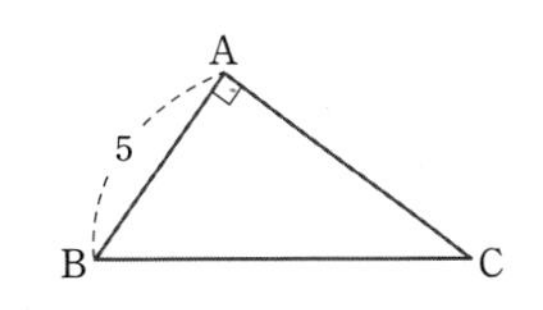

$\tan B=\sqrt{2}$임을 이용하여 $\overline{\mathrm{AC}}$의 길이를 구해본다.

20

오른쪽 그림과 같은 직각삼각형 ABC에서 $\overline{AC}=26$ cm이고 $\sin A=\frac{5}{13}$일 때, △ABC의 넓이는?

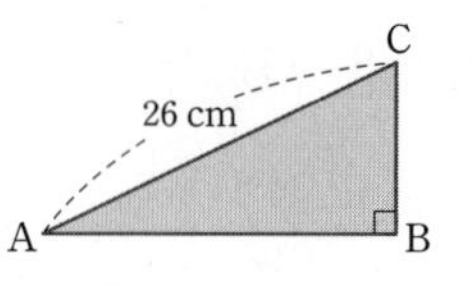

① 60 cm^2　② 80 cm^2　③ 120 cm^2
④ 130 cm^2　⑤ 156 cm^2

주어진 삼각비의 값을 이용하여 높이를 구한 후, 밑변의 길이를 구해 도형의 넓이를 구한다.

21

오른쪽 그림과 같은 직각삼각형 ABC에서 $\overline{AB}=10$ cm이고 $\cos A=\frac{1}{2}$일 때, △ABC의 넓이를 구하시오.

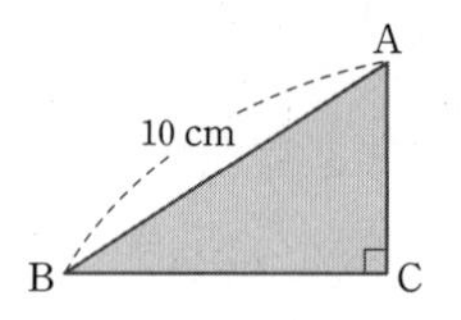

4 특수한 각의 삼각비의 값

22

$\sin 45^\circ \times \cos 45^\circ - \tan 60^\circ \times \cos 30^\circ$의 값은?

① -2　② -1　③ $-\frac{1}{2}$
④ 0　⑤ $\frac{1}{2}-\frac{\sqrt{3}}{4}$

특수한 각의 삼각비의 값

삼각비 \ A	30°	45°	60°
$\sin A$	$\frac{1}{2}$	$\frac{\sqrt{2}}{2}$	$\frac{\sqrt{3}}{2}$
$\cos A$	$\frac{\sqrt{3}}{2}$	$\frac{\sqrt{2}}{2}$	$\frac{1}{2}$
$\tan A$	$\frac{\sqrt{3}}{3}$	1	$\sqrt{3}$

23

다음 식의 값은?

$$\sqrt{3}\cos 30^\circ - \frac{\sqrt{3}\sin 60^\circ \times \tan 45^\circ}{\sqrt{3}\tan 30^\circ}$$

① $-\sqrt{3}$　② 0　③ 1
④ $\sqrt{3}$　⑤ 2

24

다음 중 계산이 옳지 않은 것을 모두 고르면? (정답 2개)

① $\sin 45^\circ \times \cos 45^\circ = \frac{1}{2}$

② $\tan 30^\circ \div \cos 60^\circ = \frac{2}{3}$

③ $\sin 30^\circ \times \tan 60^\circ + \cos 30^\circ = \sqrt{3}$

④ $\cos 30^\circ \times \sin 30^\circ - \tan 45^\circ \times \sin 45^\circ = 0$

⑤ $\cos 60^\circ \div \sin 30^\circ + \tan 60^\circ \times \tan 30^\circ = 2$

25

다음을 계산하시오.

(1) $\sin 0° + \cos 90°$

(2) $\cos 0° - \tan 0°$

(3) $\sin 90° \times \cos 90°$

(4) $(\tan 0° - \cos 0°) \times \sin 90°$

0°, 90°의 삼각비의 값

삼각비 \ A	0°	90°
$\sin A$	0	1
$\cos A$	1	0
$\tan A$	0	정할 수 없다.

26

다음 중 옳지 않은 것은?

① $\sin 45° - \sin 90° \times \cos 45° = 0$

② $\tan 45° \times \cos 90° + \tan 30° \div \tan 60° = 0$

③ $\sin 30° \times \cos 60° - \sin 45° \times \cos 45° = -\frac{1}{4}$

④ $\cos 0° \times \sin 90° - \tan 0° \times \sin 90° = 1$

⑤ $\sin 45° \times \tan 45° + \cos 60° \times \tan 60° = \frac{\sqrt{2}+\sqrt{3}}{2}$

27

△ABC의 세 내각의 크기의 비가 1 : 2 : 3이고, 세 내각 중 크기가 가장 작은 각을 ∠A라 할 때, $\frac{\cos A \times \tan A}{\sin A}$의 값은?

① $\frac{\sqrt{3}}{4}$ ② $\frac{1}{2}$ ③ $\frac{\sqrt{3}}{2}$

④ 1 ⑤ 2

28

오른쪽 그림과 같이 ∠C=90°인 직각삼각형 ABC에서 점 I는 내심이고 ∠AIC=105°일 때, $\sin^2 A - \cos A + \tan^2 A$의 값을 구하시오.

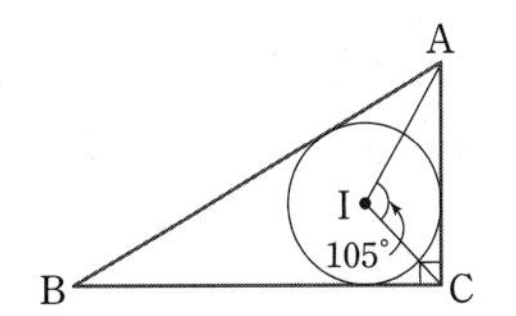

- $\angle AIC = 90° + \frac{1}{2}\angle B$
- $\sin^2 A = (\sin A)^2$
  $\cos^2 A = (\cos A)^2$
  $\tan^2 A = (\tan A)^2$

29

오른쪽 그림과 같이 ∠C=90°인 직각삼각형 ABC에서 세 변의 길이를 각각 a, b, c라 할 때, 다음 물음에 답하시오.

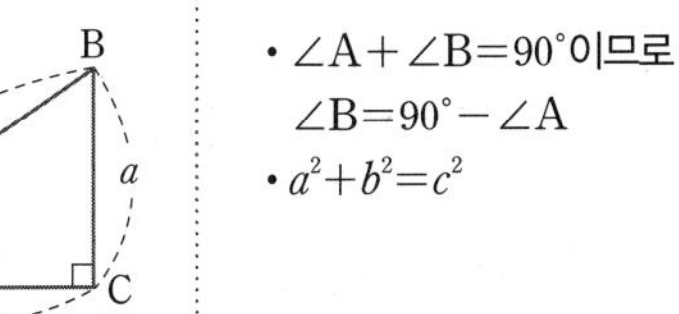

(1) $\sin^2 A + \sin^2 (90° - A)$의 값을 구하시오.

(2) (1)의 결과를 이용하여 $\sin^2 10° + \sin^2 20° + \sin^2 30° + \cdots + \sin^2 80°$의 값을 구하시오.

- $\angle A + \angle B = 90°$이므로
  $\angle B = 90° - \angle A$
- $a^2 + b^2 = c^2$

5 삼각비의 값이 주어졌을 때, 특수한 각의 크기 구하기

30 $\cos x=\frac{1}{2}$, $\sin y=\frac{\sqrt{2}}{2}$일 때, $x+y$의 크기는?

(단, $0^\circ<x<90^\circ$, $0^\circ<y<90^\circ$)

① 60° ② 75° ③ 90°
④ 105° ⑤ 120°

특수각의 삼각비의 값으로 각의 크기를 구한다.
예 $0^\circ<x<90^\circ$일 때,
$\sin x=\frac{1}{2}$이면 $x=30^\circ$
$\cos x=\frac{\sqrt{2}}{2}$이면 $x=45^\circ$
$\tan x=\sqrt{3}$이면 $x=60^\circ$

31 $\sin x=\frac{\sqrt{3}}{2}$, $\tan y=\frac{\sqrt{3}}{3}$일 때, $\cos(x-y)$의 값은?

(단, $0^\circ<x<90^\circ$, $0^\circ<y<90^\circ$)

① $\frac{1}{2}$ ② $\frac{\sqrt{2}}{2}$ ③ $\frac{\sqrt{3}}{2}$
④ 1 ⑤ $\sqrt{3}$

32 $\sin(2x+15^\circ)=\frac{\sqrt{2}}{2}$일 때, $\cos 3x$의 값을 구하시오. (단, $0^\circ<x<35^\circ$)

$\sin 45^\circ=\frac{\sqrt{2}}{2}$임을 이용하여 x의 크기를 구한 후, $\cos 3x$의 값을 구한다.

33 $\cos(2x+30^\circ)=\frac{1}{2}$일 때, $\sin 4x$의 값을 구하시오. (단, $0^\circ<x<30^\circ$)

34 $\cos(3x-45^\circ)=\frac{\sqrt{3}}{2}$일 때, $\tan(x+20^\circ)$의 값을 구하시오.

(단, $15^\circ<x<45^\circ$)

$\cos 30^\circ=\frac{\sqrt{3}}{2}$임을 이용하여 x의 크기를 구한 후, $\tan(x+20^\circ)$의 값을 구한다.

35 $\tan(4x-20^\circ)=\sqrt{3}$일 때, $\sin 3x-\cos(x+10^\circ)$의 값은?

(단, $5^\circ<x<25^\circ$)

① $-\sqrt{3}$ ② -1 ③ 0
④ 1 ⑤ $\sqrt{3}$

6 특수각이 주어진 삼각형의 선분의 길이 구하기

36 오른쪽 그림과 같은 $\triangle ABC$에서 $\overline{AH} \perp \overline{BC}$이고 $\angle B=45°$, $\angle C=60°$, $\overline{AB}=6\sqrt{2}$일 때, $\overline{BC}$의 길이를 구하시오.

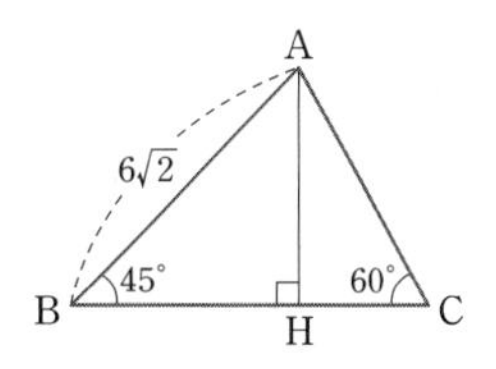

37 오른쪽 그림과 같은 $\triangle ABC$에서 $\overline{AH} \perp \overline{BC}$이고 $\angle B=45°$, $\angle C=60°$일 때, $y-x$의 값을 구하시오.

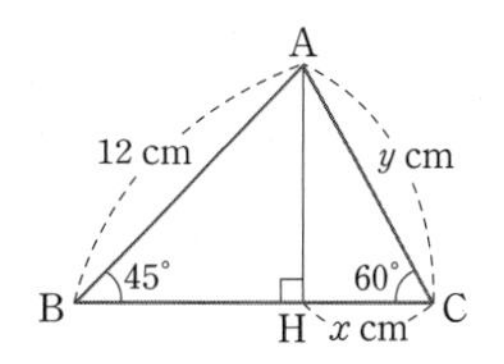

38 오른쪽 그림과 같은 $\triangle ABC$에서 $\overline{AD} \perp \overline{BC}$이고 $\angle B=60°$, $\angle C=45°$, $\overline{BC}=4$ cm일 때, $\overline{CD}$의 길이는?

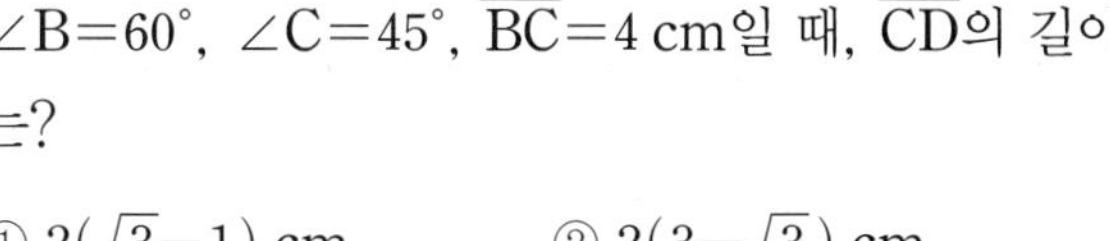

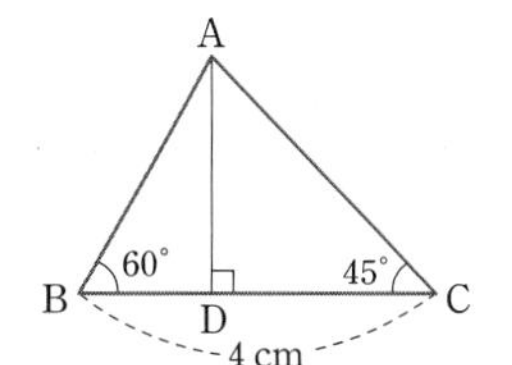

39 오른쪽 그림과 같은 직각삼각형 ABC에서 $\angle B=30°$, $\angle ADC=45°$, $\overline{AC}=6$ cm일 때, $\overline{BD}$의 길이를 구하시오.

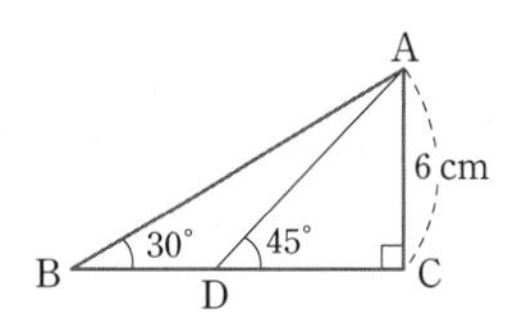

40 오른쪽 그림과 같은 직각삼각형 ABC에서 $\overline{BD}=\overline{CD}$이고 $\overline{AC}=8$ cm, $\angle ACB=30°$일 때, $\overline{AD}$의 길이는?

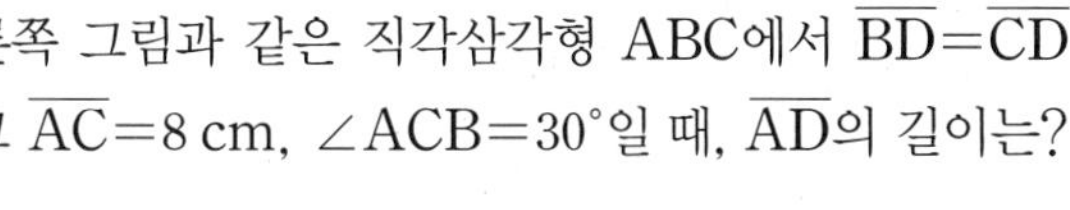

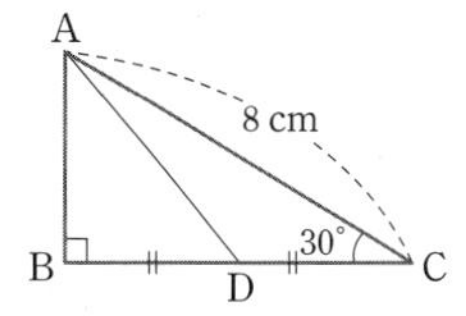

주어진 한 변의 길이와 특수각의 삼각비의 값을 이용하여 직각삼각형의 다른 변의 길이를 구한다.

예 다음 그림과 같이 $\angle A$의 크기와 $\overline{BC}$의 길이가 주어진 직각삼각형 ABC에서

$\sin A=\sin 30°$이므로

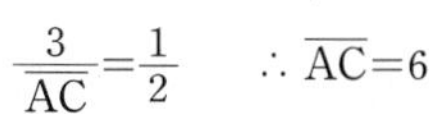

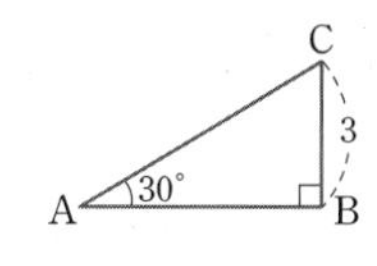

$\overline{AD}=x$ cm라 놓고 $\overline{BD}$, $\overline{CD}$의 길이를 x를 이용하여 나타낸다.

41

오른쪽 그림과 같은 직각삼각형 ABC에서 $\angle A$의 이등분선이 $\overline{BC}$와 만나는 점을 D라 하자. $\overline{AC}=9\text{ cm}$, $\angle B=30^\circ$일 때, $\overline{BD}$의 길이를 구하시오.

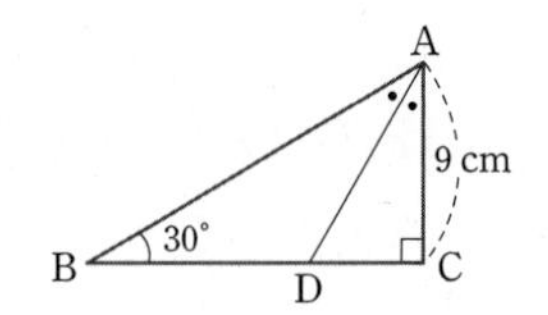

특수한 각의 삼각비를 이용하여 변의 길이를 구한 후 내각의 이등분선의 성질, 즉 $\overline{AB}:\overline{AC}=\overline{BD}:\overline{CD}$임을 이용하여 문제를 해결한다.

42

오른쪽 그림에서 $\angle ABC=\angle BCD=90^\circ$이고 $\angle BAC=60^\circ$, $\angle BDC=45^\circ$, $\overline{AB}=4\text{ cm}$일 때, $\overline{AC}+\overline{BD}$의 길이를 구하시오.

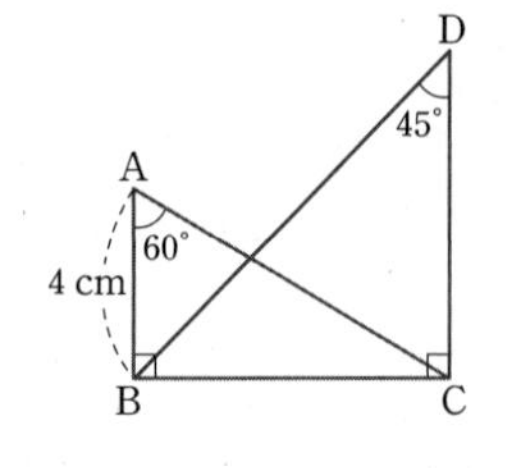

43

오른쪽 그림과 같이 $\overline{AC}=8\text{ cm}$, $\angle A=30^\circ$인 직각삼각형 ABC에서 $\overline{AC}\perp\overline{BD}$, $\overline{AB}\perp\overline{DE}$일 때, $\overline{DE}$의 길이는?

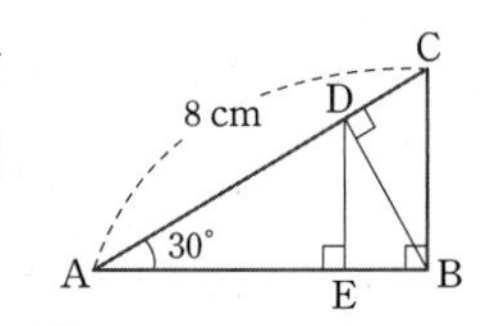

① $\sqrt{3}\text{ cm}$ ② 3 cm ③ $2\sqrt{3}\text{ cm}$
④ 4 cm ⑤ 5 cm

세 직각삼각형 ABC, ABD, AED에서 특수한 각의 삼각비를 이용하여 변의 길이를 차례로 구해본다.

44

오른쪽 그림과 같이 $\angle C=90^\circ$인 직각삼각형 ABC에서 $\overline{AD}=\overline{BD}$, $\overline{AC}=4\text{ cm}$이고 $\angle ADC=30^\circ$일 때, $\tan 15^\circ$의 값을 구하시오.

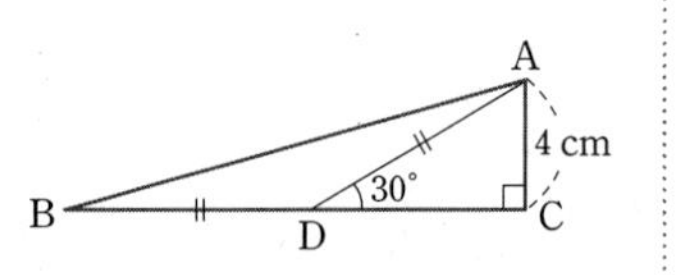

45

오른쪽 그림과 같은 직육면체에서 $\overline{FG}=1$, $\angle AFE=45^\circ$, $\angle CFG=60^\circ$이고 $\angle AFC=x$라 할 때, $\cos x$의 값을 구하시오.

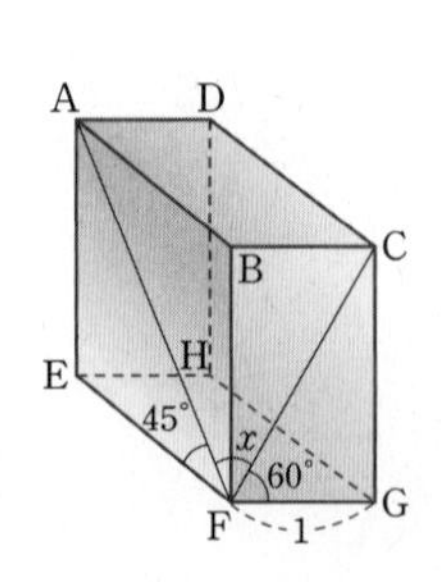

△AFC의 세 변의 길이를 구한 후 점 C에서 $\overline{AF}$에 수선을 그어 직각삼각형을 만든다.

7 사분원을 이용한 삼각비의 값

46 오른쪽 그림과 같이 반지름의 길이가 1인 사분원에서 $\overline{CD}$의 길이를 나타내는 것은?

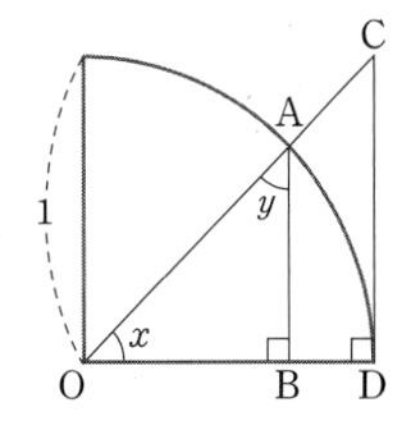

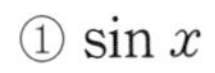

① $\sin x$　② $\cos x$　③ $\tan x$　④ $\sin y$　⑤ $\tan y$

반지름의 길이가 1인 사분원에서

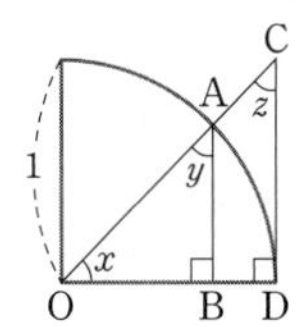

(i) $\sin x=\frac{\overline{AB}}{\overline{OA}}=\frac{\overline{AB}}{1}=\overline{AB}$

$\cos x=\frac{\overline{OB}}{\overline{OA}}=\frac{\overline{OB}}{1}=\overline{OB}$

$\tan x=\frac{\overline{CD}}{\overline{OD}}=\frac{\overline{CD}}{1}=\overline{CD}$

(ii) $\overline{AB}/\!/\overline{CD}$이므로

$y=z$ (동위각)

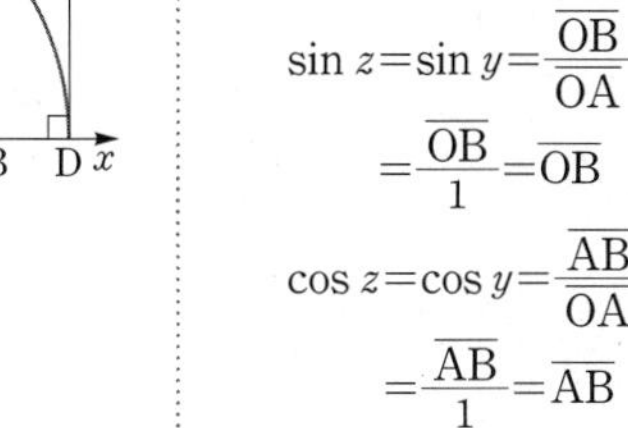

$\sin z=\sin y=\frac{\overline{OB}}{\overline{OA}}=\frac{\overline{OB}}{1}=\overline{OB}$

$\cos z=\cos y=\frac{\overline{AB}}{\overline{OA}}=\frac{\overline{AB}}{1}=\overline{AB}$

47 오른쪽 그림과 같이 반지름의 길이가 1인 사분원을 좌표평면 위에 나타내었다. 다음 중 점 A의 좌표를 나타내는 것은?

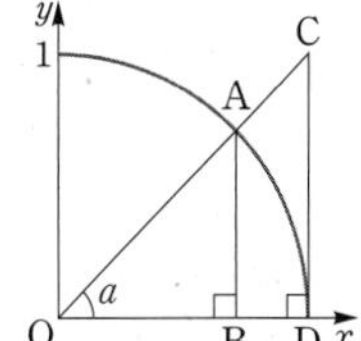

① A$(\sin a, 1)$　② A$(\cos a, 1)$　③ A$(\cos a, \tan a)$　④ A$(\sin a, \cos a)$　⑤ A$(\cos a, \sin a)$

48 오른쪽 그림은 반지름의 길이가 1인 사분원이다. 삼각비의 값을 선분으로 나타낼 때, 다음 중 옳지 <u>않은</u> 것은?

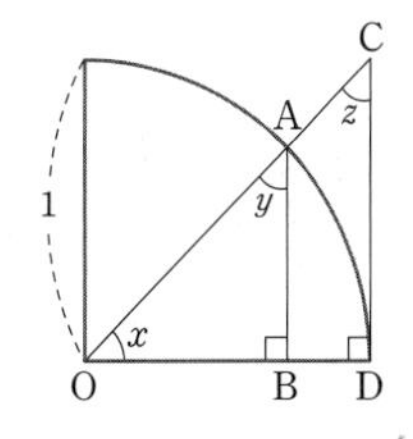

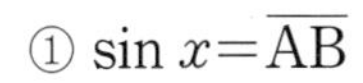

① $\sin x=\overline{AB}$　② $\cos x=\overline{OB}$　③ $\tan x=\overline{CD}$　④ $\cos y=\overline{AC}$　⑤ $\sin z=\overline{OB}$

49 오른쪽 그림과 같이 반지름의 길이가 1이고 중심각의 크기가 40°인 부채꼴에서 $\overline{CD}\perp\overline{AB}$일 때, 다음 중 $\overline{DB}$의 길이를 나타내는 것은?

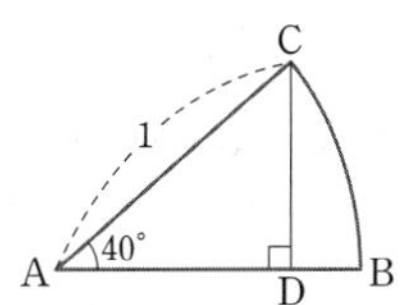

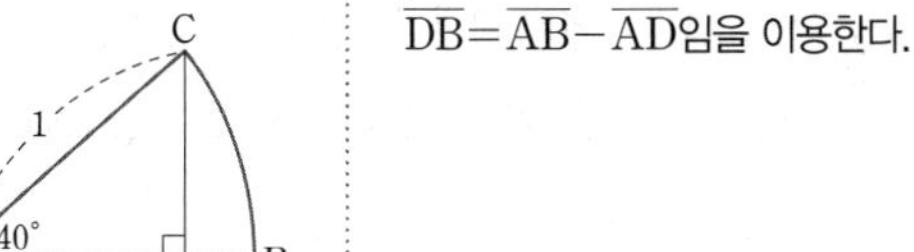

$\overline{DB}=\overline{AB}-\overline{AD}$임을 이용한다.

① $1-\sin 40°$　② $1-\cos 50°$　③ $1-\tan 50°$　④ $1-\cos 40°$　⑤ $1-\tan 40°$

50 오른쪽 그림과 같이 반지름의 길이가 1인 사분원에서 다음 중 옳은 것은?

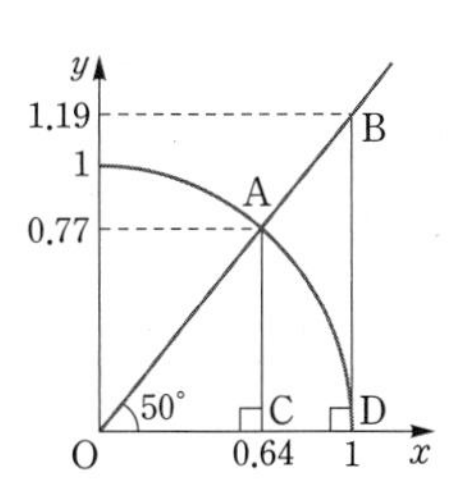

① $\sin 50°=0.64$　② $\cos 50°=0.77$　③ $\tan 50°=1.19$　④ $\sin 40°=0.77$

⑤ $\cos 40°=0.64$

51

오른쪽 그림과 같이 반지름의 길이가 1인 사분원에서 $\sin 52^\circ - \cos 52^\circ + \tan 52^\circ$의 값은?

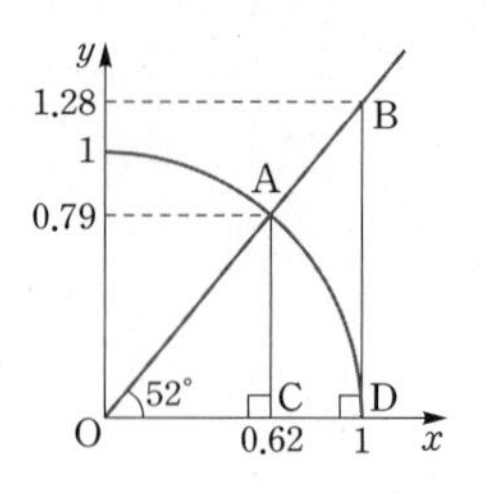

① 0.13 ② 1.11
③ 1.25 ④ 1.42
⑤ 1.45

52

오른쪽 그림과 같이 반지름의 길이가 1인 사분원에서 $\sin 38^\circ + \tan 38^\circ$의 값을 구하시오.

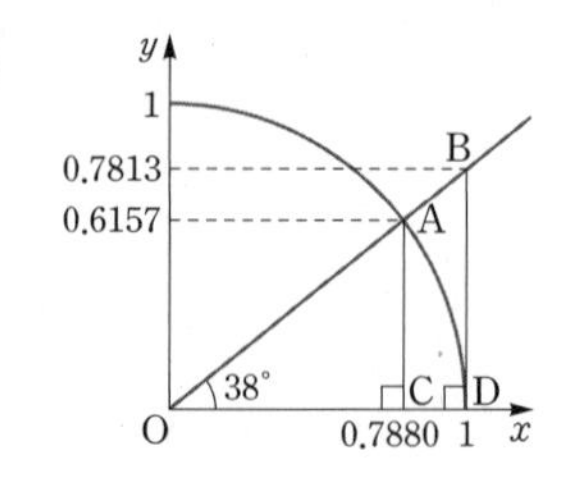

8 삼각비의 값의 대소 관계

53

$0^\circ \le x \le 90^\circ$일 때, 다음 중 옳지 않은 것은?

① $\angle x$의 크기가 커지면 $\sin x$의 값도 커진다.
② $\angle x$의 크기가 커지면 $\cos x$의 값은 작아진다.
③ $\angle x$의 크기가 커지면 $\tan x$의 값은 작아진다.
④ $\sin x$와 $\cos x$의 최솟값은 0, 최댓값은 1이다.
⑤ $\tan x$의 최솟값은 0, 최댓값은 정할 수 없다.

$0^\circ \le x \le 90^\circ$인 범위에서 $\angle x$의 크기가 증가하면
(1) $\sin x$의 값은 0에서 1까지 증가한다. ⇨ $0 \le \sin x \le 1$
(2) $\cos x$의 값은 1에서 0까지 감소한다. ⇨ $0 \le \cos x \le 1$
(3) $\tan x$의 값은 0에서 한없이 증가한다. ⇨ $\tan x \ge 0$

54

$45^\circ < x < 90^\circ$일 때, 다음 중 $\sin x$, $\cos x$, $\tan x$의 대소 관계가 옳은 것은?

① $\sin x < \cos x < \tan x$ ② $\sin x < \tan x < \cos x$
③ $\cos x < \sin x < \tan x$ ④ $\tan x < \sin x < \cos x$
⑤ $\tan x < \cos x < \sin x$

55

다음 중 삼각비의 값의 대소 관계로 옳은 것을 모두 고르면? (정답 2개)

① $\sin 30^\circ > \sin 40^\circ$ ② $\sin 0^\circ = \cos 90^\circ$
③ $\cos 70^\circ > \cos 30^\circ$ ④ $\cos 60^\circ > \sin 60^\circ$
⑤ $\tan 50^\circ > \sin 80^\circ$

56

다음 중 삼각비의 값의 대소 관계로 옳은 것을 모두 고르면? (정답 2개)

① $\cos 53^\circ < \cos 82^\circ$　② $\cos 55^\circ < \sin 76^\circ$
③ $\sin 24^\circ > \cos 42^\circ$　④ $\sin 45^\circ = \cos 45^\circ$
⑤ $\cos 90^\circ > \tan 32^\circ$

57

다음 중 삼각비의 값의 대소 관계로 옳지 않은 것을 모두 고르면? (정답 2개)

① $\sin 38^\circ < \sin 52^\circ$　② $\cos 44^\circ > \cos 73^\circ$
③ $\sin 30^\circ < \cos 40^\circ$　④ $\cos 85^\circ > \tan 50^\circ$
⑤ $\sin 90^\circ = \tan 90^\circ$

58

$0^\circ < A < 90^\circ$일 때, $\sqrt{(\cos A-1)^2}-\sqrt{(1-\sin A)^2}$을 간단히 하면?

① $\sin A-\cos A$　② $\cos A-\sin A$
③ $\sin A+\cos A$　④ $2-\sin A-\cos A$
⑤ $2+\sin A+\cos A$

삼각비의 값의 대소 관계를 이용한 식의 계산
주어진 삼각비의 값의 대소를 비교한 후 제곱근의 성질을 이용하여 근호를 없애본다.
⇨ $\sqrt{a^2}=\begin{cases} a & (a\ge 0) \\ -a & (a<0) \end{cases}$
예 $0^\circ < A < 90^\circ$일 때, $0<\sin A<1$이므로 $(\sin A-1)<0$
$\therefore \sqrt{(\sin A-1)^2}$
$=-(\sin A-1)$
$=1-\sin A$

59

$0^\circ < A < 45^\circ$일 때, $\sqrt{(1-\tan A)^2}-\sqrt{(\tan A-1)^2}$을 간단히 하면?

① -2　② 0　③ 2
④ $2\tan A$　⑤ $2-2\tan A$

60

$0^\circ < x < 45^\circ$일 때, 다음 식을 간단히 하면?

$$\sqrt{(\cos x)^2}-\sqrt{(\sin x-\cos x)^2}$$

① $-\sin x$　② $\sin x$
③ $-\sin x-2\cos x$　④ $2\cos x-\sin x$
⑤ $\sin x-2\cos x$

$0^\circ < x < 45^\circ$일 때, $\sin x < \cos x$

61

$45^\circ < A < 90^\circ$일 때, 다음 식을 간단히 하시오.

$$\sqrt{(\sin A - \cos A)^2} - \sqrt{(\cos A - \sin A)^2}$$

62

$45^\circ < A < 90^\circ$일 때, 다음 식을 간단히 하시오.

$$\sqrt{(\cos A - \sin A)^2} + \sqrt{(\sin A - \tan A)^2}$$

$45^\circ < A < 90^\circ$일 때,
$\cos A < \sin A < \tan A$

9 삼각비의 표

[63 ~ 65] 다음 삼각비의 표를 이용하여 물음에 답하시오.

각도	sin	cos	tan
24°	0.4067	0.9135	0.4452
25°	0.4226	0.9063	0.4663
26°	0.4384	0.8988	0.4877
27°	0.4540	0.8910	0.5095

63

$\tan 25^\circ + \sin 27^\circ$의 값은?

① 0.8766 ② 0.8889 ③ 0.9203
④ 0.9321 ⑤ 1.3573

삼각비의 값은 삼각비의 표에서 가로줄과 세로줄이 만나는 곳의 수이다.

64

$\cos x = 0.9063$일 때, x의 크기를 구하시오.

삼각비의 표에서 삼각비의 값을 찾아 왼쪽의 각의 크기를 읽는다.

65

$\tan x = 0.4877$일 때, $\sin x$의 값을 구하시오.

[66 ~ 67] 다음 삼각비의 표를 이용하여 물음에 답하시오.

각도	sin	cos	tan
55°	0.8192	0.5736	1.4281
56°	0.8290	0.5592	1.4826
57°	0.8387	0.5446	1.5399
58°	0.8480	0.5299	1.6003

66

$\sin 58° + \tan 55° - \cos 57°$의 값을 구하시오.

67

$\sin x = 0.8290$, $\tan y = 1.5399$일 때, $x+y$의 크기를 구하시오.

68

$\cos x = 0.3256$, $\tan y = 2.6051$일 때, 다음 삼각비의 표를 이용하여 $x+y$의 크기를 구하면?

각도	sin	cos	tan
68°	0.9272	0.3746	2.4751
69°	0.9336	0.3584	2.6051
70°	0.9397	0.3420	2.7475
71°	0.9455	0.3256	2.9042
72°	0.9511	0.3090	3.0777

① 138° ② 139° ③ 140°
④ 141° ⑤ 142°

69

오른쪽 그림과 같은 직각삼각형 ABC에서 $\angle B = 48°$, $\overline{AB} = 10$일 때, 다음 삼각비의 표를 이용하여 $\overline{BC}$의 길이를 구하시오.

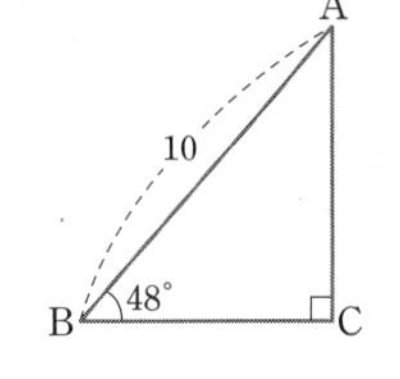

삼각비의 표에서 48°의 삼각비의 값을 이용한다.

각도	sin	cos	tan
46°	0.7193	0.6947	1.0355
47°	0.7314	0.6820	1.0724
48°	0.7431	0.6691	1.1106
49°	0.7547	0.6561	1.1504

70

오른쪽 그림과 같은 직각삼각형 ABC에서 $\angle A = 24°$, $\overline{AB} = 20$일 때, 다음 삼각비의 표를 이용하여 $x-y$의 값을 구하시오.

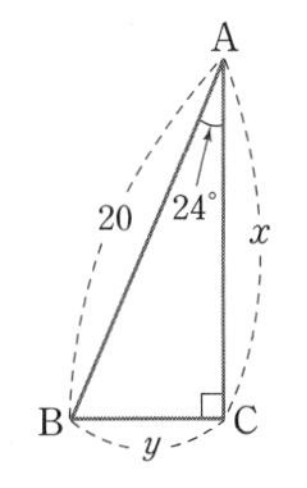

삼각비의 표에서 24°의 삼각비의 값을 이용한다.

각도	sin	cos	tan
22°	0.3746	0.9272	0.4040
23°	0.3907	0.9205	0.4245
24°	0.4067	0.9135	0.4452
25°	0.4226	0.9063	0.4663

10 직선의 방정식과 삼각비

71 오른쪽 그림과 같이 x절편이 -2이고 x축의 양의 방향과 이루는 각의 크기가 60°인 직선의 방정식을 구하시오.

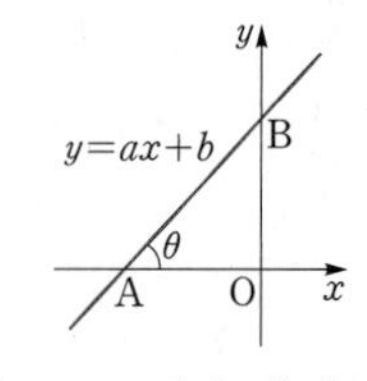

직선 $y=ax+b$가 x축의 양의 방향과 이루는 각의 크기를 θ라 하면

$\tan\theta=\frac{\overline{OB}}{\overline{OA}}$
$=\frac{(y\text{의 값의 증가량})}{(x\text{의 값의 증가량})}$
$=$(직선의 기울기)
$=a$

72 x절편이 -3인 직선이 x축의 양의 방향과 이루는 각의 크기가 30°일 때, 이 직선의 방정식을 구하시오.

73 오른쪽 그림과 같이 직선 $3x-4y+12=0$이 x축과 이루는 예각의 크기를 a라 할 때, $\cos a$의 값을 구하시오.

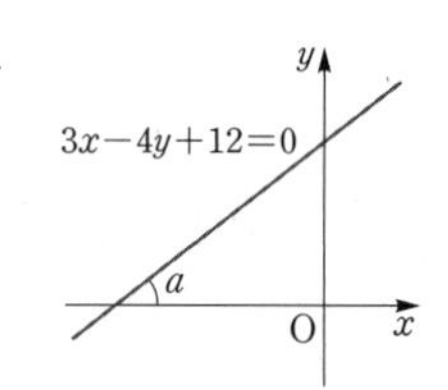

직선의 x절편과 y절편을 각각 구해본다.

74 오른쪽 그림과 같이 직선 $x-y+7=0$과 x축의 양의 방향이 이루는 각의 크기를 a라 할 때, $\sin a\times\cos a$의 값을 구하시오.

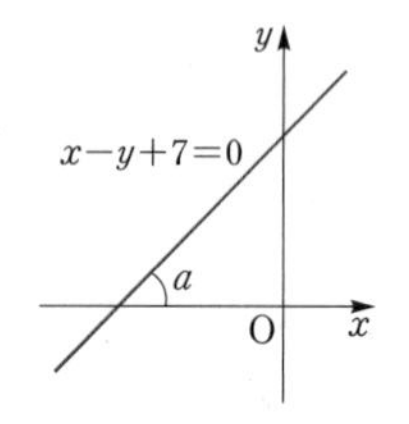

75 오른쪽 그림과 같이 직선 $x-2y+6=0$이 y축과 이루는 예각의 크기를 a라 할 때, $\tan a$의 값은?

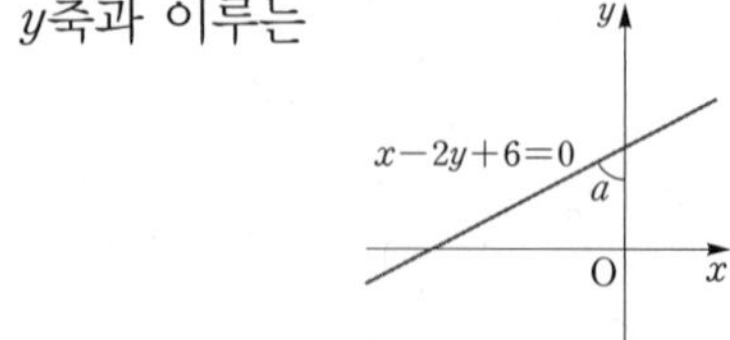

① $\frac{1}{2}$　　② 1　　③ $\frac{3}{2}$　　④ $\sqrt{3}$　　⑤ 2

2 삼각비의 활용

1 직각삼각형의 변의 길이

$\angle C=90^\circ$인 직각삼각형 ABC에서

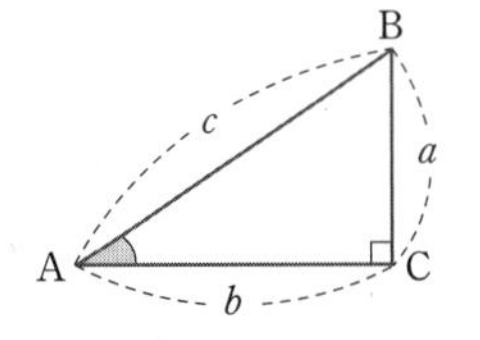

(1) $\angle A$의 크기와 빗변의 길이 c를 알 때

$$a=c\sin A,\ b=c\cos A$$

(2) $\angle A$의 크기와 이웃하는 변의 길이 b를 알 때

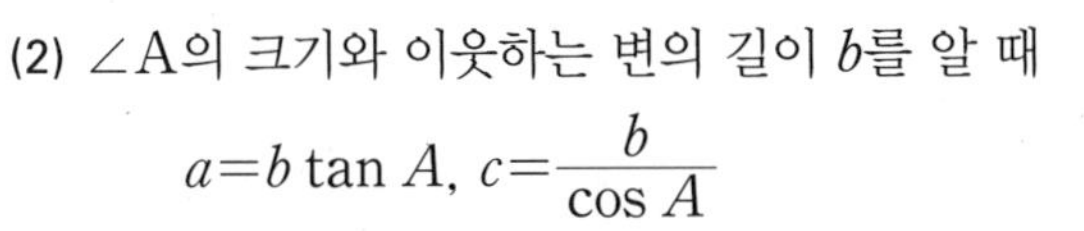

$$a=b\tan A,\ c=\frac{b}{\cos A}$$

(3) $\angle A$의 크기와 대변의 길이 a를 알 때

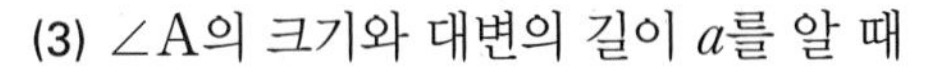

$$b=\frac{a}{\tan A},\ c=\frac{a}{\sin A}$$

개념+ ① $\sin A=\frac{a}{c}$이므로 $a=c\sin A,\ c=\frac{a}{\sin A}$

② $\cos A=\frac{b}{c}$이므로 $b=c\cos A,\ c=\frac{b}{\cos A}$

③ $\tan A=\frac{a}{b}$이므로 $a=b\tan A,\ b=\frac{a}{\tan A}$

+ 직각삼각형에서 한 변의 길이와 한 예각의 크기를 알면 삼각비를 이용하여 나머지 두 변의 길이를 구할 수 있다.

2 일반 삼각형의 변의 길이

(1) $\triangle ABC$에서 두 변의 길이 a, c와 그 끼인각 $\angle B$의 크기를 알 때

$$\overline{AC}=\sqrt{(c\sin B)^2+(a-c\cos B)^2}$$

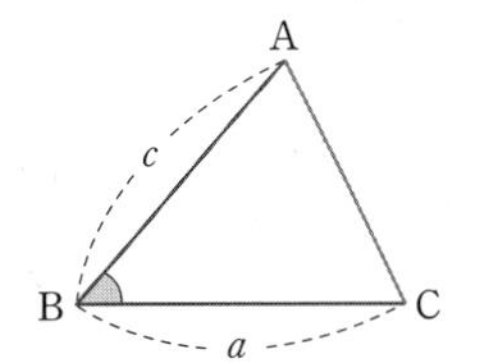

(2) $\triangle ABC$에서 한 변의 길이 a와 그 양 끝 각 $\angle B$, $\angle C$의 크기를 알 때

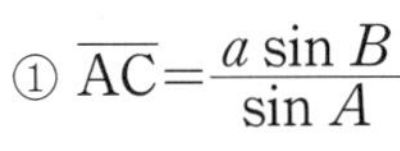

① $\overline{AC}=\frac{a\sin B}{\sin A}$

② $\overline{AB}=\frac{a\sin C}{\sin A}$

+ 일반 삼각형에서 변의 길이 구하기
① 보조선을 그어 특수각 30°, 45°, 60°가 포함된 직각삼각형을 만든다.
② 삼각비의 값 또는 피타고라스 정리를 이용하여 구하고자 하는 변의 길이를 구한다.

개념+ (1) 꼭짓점 A에서 $\overline{BC}$에 내린 수선의 발을 H라 하면

$\triangle ABH$에서 $\overline{AH}=c\sin B,\ \overline{BH}=c\cos B$

따라서 $\overline{CH}=\overline{BC}-\overline{BH}=a-c\cos B$이므로

$\triangle AHC$에서 $\overline{AC}=\sqrt{(c\sin B)^2+(a-c\cos B)^2}$

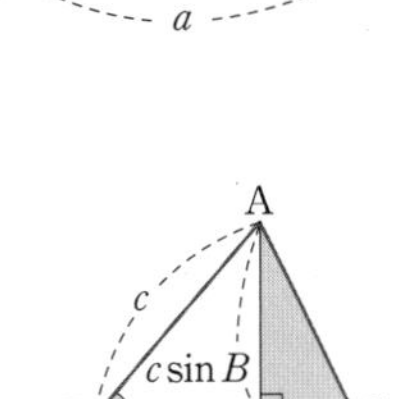

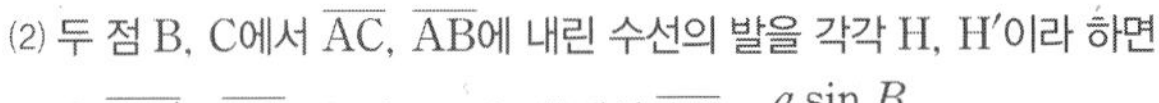

(2) 두 점 B, C에서 $\overline{AC}$, $\overline{AB}$에 내린 수선의 발을 각각 H, H′이라 하면

① $\overline{CH'}=\overline{AC}\sin A=a\sin B$에서 $\overline{AC}=\frac{a\sin B}{\sin A}$

② $\overline{BH}=\overline{AB}\sin A=a\sin C$에서 $\overline{AB}=\frac{a\sin C}{\sin A}$

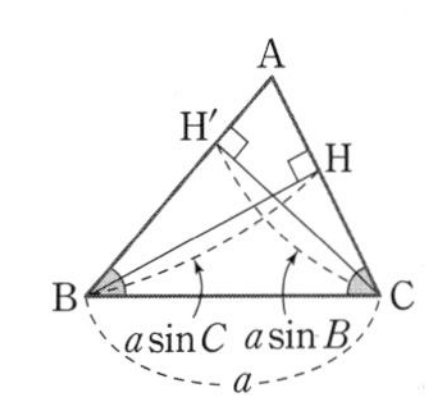

+ 구하고자 하는 변을 빗변으로 하는 직각삼각형이 생기도록 수선을 긋고, 공식을 암기하지 않고 구하는 과정을 이해한다.

3 삼각형의 높이

$\triangle ABC$에서 한 변의 길이 a와 그 양 끝 각 $\angle B$, $\angle C$의 크기를 알 때, 높이 h는

(1) 주어진 각이 모두 예각인 경우

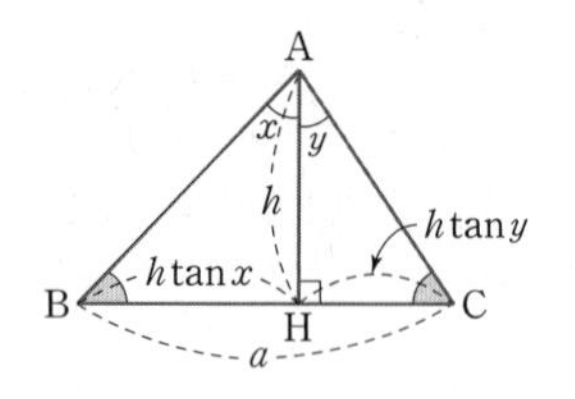

⇨ $h=\dfrac{a}{\tan x+\tan y}$

(2) 주어진 각 중 하나가 둔각인 경우

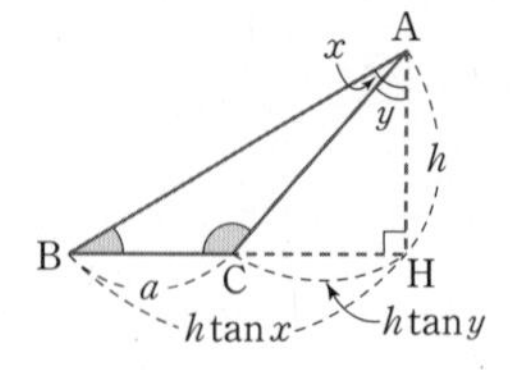

⇨ $h=\dfrac{a}{\tan x-\tan y}$

개념+ $\triangle ABH$에서 $\overline{BH}=h\tan x$, $\triangle ACH$에서 $\overline{CH}=h\tan y$

(1) $\overline{BC}=\overline{BH}+\overline{CH}$이므로 $a=h\tan x+h\tan y$ $\quad\therefore h=\dfrac{a}{\tan x+\tan y}$

(2) $\overline{BC}=\overline{BH}-\overline{CH}$이므로 $a=h\tan x-h\tan y$ $\quad\therefore h=\dfrac{a}{\tan x-\tan y}$

+ 일반 삼각형의 높이를 구할 때에는 한 꼭짓점에서 그 대변 또는 대변의 연장선에 수선을 그어 두 개의 직각삼각형을 만든 후, 밑변의 길이를 tan로 나타낸다.

4 삼각형의 넓이

$\triangle ABC$에서 두 변의 길이 b, c와 그 끼인각 $\angle A$의 크기를 알 때, 넓이 S는

(1) $\angle A$가 예각인 경우

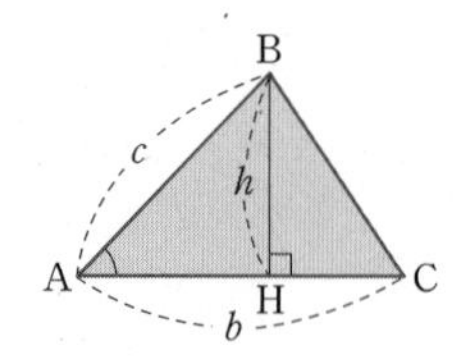

⇨ $S=\dfrac{1}{2}bc\sin A$

(2) $\angle A$가 둔각인 경우

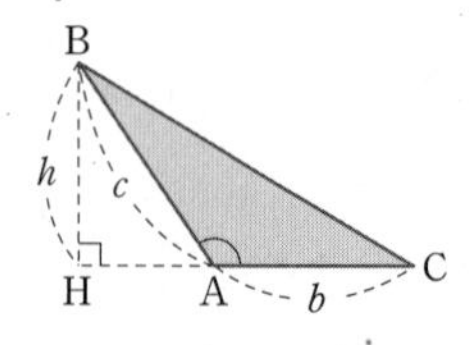

⇨ $S=\dfrac{1}{2}bc\sin(180^\circ-A)$

+ (1) $\triangle ABH$에서 $h=c\sin A$이므로 $S=\dfrac{1}{2}bh=\dfrac{1}{2}bc\sin A$

(2) $\triangle ABH$에서 $h=c\sin(180^\circ-A)$ 이므로

$S=\dfrac{1}{2}bh$

$=\dfrac{1}{2}bc\sin(180^\circ-A)$

5 사각형의 넓이

(1) 평행사변형의 넓이 : 평행사변형 ABCD의 이웃하는 두 변의 길이가 a, b이고, 그 끼인각 $\angle x$가 예각일 때, 넓이 S는

$$S=ab\sin x$$

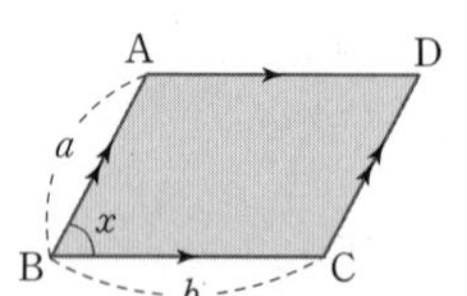

(2) 일반 사각형의 넓이 : ABCD의 두 대각선의 길이가 a, b이고, 두 대각선이 이루는 $\angle x$가 예각일 때, 넓이 S는

$$S=\frac{1}{2}ab\sin x$$

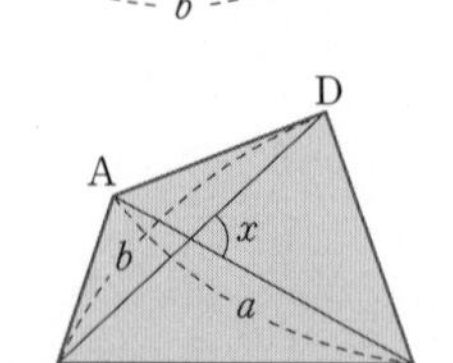

개념+ 사각형의 넓이를 구할 때 보조선을 그어 삼각형으로 나눈 후 삼각형의 넓이의 합을 구해도 된다.

⇨ $\square ABCD=\triangle ABC+\triangle CDA=\dfrac{1}{2}ab\sin x+\dfrac{1}{2}cd\sin y$

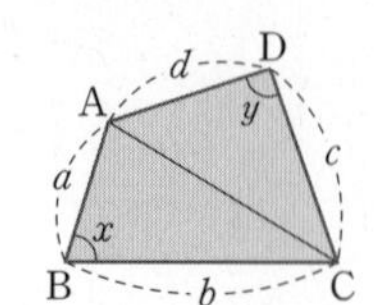

+ (1) $\triangle ABC\equiv\triangle CDA$이므로

$\square ABCD$

$=2\triangle ABC$

$=2\times\dfrac{1}{2}ab\sin x$

$=ab\sin x$

(2)

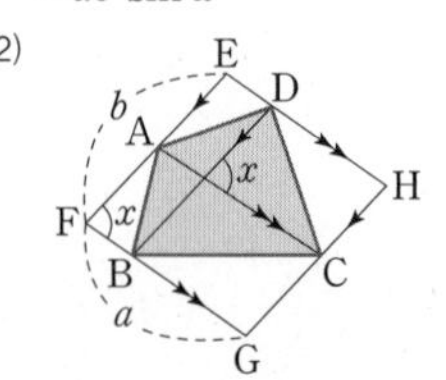

위의 그림과 같이 $\overline{AC}$, $\overline{BD}$에 평행한 선을 그으면 $\square EFGH$는 평행사변형이므로

$\square ABCD=\dfrac{1}{2}\square EFGH$

$=\dfrac{1}{2}ab\sin x$

주제별 실력다지기

정답과 풀이 10쪽

1 직각삼각형의 선분의 길이

01 오른쪽 그림과 같은 직각삼각형 ABC에서 $\angle B=40^\circ$, $\overline{AC}=5$일 때, 다음 중 $\overline{AB}$의 길이를 나타내는 것은?

① $5\sin 40^\circ$ ② $5\cos 40^\circ$
③ $5\tan 40^\circ$ ④ $\dfrac{5}{\sin 40^\circ}$
⑤ $\dfrac{5}{\cos 40^\circ}$

02 오른쪽 그림과 같은 직각삼각형 ABC에서 $\angle B=31^\circ$, $\overline{AB}=20\text{ cm}$일 때, $\overline{BC}$의 길이는? (단, $\sin 31^\circ=0.52$, $\cos 31^\circ=0.86$, $\tan 31^\circ=0.60$으로 계산한다.)

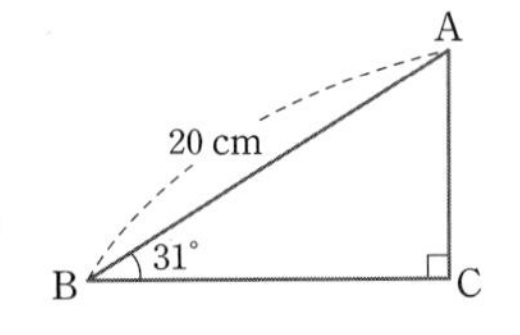

① 10.4 cm ② 12 cm ③ 15 cm
④ 17.2 cm ⑤ 18 cm

03 오른쪽 그림과 같은 직각삼각형 ABC에서 $\angle C=62^\circ$, $\overline{BC}=5\text{ cm}$일 때, $\overline{AB}$의 길이는? (단, $\sin 62^\circ=0.9$, $\cos 62^\circ=0.5$, $\tan 62^\circ=1.9$로 계산한다.)

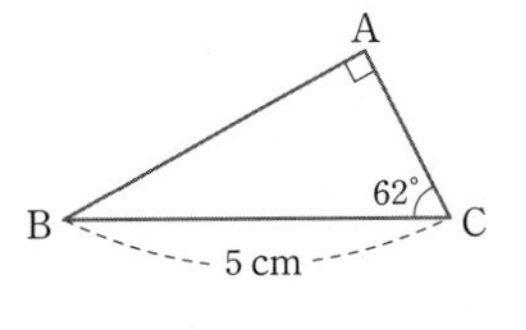

① 2 cm ② 2.5 cm ③ 3 cm
④ 4 cm ⑤ 4.5 cm

04 오른쪽 그림과 같이 건물에서 50 m 떨어진 지점 P에서 건물의 꼭대기 A를 올려다본 각의 크기가 52°일 때, 이 건물의 높이는? (단, $\sin 52^\circ=0.8$, $\cos 52^\circ=0.6$, $\tan 52^\circ=1.3$으로 계산한다.)

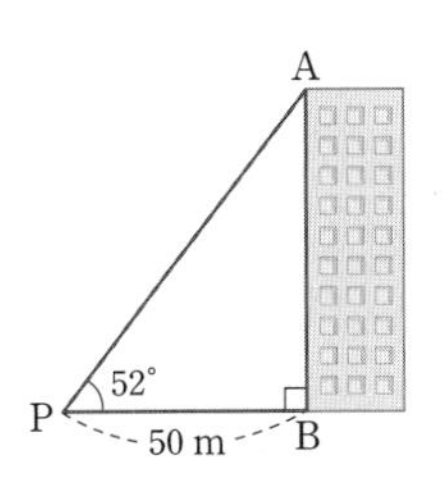

① 30 m ② 40 m
③ 50 m ④ 65 m ⑤ 75 m

05 오른쪽 그림과 같이 지석이가 나무에서 20 m 떨어진 지점에서 나무의 꼭대기 A를 올려다본 각의 크기가 35°이다. 지면에서 지석이의 눈높이가 1.5 m일 때, 나무의 높이를 구하시오. (단, $\sin 35^\circ=0.57$, $\cos 35^\circ=0.82$, $\tan 35^\circ=0.70$으로 계산한다.)

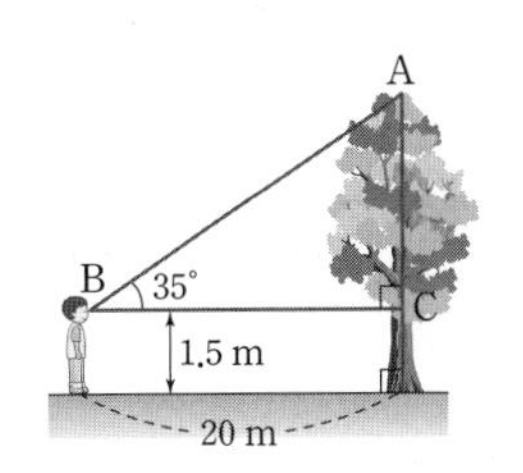

직각삼각형의 한 변의 길이와 한 예각의 크기를 알면 삼각비를 이용하여 나머지 두 변의 길이를 구할 수 있다.

최상위 Q&A 002

보이지 않는 거리를 구할 수 있을까?

지구에서 태양까지의 거리를 어떻게 잴 수 있을까? 직접 재는 것은 불가능하다. 그러나 삼각비를 이용하면 우리가 직접 태양까지 가지 않아도 태양까지의 거리를 정확히 잴 수 있다.
삼각비는 직각삼각형의 두 변 사이의 길이의 거리의 비이다. 그리고 직각삼각형의 세 변의 길이 사이에서는 피타고라스 정리가 성립한다. 그러므로 직각삼각형의 두 변의 길이만 알면 나머지 한 변의 길이를 구할 수 있고 삼각비를 구할 수 있다.
이를 이용하여 삼각비를 알 때 그 삼각비에 대한 한 변의 길이를 알면 다른 한 변의 길이를 구할 수 있으므로 삼각형의 각의 크기를 알면 멀리 떨어져 있는 곳까지의 거리와 높은 산 혹은 빌딩의 높이를 간접적으로 잴 수 있다.

주어진 그림의 직각삼각형에서 삼각비를 이용하여 $\overline{AB}$의 길이를 구한다.

나무의 높이
⇨ $\overline{AC}$+(지석이의 눈높이)

06

오른쪽 그림과 같이 지면에 수직으로 서 있던 나무가 부러졌을 때, 부러지기 전의 이 나무의 높이는?

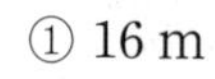

① 16 m ② 20 m

③ 24 m ④ 28 m

⑤ 32 m

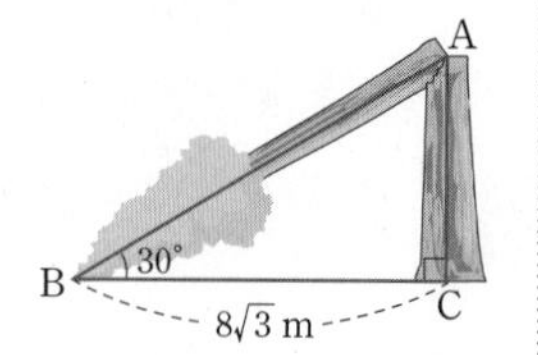

$\cos B=\dfrac{\overline{BC}}{\overline{AB}}$, $\tan B=\dfrac{\overline{AC}}{\overline{BC}}$

⇨ $\overline{AB}=\dfrac{\overline{BC}}{\cos B}$

$\overline{AC}=\overline{BC}\tan B$

07

오른쪽 그림과 같이 30 m 떨어진 두 건물 A, B가 있다. A건물의 옥상에서 B건물을 올려다본 각의 크기는 30°이고 내려다본 각의 크기는 45°일 때, 건물 B의 높이를 구하시오.

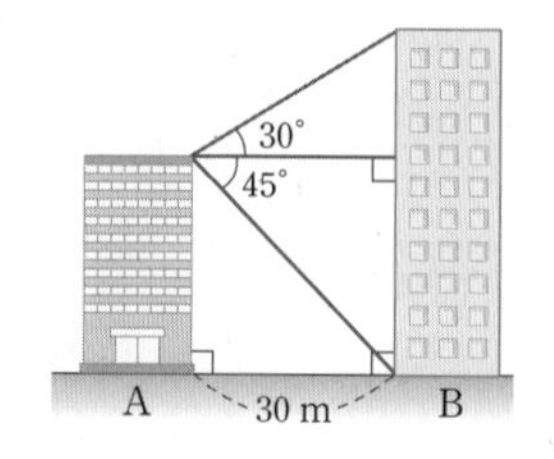

08

현정이는 열기구가 얼마나 높이 나는지 궁금하여 열기구가 P지점을 지날 때, 600 m 떨어진 지면 위의 두 지점 A, B에서 오른쪽 그림과 같이 측량하였다. 이때 열기구의 높이는?

① 300 m ② $300\sqrt{3}$ m

③ 600 m ④ $600\sqrt{2}$ m

⑤ $600\sqrt{3}$ m

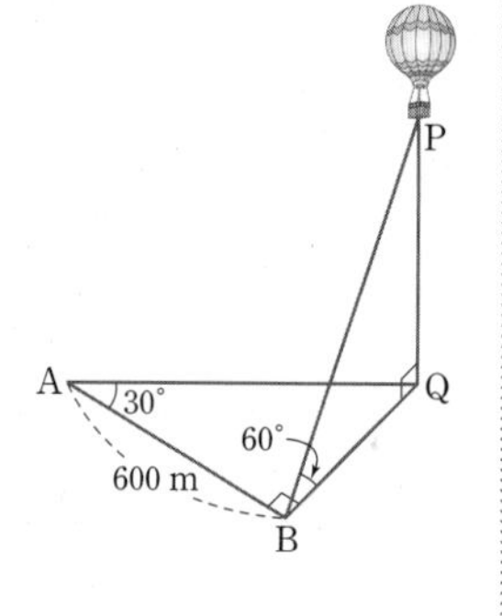

먼저 △ABQ에서 $\overline{BQ}$의 길이를 구해본다.

09

타워의 높이를 측정하기 위하여 60 m 떨어진 수평면 위의 두 지점 A, B에서 오른쪽 그림과 같이 측량하였다. 이때 타워의 높이는?

① 30 m ② $30\sqrt{2}$ m

③ $30\sqrt{3}$ m ④ $60\sqrt{2}$ m

⑤ $60\sqrt{3}$ m

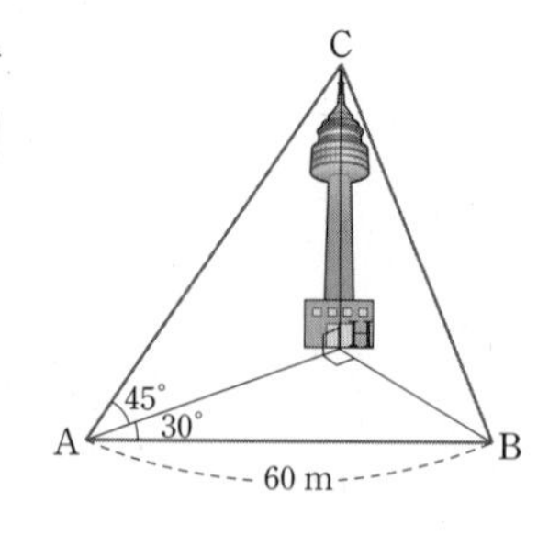

10

오른쪽 그림과 같이 실의 길이가 10 cm인 추가 좌우로 움직이고 있다. A위치에 있던 추가 15°만큼 올라가서 B위치에 있을 때, A지점을 기준으로 몇 cm 위에 있는지 구하시오. (단, 추의 크기는 무시하고 $\sin 15°=0.26$, $\cos 15°=0.97$, $\tan 15°=0.27$로 계산한다.)

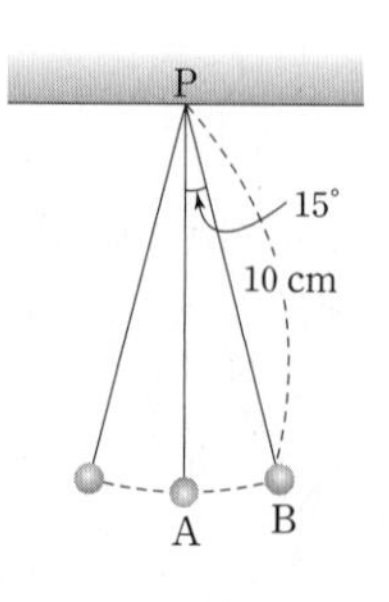

B지점에서 $\overline{PA}$에 수선을 그어 직각삼각형을 만들어 본다.

2 일반 삼각형의 선분의 길이

11 오른쪽 그림과 같은 $\triangle ABC$에서 $\overline{AC}=4\sqrt{2}$ cm, $\overline{BC}=6$ cm, $\angle C=45°$일 때, $\overline{AB}$의 길이는?

① 3 cm ② $2\sqrt{3}$ cm
③ 4 cm ④ $2\sqrt{5}$ cm
⑤ $2\sqrt{10}$ cm

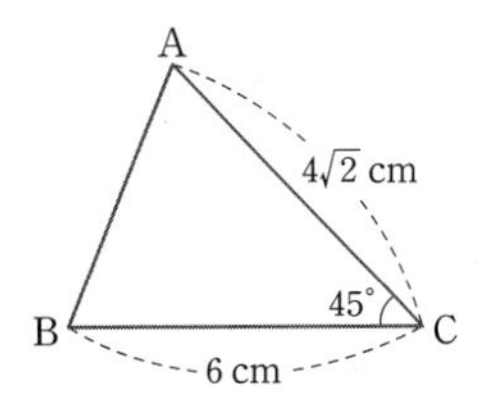

두 변의 길이와 그 끼인각의 크기를 알 때
① 한 점에서 수선을 그어 구하고자 하는 변이 직각삼각형의 빗변이 되도록 한다.
② 변의 길이와 각의 크기가 주어진 직각삼각형에서 나머지 두 변의 길이를 구한다.
③ 피타고라스 정리를 이용하여 구하고자 하는 변의 길이를 구한다.

12 오른쪽 그림과 같은 $\triangle ABC$에서 $\overline{AB}=8\sqrt{3}$ cm, $\overline{AC}=14$ cm이고 $\angle A=30°$일 때, $\overline{BC}$의 길이는?

① $2\sqrt{5}$ cm ② $2\sqrt{7}$ cm
③ $5\sqrt{2}$ cm ④ $2\sqrt{13}$ cm
⑤ $3\sqrt{13}$ cm

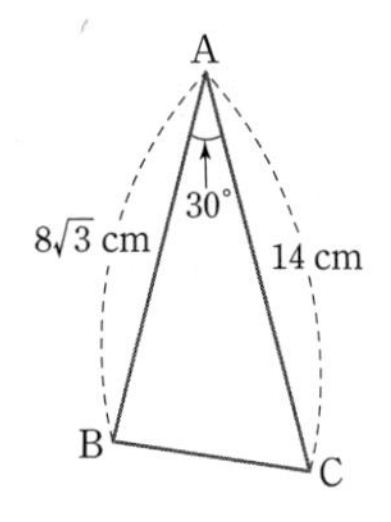

13 오른쪽 그림과 같은 $\triangle ABC$에서 $\overline{AB}=9$ cm, $\overline{BC}=11$ cm이고 $\cos B=\frac{1}{3}$일 때, $\overline{AC}$의 길이를 구하시오.

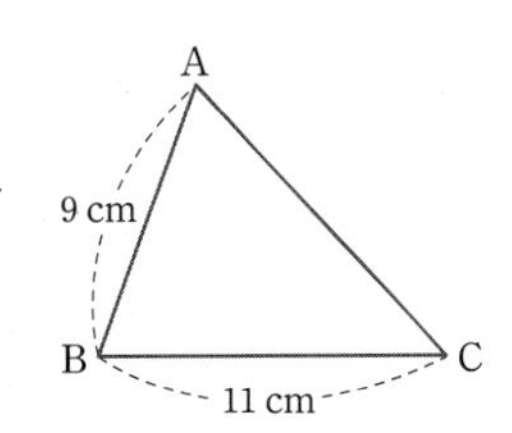

14 호수의 폭을 구하기 위하여 A지점에서 측량한 결과가 오른쪽 그림과 같았다. 호수의 두 지점 B, C 사이의 거리를 구하시오.

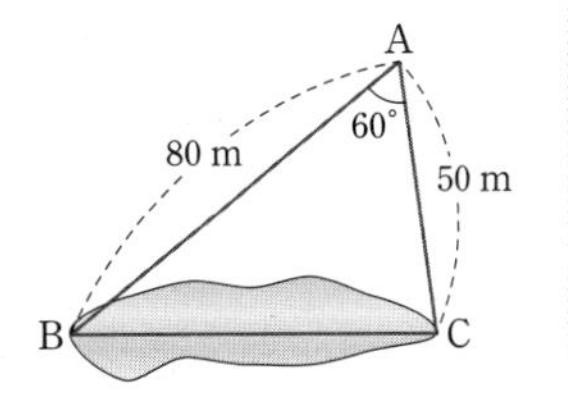

$\overline{BC}$를 빗변으로 하는 직각삼각형이 만들어지도록 한 꼭짓점에서 그 대변에 수선을 내려본다.

15 오른쪽 그림과 같이 $\overline{AB}=8$ cm, $\overline{BC}=2$ cm이고 $\angle B=120°$인 $\triangle ABC$에서 $\overline{AH}$와 $\overline{AC}$의 길이를 각각 구하시오.

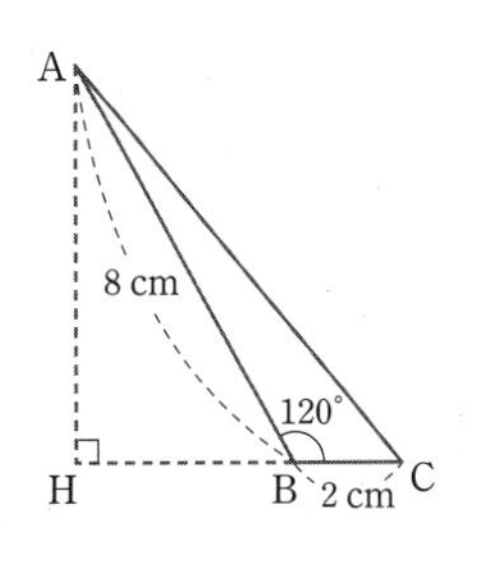

16

오른쪽 그림과 같이 $\overline{AC}=10$ cm, $\angle B=45^\circ$, $\angle C=75^\circ$인 $\triangle ABC$에서 $\overline{AB}$의 길이를 구하시오.

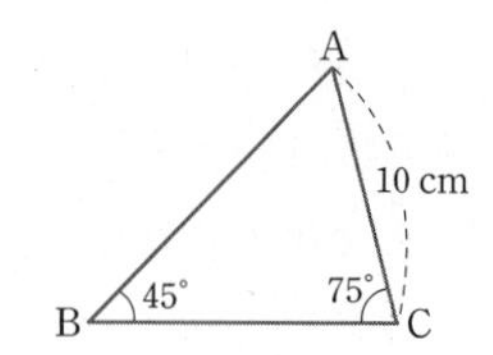

한 변의 길이와 두 내각의 크기를 알 때
① 한 점에서 수선을 그어 직각삼각형 2개로 나눈다.
② 두 직각삼각형의 각의 크기를 각각 구한다.
③ 삼각비를 이용하여 차례로 변의 길이를 구한다.

17

오른쪽 그림과 같이 $\overline{AB}=12$ cm이고 $\angle A=105^\circ$, $\angle C=30^\circ$인 $\triangle ABC$에서 $\overline{AC}$의 길이를 구하시오.

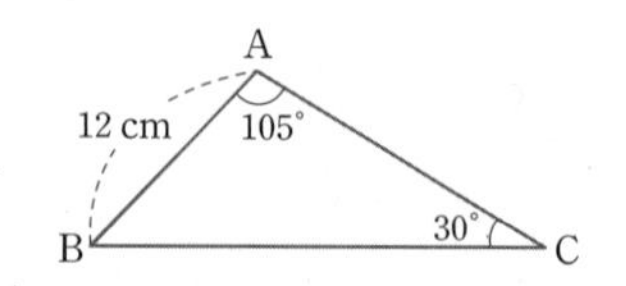

18

오른쪽 그림과 같이 $\overline{AB}=18$ cm, $\angle A=70^\circ$, $\angle B=40^\circ$인 $\triangle ABC$에서 $\overline{AC}$의 길이는?
(단, $\sin 40^\circ=0.6$, $\sin 70^\circ=0.9$로 계산한다.)

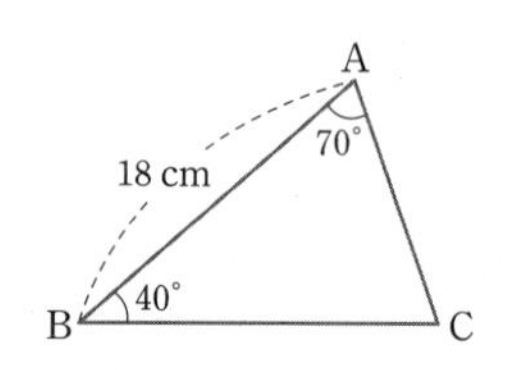

① 6 cm　② 8 cm　③ 10 cm　④ 12 cm　⑤ 15 cm

19

오른쪽 그림과 같이 100 m 떨어진 두 지점 B, C에서 A지점에 있는 배를 관측하였다. 이때 B지점에서 배까지의 거리를 구하시오.

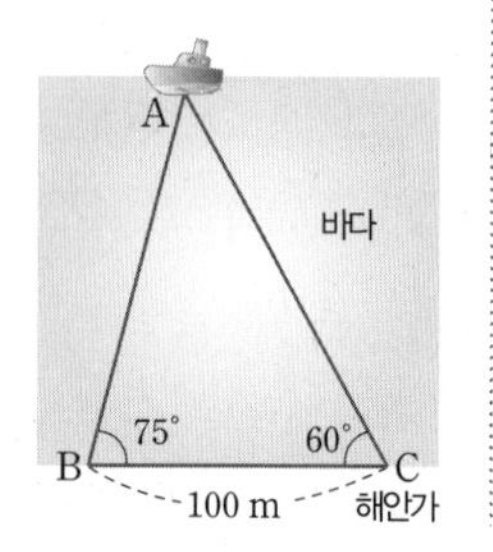

적당한 수선을 그어 $\overline{AB}$를 빗변으로 하는 직각삼각형을 만들어 본다.

3 삼각형의 높이

20

오른쪽 그림과 같은 $\triangle ABC$에서 $\overline{BC}=6$ cm, $\angle B=60^\circ$, $\angle C=45^\circ$일 때, $\overline{AH}$의 길이는?

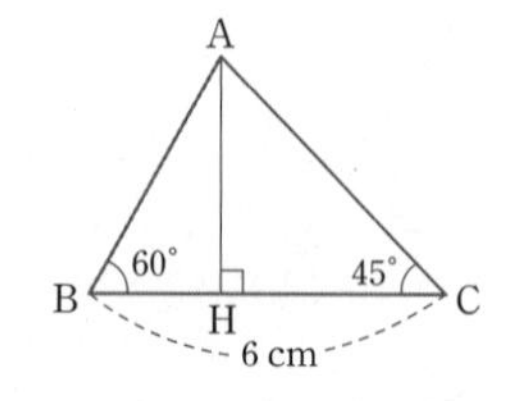

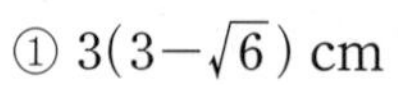
① $3(3-\sqrt{6})$ cm　② $3(\sqrt{3}-1)$ cm
③ $3(3-\sqrt{3})$ cm　④ $(3+\sqrt{3})$ cm
⑤ $2(\sqrt{3}+1)$ cm

$\triangle ABC$에서 $\overline{BC}$의 길이 a와 $\angle B$, $\angle C$의 크기를 알 때

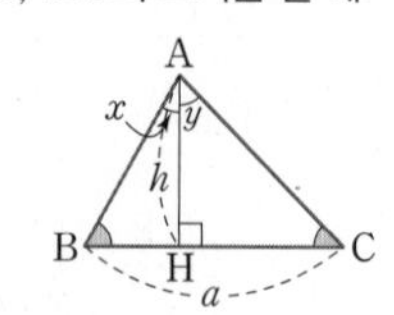

(i) $\overline{BH}=h\tan x$
$\overline{CH}=h\tan y$
(ii) $\overline{BH}+\overline{CH}=a$이므로
$h(\tan x+\tan y)=a$
$\therefore h=\dfrac{a}{\tan x+\tan y}$

21

은정이는 오른쪽 그림과 같이 지면 위의 P지점에서 열기구를 타고 수직으로 Q지점까지 올라갔다. 이때 서쪽으로 60°, 동쪽으로 45°의 방향으로 서로 800 m 떨어진 나연이와 현중이네 집이 보였다면 열기구는 P지점에서 몇 m의 높이에 있는지 구하시오.

(단, 나연이와 현중이네 집을 일직선으로 연결한 선 위에 P지점이 있다.)

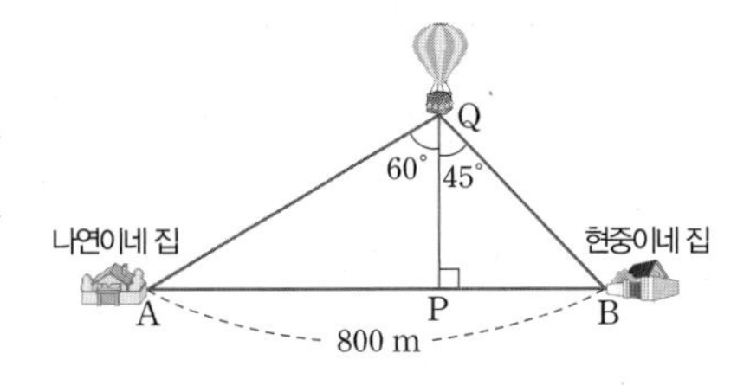

22

오른쪽 그림과 같은 $\triangle ABC$에서 $\overline{BC}=12$ cm이고 $\angle B=45^\circ$, $\angle C=120^\circ$일 때, $\overline{AH}$의 길이를 구하시오.

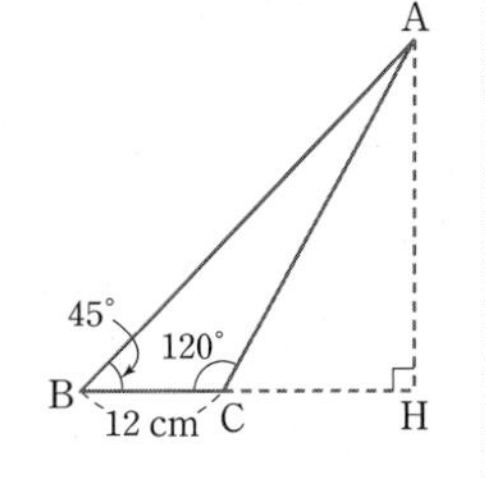

$\triangle ABC$에서 $\overline{BC}$의 길이 a와 $\angle B$, $\angle C$의 크기를 알 때

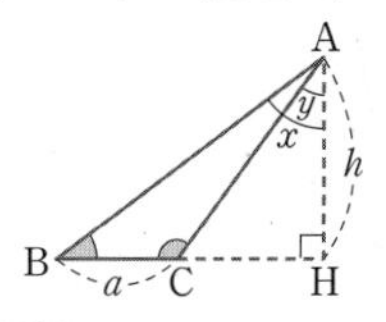

(i) $\overline{BH}=h\tan x$

$\overline{CH}=h\tan y$

(ii) $\overline{BH}-\overline{CH}=a$이므로

$h(\tan x-\tan y)=a$

$\therefore h=\dfrac{a}{\tan x-\tan y}$

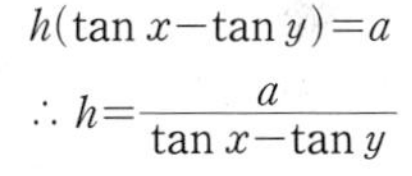

23

오른쪽 그림과 같이 20 m 떨어진 두 지점 A, B에서 열기구를 올려다본 각의 크기가 각각 30°, 45°일 때, 열기구의 높이를 구하시오.

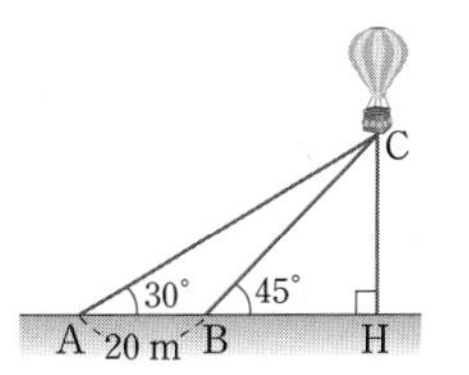

24

오른쪽 그림과 같이 은영이는 높이가 10 m인 건물의 옥상에서 건물 쪽으로 똑바로 걸어오는 소희를 보았다. 처음에 은영이가 소희를 내려다본 각의 크기는 30°이고, 4분 후에 소희가 은영이를 올려다본 각의 크기는 60°일 때, 소희의 속력을 구하시오.

(단, 은영이와 소희의 눈높이는 생각하지 않는다.)

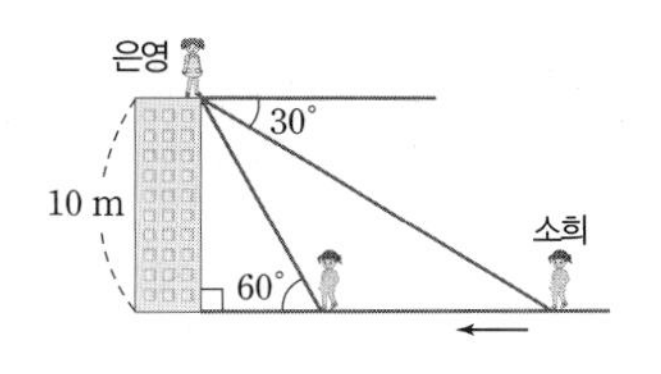

$(속력)=\dfrac{(거리)}{(시간)}$이므로 소희가 4분 동안 이동한 거리를 구한다.

4 삼각형의 넓이

25

오른쪽 그림과 같이 $\overline{AC}=6$ cm, $\overline{BC}=5$ cm, $\angle C=45^\circ$인 $\triangle ABC$의 넓이는?

① $2\sqrt{3}$ cm^2 ② $5\sqrt{2}$ cm^2

③ $\dfrac{15}{2}$ cm^2 ④ $\dfrac{15\sqrt{2}}{2}$ cm^2

⑤ $\dfrac{15\sqrt{3}}{2}$ cm^2

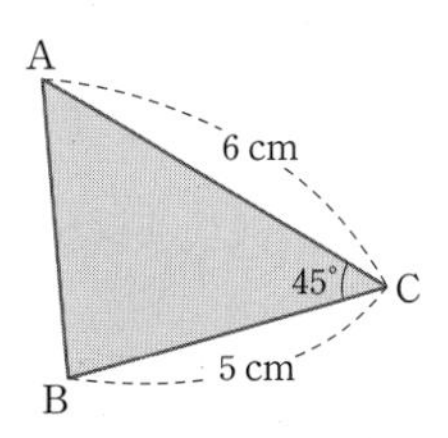

$\triangle ABC$에서 두 변의 길이 a, c와 그 끼인각 $\angle B$의 크기를 알 때 넓이 S는

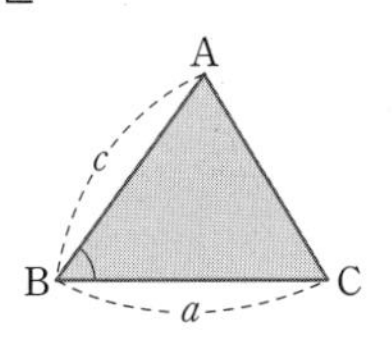

(단, $0^\circ<\angle B<90^\circ$)

$S=\dfrac{1}{2}ac\sin B$

26

오른쪽 그림과 같이 $\overline{AB}=\overline{AC}$인 이등변삼각형 ABC에서 $\overline{AB}=2\sqrt{6}$ cm, $\angle B=75°$일 때, $\triangle ABC$의 넓이는?

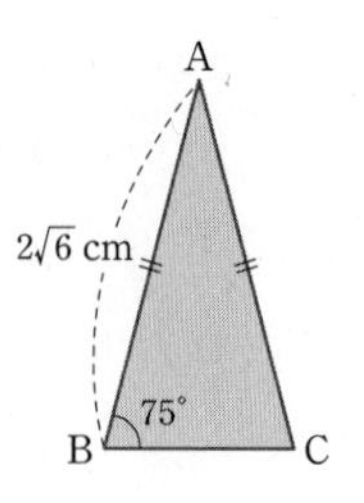

① 6 cm^2 ② 8 cm^2
③ $6\sqrt{3}$ cm^2 ④ 12 cm^2
⑤ $12\sqrt{2}$ cm^2

27

오른쪽 그림과 같이 $\overline{AB}=7$, $\overline{BC}=4$인 $\triangle ABC$에서 $\tan B=\sqrt{3}$일 때, $\triangle ABC$의 넓이는? (단, $0°<\angle B<90°$)

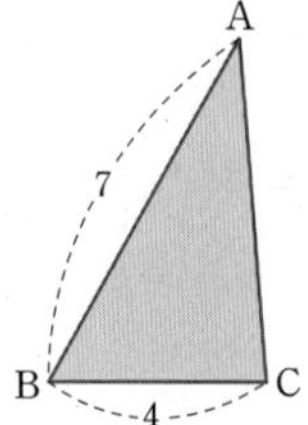

① $\frac{15\sqrt{2}}{4}$ ② $\frac{15\sqrt{3}}{4}$
③ $6\sqrt{3}$ ④ $7\sqrt{3}$
⑤ $\frac{15\sqrt{3}}{2}$

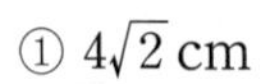

$\tan B=\sqrt{3}$임을 이용하여 $\angle B$의 크기를 구한다.

28

오른쪽 그림과 같이 $\overline{AC}=8$ cm, $\angle C=30°$인 $\triangle ABC$의 넓이가 24 cm^{2}일 때, $\overline{BC}$의 길이는?

① $4\sqrt{2}$ cm ② $4\sqrt{3}$ cm ③ 10 cm ④ 12 cm ⑤ 14 cm

29

오른쪽 그림과 같이 $\overline{AB}=3$ cm, $\overline{AC}=6$ cm인 $\triangle ABC$의 넓이가 $\frac{9}{2}$ cm^{2}일 때, $\angle A$의 크기는? (단, $0°<\angle A<90°$)

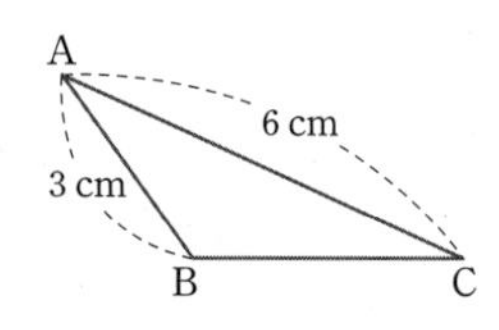

① 15° ② 20° ③ 25° ④ 30° ⑤ 35°

30

오른쪽 그림과 같은 $\triangle ABC$에서 $\overline{AD}$는 $\angle A$의 이등분선이고, $\angle A=60°$, $\overline{AB}=30$ cm, $\overline{AC}=20$ cm일 때, $\overline{AD}$의 길이를 구하시오.

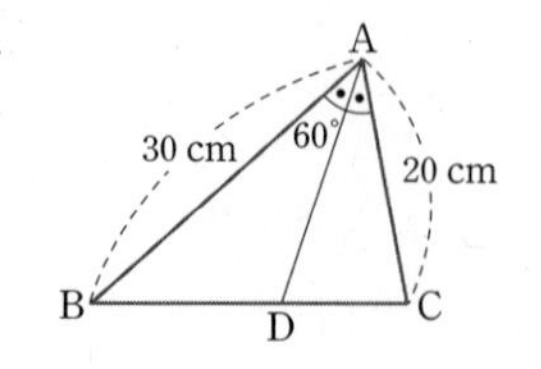

$\triangle ABC=\triangle ABD+\triangle ADC$임을 이용하여 넓이에 관한 식을 세운 후, $\overline{AD}$의 길이를 구한다.

31

오른쪽 그림과 같이 폭이 4 cm인 직사각형 모양의 종이를 $\overline{AC}$를 접는 선으로 하여 접었다. $\angle BAC=75°$일 때, $\triangle ABC$의 넓이는?

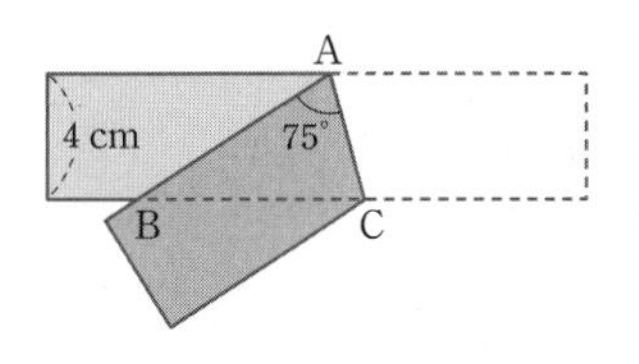

① $13\ cm^2$　② $14\ cm^2$　③ $15\ cm^2$　④ $16\ cm^2$　⑤ $17\ cm^2$

점 A에서 $\overline{BC}$에 수선을 그어 $\overline{AB}$의 길이를 구한 후, $\triangle ABC$는 이등변삼각형임을 이용한다.

32

오른쪽 그림은 두 개의 삼각자 ABC와 DBC를 겹쳐 놓은 것이다. 이때 겹쳐진 부분인 $\triangle EBC$의 넓이를 구하시오.

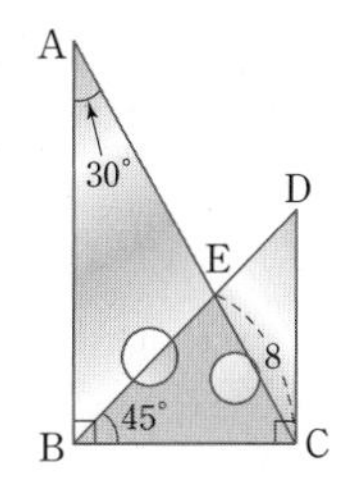

점 E에서 $\overline{BC}$에 수선을 그어 $\overline{BC}$의 길이를 구한다.

33

오른쪽 그림과 같은 $\triangle ABC$에서 $\overline{AC}=10$ cm, $\overline{BC}=8$ cm이고 $\angle A=18°$, $\angle B=27°$일 때, $\triangle ABC$의 넓이는?

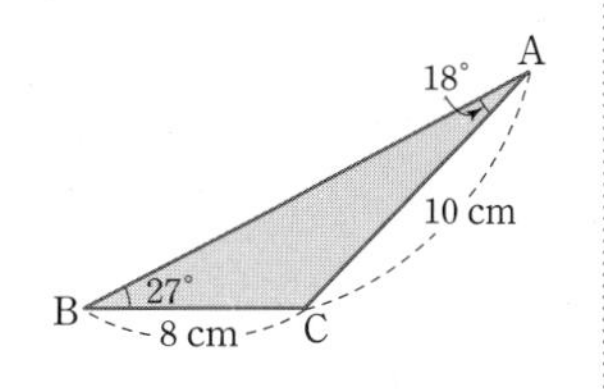

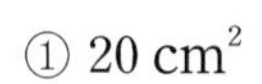

① $20\ cm^2$　② $20\sqrt{2}\ cm^2$　③ $20\sqrt{3}\ cm^2$　④ $25\sqrt{2}\ cm^2$　⑤ $25\sqrt{3}\ cm^2$

$\triangle ABC$에서 두 변의 길이 a, c와 그 끼인각 $\angle B$의 크기를 알 때 넓이 S는

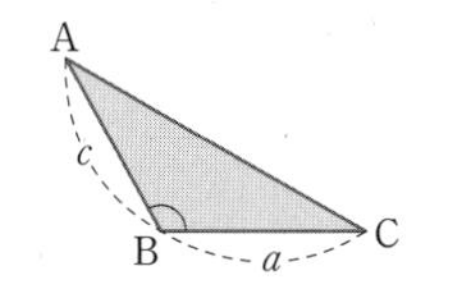

(단, $90°<\angle B<180°$)

$S=\frac{1}{2}ac\sin(180°-B)$

34

오른쪽 그림과 같이 $\overline{BC}=4$ cm, $\angle C=120°$인 $\triangle ABC$의 넓이가 $12\ cm^2$일 때, $\overline{AC}$의 길이는?

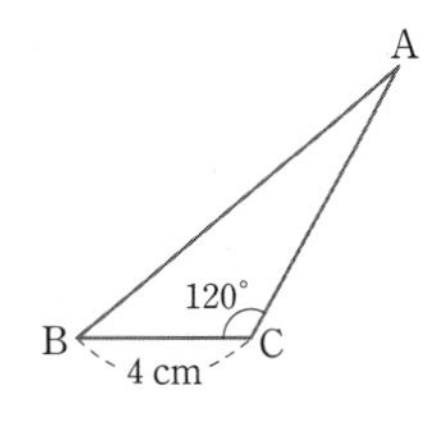

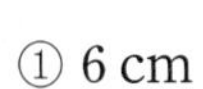

① 6 cm　② $4\sqrt{3}$ cm　③ $6\sqrt{2}$ cm　④ 10 cm　⑤ $7\sqrt{3}$ cm

35

오른쪽 그림과 같이 $\overline{AC}=8$ cm, $\overline{BC}=6$ cm인 $\triangle ABC$의 넓이가 $12\sqrt{2}\ cm^2$일 때, $\angle C$의 크기는?
(단, $90°<\angle C<180°$)

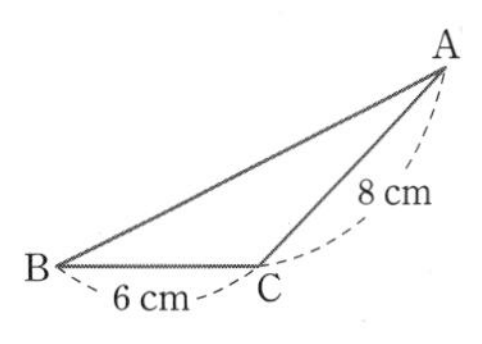

① 130°　② 135°　③ 140°　④ 145°　⑤ 150°

36

오른쪽 그림과 같이 $\overline{AB}=12$, $\overline{AC}=8$, $\angle BAC=120°$인 $\triangle ABC$에서 $\overline{AB}\perp\overline{AD}$일 때, $\overline{AD}$의 길이를 구하시오.

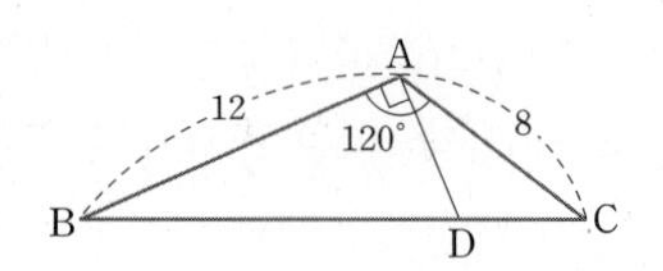

$\triangle ABC=\triangle ABD+\triangle ADC$임을 이용하여 $\overline{AD}$의 길이를 구한다.

37

오른쪽 그림과 같이 폭이 일정한 종이 테이프를 $\overline{BC}$를 접는 선으로 하여 접었을 때 생기는 $\triangle ABC$의 넓이를 구하시오.

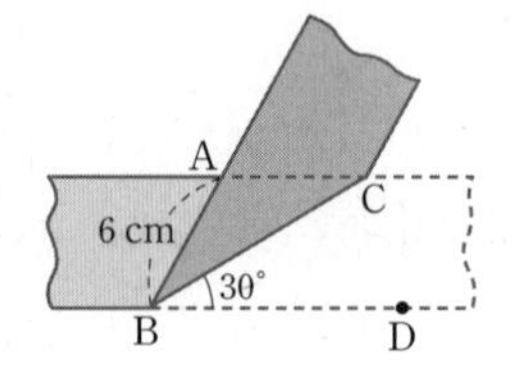

5 사각형의 넓이

38

오른쪽 그림과 같은 평행사변형 ABCD에서 $\triangle AED$의 넓이는?

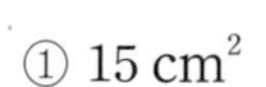

① 15 cm^2 ② $15\sqrt{3}\text{ cm}^2$
③ 30 cm^2 ④ $30\sqrt{3}\text{ cm}^2$
⑤ 60 cm^2

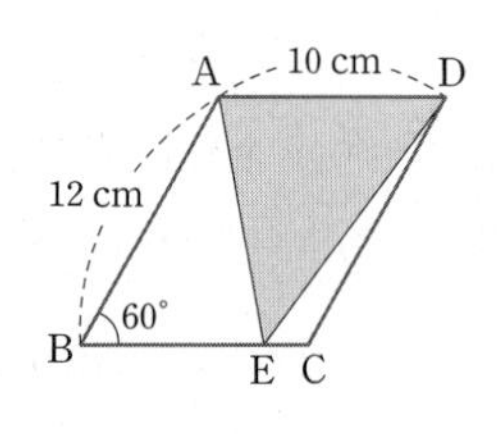

평행사변형의 넓이

이웃하는 두 변의 길이가 a, b이고 그 끼인각의 크기가 x인 평행사변형의 넓이 S는

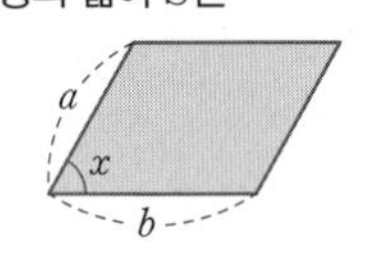

$S=ab\sin x$ (단, $0°<x<90°$)

39

오른쪽 그림과 같은 평행사변형 ABCD에서 $\angle B : \angle C=1 : 3$일 때, □ABCD의 넓이를 구하시오.

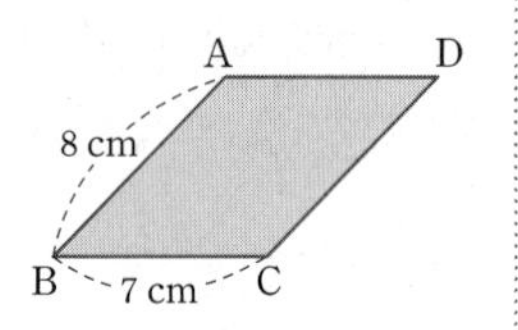

40

오른쪽 그림과 같은 평행사변형 ABCD에서 $\overline{BC}=6\text{ cm}$, $\overline{AC}=7\text{ cm}$, $\angle ACB=45°$일 때, □ABCD의 넓이는?

① $21\sqrt{2}\text{ cm}^2$ ② $21\sqrt{3}\text{ cm}^2$
③ 42 cm^2 ④ $42\sqrt{2}\text{ cm}^2$
⑤ $42\sqrt{3}\text{ cm}^2$

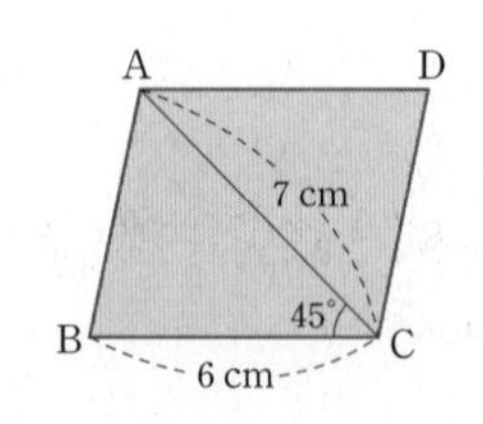

41

오른쪽 그림과 같이 한 변의 길이가 4 cm이고 $\angle A=135^\circ$인 마름모 ABCD의 넓이는?

① 8 cm^2　② $8\sqrt{2}\text{ cm}^2$　③ $8\sqrt{3}\text{ cm}^2$　④ $16\sqrt{2}\text{ cm}^2$　⑤ $16\sqrt{3}\text{ cm}^2$

주어진 $\angle A$의 크기가 둔각일 때는 $\sin(180^\circ-A)$를 이용한다.

42

오른쪽 그림과 같이 $\angle A=150^\circ$인 마름모 ABCD의 넓이가 18 cm^2일 때, 마름모 ABCD의 둘레의 길이는?

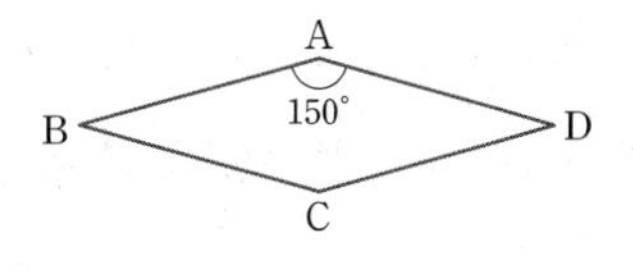

① 12 cm　② 16 cm　③ 20 cm　④ 24 cm　⑤ 28 cm

43

폭이 각각 4, x로 일정한 두 종이 테이프가 오른쪽 그림과 같이 겹쳐져 있다. □ABCD의 넓이가 24일 때, x의 값을 구하시오.

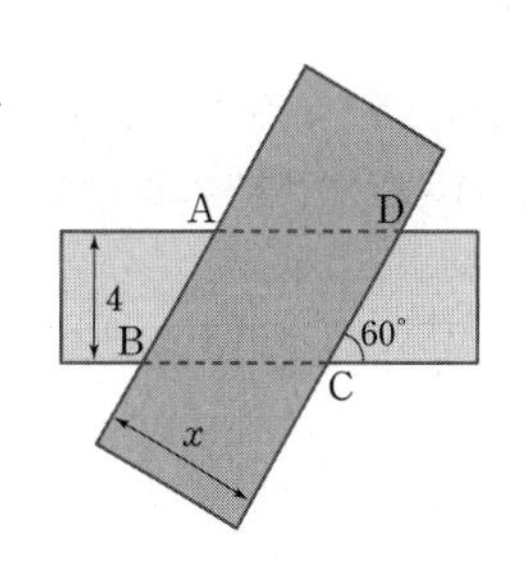

□ABCD는 평행사변형이므로 이웃하는 두 변의 길이와 그 끼인 각의 크기를 알면 넓이를 구할 수 있다.

44

오른쪽 그림과 같이 두 대각선의 길이가 각각 4 cm, 6 cm이고 두 대각선이 이루는 각의 크기가 60°인 □ABCD의 넓이는?

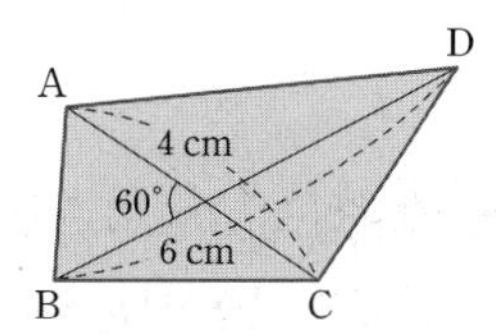

① $6\sqrt{2}\text{ cm}^2$　② $6\sqrt{3}\text{ cm}^2$　③ 12 cm^2　④ $12\sqrt{2}\text{ cm}^2$　⑤ $12\sqrt{3}\text{ cm}^2$

대각선의 길이가 주어진 사각형의 넓이

두 대각선의 길이가 a, b이고 두 대각선이 이루는 예각의 크기가 x인 사각형의 넓이 S는

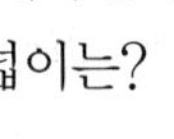

$S=\frac{1}{2}ab\sin x$

45

오른쪽 그림과 같은 등변사다리꼴 ABCD에서 $\overline{BD}=8\text{ cm}$이고 두 대각선이 이루는 각의 크기가 150°일 때, □ABCD의 넓이는?

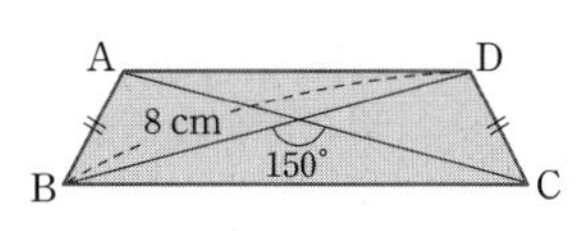

① 16 cm^2　② $16\sqrt{2}\text{ cm}^2$　③ $16\sqrt{3}\text{ cm}^2$　④ 32 cm^2　⑤ $28\sqrt{2}\text{ cm}^2$

46

오른쪽 그림과 같이 $\overline{AC}=15$ cm, $\angle DPC=60^\circ$인 $\square$ABCD의 넓이가 $45\sqrt{3}$ cm^{2}일 때, $\overline{BD}$의 길이는?

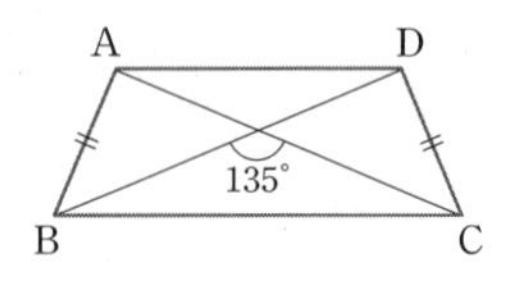

① 9 cm ② 10 cm
③ 11 cm ④ 12 cm
⑤ 13 cm

47

오른쪽 그림과 같이 등변사다리꼴 ABCD에서 두 대각선이 이루는 각의 크기가 135°이고 $\square$ABCD의 넓이가 $12\sqrt{2}$ cm^{2}일 때, 한 대각선의 길이는?

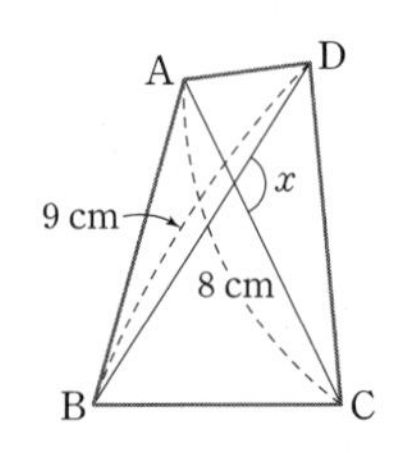

① 4 cm ② $4\sqrt{2}$ cm ③ 6 cm
④ $4\sqrt{3}$ cm ⑤ $6\sqrt{2}$ cm

등변사다리꼴의 두 대각선의 길이는 같다.

48

오른쪽 그림과 같이 두 대각선의 길이가 각각 8 cm, 9 cm인 $\square$ABCD의 넓이가 $18\sqrt{3}$ cm^{2}일 때, $\angle x$의 크기를 구하시오. (단, $90^\circ < \angle x < 180^\circ$)

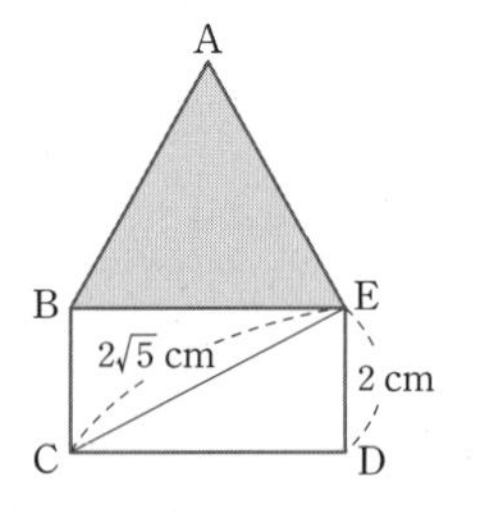

6 정삼각형의 높이와 넓이

49

오른쪽 그림과 같은 직사각형 BCDE에서 $\overline{BE}$를 한 변으로 하는 정삼각형 ABE의 넓이는?

① $2\sqrt{3}$ cm^2 ② $4\sqrt{3}$ cm^2
③ 8 cm^2 ④ $6\sqrt{3}$ cm^2
⑤ 12 cm^2

A
B
E
$2\sqrt{5}$ cm
2 cm
C
D

한 변의 길이가 a인 정삼각형의 넓이는 $\frac{1}{2}\times a\times a\times \sin 60^\circ$이다.

50

오른쪽 그림과 같이 반지름의 길이가 4 cm인 원 O에 내접하는 정삼각형 ABC의 넓이는?

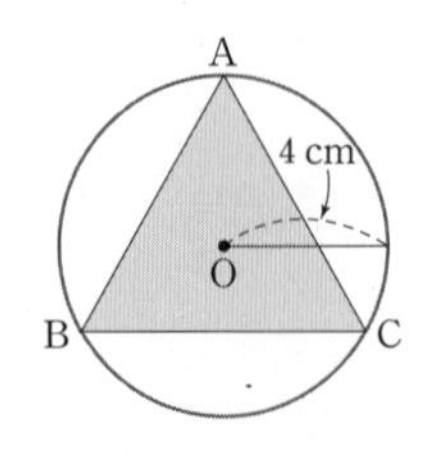

① 6 cm^2 ② $6\sqrt{3}$ cm^2
③ 12 cm^2 ④ $12\sqrt{3}$ cm^2
⑤ 16 cm^2

정삼각형의 외심과 무게중심은 일치하고 삼각형의 무게중심은 중선을 꼭짓점에서부터 2 : 1로 나눈다.

51

오른쪽 그림과 같은 정삼각형 ABC의 무게중심을 G라 하고 $\overline{AG}$의 연장선이 $\overline{BC}$와 만나는 점을 D라 할 때, $\triangle$GBD의 둘레의 길이는?

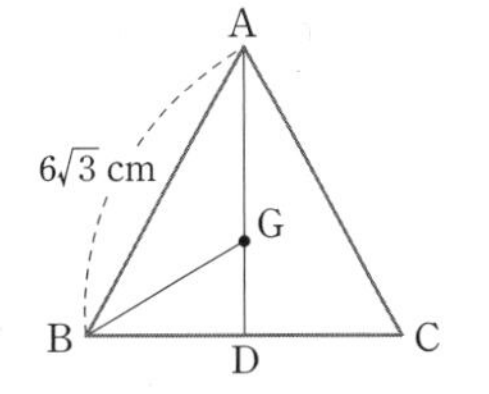

① $(9+3\sqrt{3})$ cm ② 18 cm ③ $(9+6\sqrt{3})$ cm ④ 21 cm ⑤ 24 cm

$\overline{AD}$는 정삼각형 ABC의 높이이다.

52

오른쪽 그림과 같이 한 변의 길이가 4 cm인 정삼각형 ABC에서 $\triangle$ABC의 높이를 한 변으로 하는 정삼각형 ADE의 넓이는?

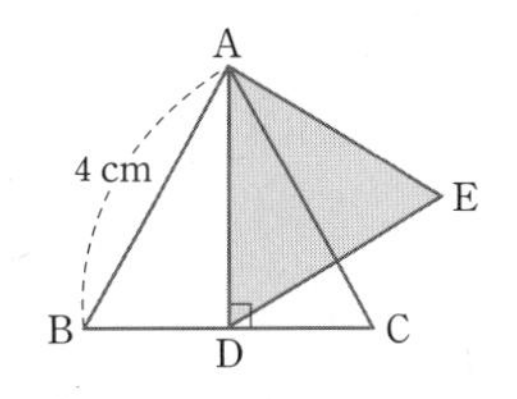

① $\sqrt{3}$ cm^2 ② $2\sqrt{3}$ cm^2 ③ $3\sqrt{3}$ cm^2 ④ $4\sqrt{3}$ cm^2 ⑤ $8\sqrt{3}$ cm^2

53

오른쪽 그림과 같이 한 변의 길이가 8 cm인 두 정삼각형을 $\overline{BE}=\overline{EC}=\overline{CF}$가 되도록 겹쳐 놓았다. 이때 어두운 부분의 넓이를 구하시오.

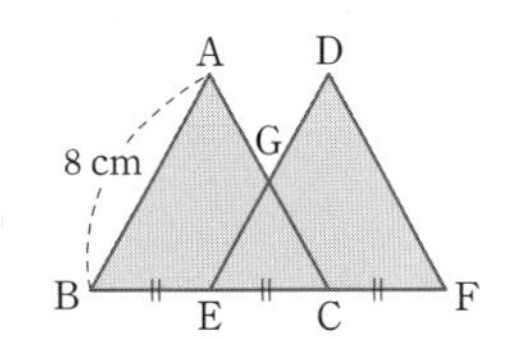

어두운 부분의 넓이는 두 정삼각형의 넓이의 합에서 $\triangle$GEC의 넓이를 뺀 것과 같다.

7 여러 가지 도형의 넓이

54

오른쪽 그림과 같은 □ABCD의 넓이를 구하시오.

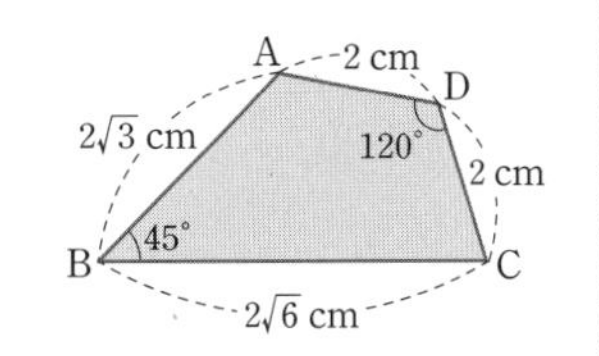

보조선을 그어 사각형을 2개의 삼각형으로 나눈 후 삼각형의 넓이의 합을 구한다.

55

오른쪽 그림과 같은 □ABCD의 넓이를 구하시오.

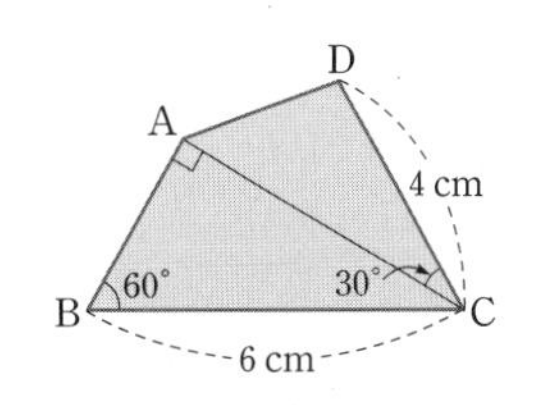

56 오른쪽 그림과 같은 오각형 ABCDE의 넓이를 구하시오.

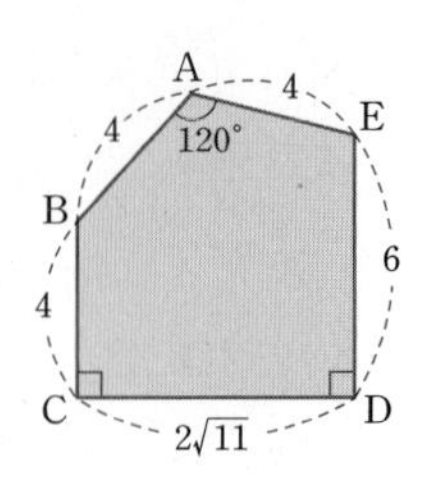

57 오른쪽 그림과 같이 지름의 길이가 8 cm인 원 O에 내접하는 정육각형의 넓이는?

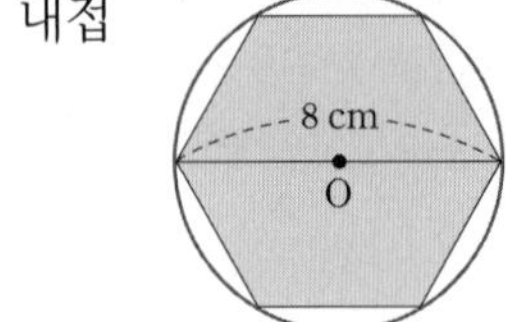

① $6\sqrt{3}$ cm^2　② $8\sqrt{3}$ cm^2
③ $12\sqrt{3}$ cm^2　④ $16\sqrt{3}$ cm^2
⑤ $24\sqrt{3}$ cm^2

원에 내접하는 정다각형의 넓이 구하기
대각선을 그어 작은 이등변삼각형으로 나눈 후 넓이의 합을 구한다.

58 오른쪽 그림과 같이 둘레의 길이가 6π cm인 원 O에 정팔각형이 내접할 때, 이 정팔각형의 넓이는?

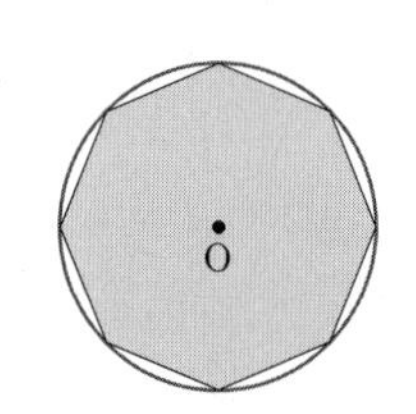

① $6\sqrt{2}$ cm^2　② $6\sqrt{3}$ cm^2
③ $12\sqrt{2}$ cm^2　④ $12\sqrt{3}$ cm^2
⑤ $18\sqrt{2}$ cm^2

59 정십이각형이 반지름의 길이가 2 cm인 원 O에 내접할 때, 이 정십이각형의 넓이는?

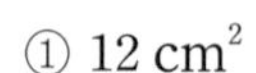

① 12 cm^2　② $12\sqrt{2}$ cm^2　③ $12\sqrt{3}$ cm^2
④ 24 cm^2　⑤ $20\sqrt{2}$ cm^2

60 오른쪽 그림과 같이 반지름의 길이가 6 cm인 원 O에 내접하는 □ABCD에서 $\angle B=30°$이고 $\overline{AD}=\overline{CD}$일 때, □ABCD의 넓이는?

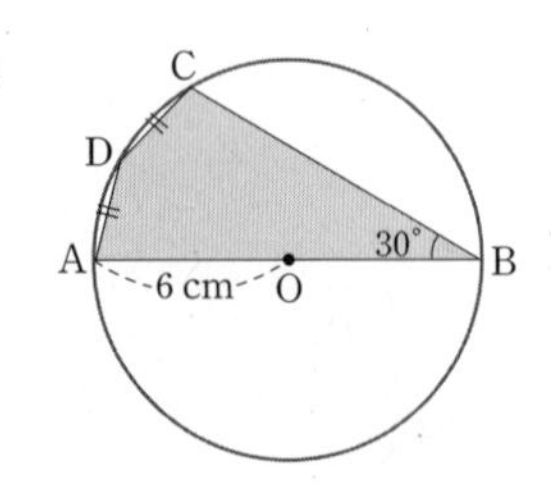

① 12 cm^2　② 18 cm^2
③ $9(\sqrt{3}+1)$ cm^2　④ $9(\sqrt{3}+2)$ cm^2
⑤ $15(\sqrt{3}+1)$ cm^2

$\overline{OD}$, $\overline{OC}$를 그으면
$\angle DOA=\angle COD$이고
□ABCD
$=\triangle DOA+\triangle COD+\triangle COB$

단원 종합 문제

정답과 풀이 17쪽

01 오른쪽 그림과 같은 직각삼각형 ABC에서 다음 중 옳지 않은 것은?

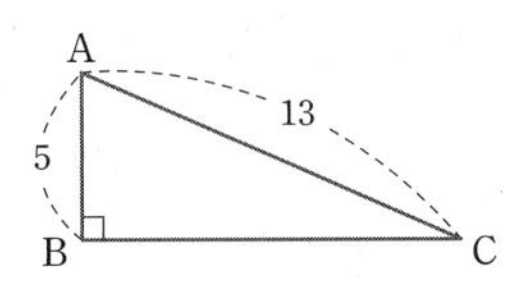

① $\sin A=\frac{13}{5}$　② $\sin C=\frac{5}{13}$　③ $\cos A=\frac{5}{13}$　④ $\cos C=\frac{12}{13}$　⑤ $\tan C=\frac{5}{12}$

02 오른쪽 그림과 같이 $\angle A=90^{\circ}$인 직각삼각형 ABC에서 $\overline{BC}=10$, $\overline{AC}=8$일 때, $\sin B+\cos B$의 값은?

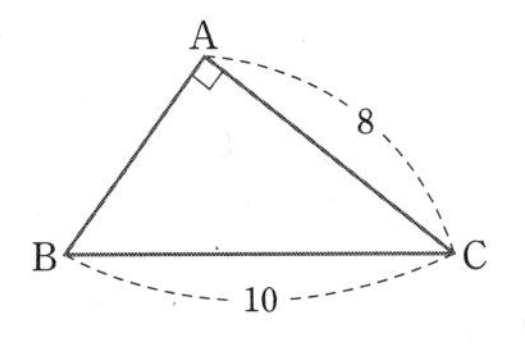

① 1　② $\frac{7}{5}$　③ $\frac{8}{5}$　④ $\frac{9}{5}$　⑤ 2

03 오른쪽 그림과 같은 직각삼각형 ABC에서 $\overline{AB}\perp\overline{DE}$이고 $\overline{AD}=4\sqrt{2}$, $\overline{AE}=6$일 때, $\sin x\times\tan y$의 값은?

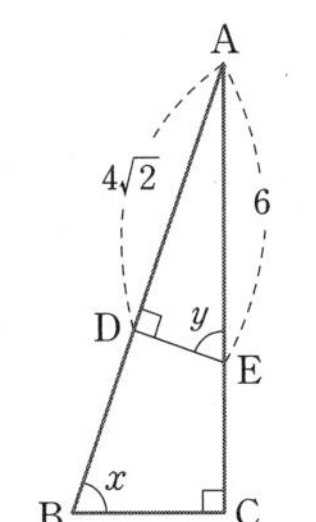

① $\frac{4\sqrt{2}}{3}$　② $\frac{8}{3}$　③ $2\sqrt{2}$　④ $\frac{10}{3}$　⑤ $\frac{8\sqrt{2}}{3}$

04 $\angle B=90^{\circ}$인 직각삼각형 ABC에서 $\cos A=\frac{3}{5}$일 때, $\tan A$의 값은?

① $\frac{3}{5}$　② $\frac{3}{4}$　③ $\frac{4}{5}$　④ $\frac{4}{3}$　⑤ $\frac{5}{3}$

05 다음 식의 값을 구하시오.

(1) $\sin 30^{\circ}-\cos 60^{\circ}$

(2) $\cos 60^{\circ}+\tan 45^{\circ}$

(3) $\sin 45^{\circ}\times\cos 45^{\circ}\div\tan 30^{\circ}$

(4) $(\cos 30^{\circ}+\sin 60^{\circ})\times\tan 60^{\circ}$

06 다음 중 그 값이 가장 큰 것은?

① $\sin 0^{\circ}$　② $\cos 0^{\circ}$　③ $\sin 30^{\circ}$　④ $\cos 90^{\circ}$　⑤ $\tan 0^{\circ}$

07 오른쪽 그림과 같이 $\angle C=90^\circ$인 직각삼각형 ABC에서 $\overline{AB}=16$ cm, $\angle B=30^\circ$일 때, $\overline{BC}$의 길이는?

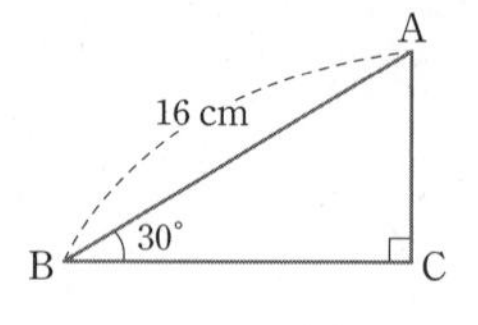

① $4\sqrt{2}$ cm ② $4\sqrt{3}$ cm ③ 8 cm
④ $8\sqrt{2}$ cm ⑤ $8\sqrt{3}$ cm

08 오른쪽 그림과 같이 반지름의 길이가 1인 사분원에서 다음 중 옳지 않은 것은?

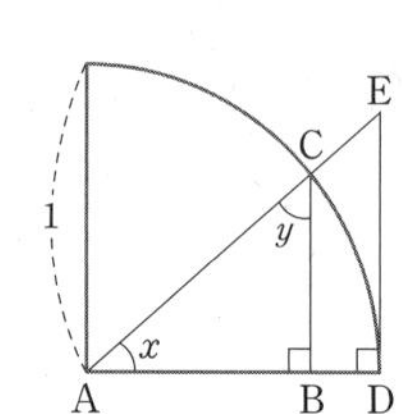

① $\sin x=\overline{BC}$
② $\sin y=\overline{AB}$
③ $\cos x=\overline{AE}$
④ $\cos y=\overline{BC}$
⑤ $\tan x=\overline{DE}$

09 $0^\circ \le \angle A \le 90^\circ$일 때, 다음 중 옳지 않은 것을 모두 고르면? (정답 2개)

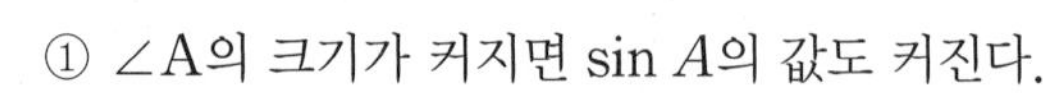
① $\angle A$의 크기가 커지면 $\sin A$의 값도 커진다.
② $\angle A$의 크기가 커지면 $\cos A$의 값은 작아진다.
③ $\angle A$의 크기가 커지면 $\tan A$의 값은 작아진다.
④ $\sin A$의 최솟값은 0, 최댓값은 1이다.
⑤ $\tan A$의 최솟값은 0, 최댓값은 1이다.

10 다음 삼각비의 표를 이용하여 삼각비의 값을 구하시오.

각도	sin	cos	tan
35°	0.5736	0.8192	0.7002
36°	0.5878	0.8090	0.7265
37°	0.6018	0.7986	0.7536

(1) $\sin 37^\circ$
(2) $\cos 35^\circ$
(3) $\tan 36^\circ$

11 오른쪽 그림과 같이 직선 $y=x+4$와 x축의 양의 방향이 이루는 각의 크기를 a라 할 때, $\tan a$의 값과 a의 크기를 차례로 구하시오.

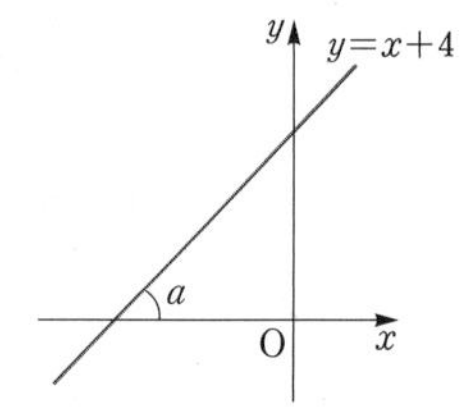

12 오른쪽 그림과 같이 $\overline{AB}=8$ cm, $\overline{BC}=10$ cm, $\angle B=60^\circ$인 $\triangle ABC$에서 $\overline{AH}\perp\overline{BC}$일 때, 다음을 구하시오.

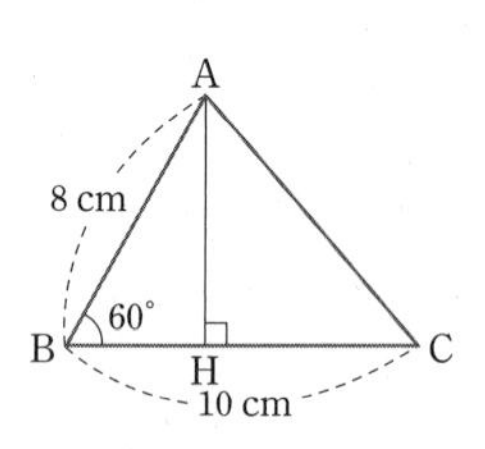

(1) $\overline{AH}$의 길이
(2) $\overline{BH}$의 길이
(3) $\overline{AC}$의 길이

13 오른쪽 그림과 같은 $\triangle$ABC에서 $\overline{AB}=8$ cm, $\angle A=75°$, $\angle B=60°$일 때, $\overline{AC}$의 길이는?

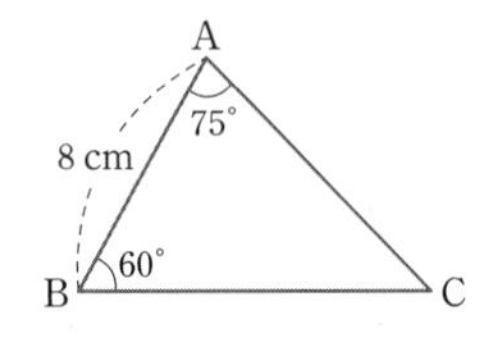

① $4\sqrt{2}$ cm　② 6 cm　③ $4\sqrt{3}$ cm
④ 8 cm　⑤ $4\sqrt{6}$ cm

14 오른쪽 그림과 같이 32 m 떨어진 두 지점 B, C에서 나무의 꼭대기를 올려다 본 각의 크기가 각각 45°, 30°일 때, 나무의 높이는?

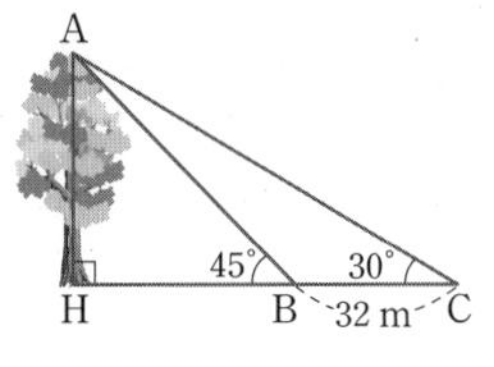

① $10(\sqrt{3}-1)$ m　② $20(\sqrt{3}-1)$ m
③ $10(\sqrt{3}+1)$ m　④ $20\sqrt{3}$ m
⑤ $16(\sqrt{3}+1)$ m

15 오른쪽 그림과 같이 반지름의 길이가 4 cm인 반원에서 어두운 부분의 넓이를 구하시오.

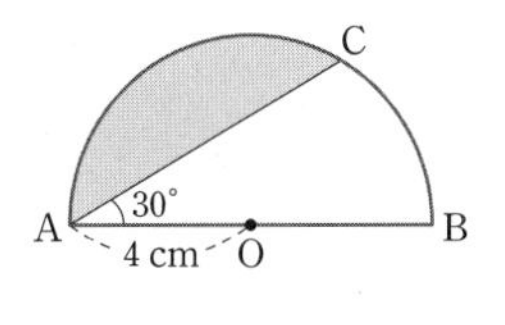

16 오른쪽 그림과 같이 $\overline{AB}=7$ cm, $\angle A=135°$인 평행사변형 ABCD의 넓이가 $14\sqrt{2}$ cm^{2}일 때, $\overline{BC}$의 길이는?

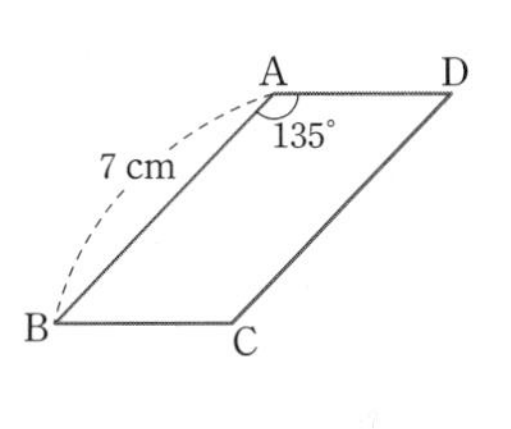

① 3 cm　② 4 cm　③ 5 cm
④ $4\sqrt{2}$ cm　⑤ $5\sqrt{2}$ cm

17 다음 □ABCD의 넓이를 구하시오.

(1) A, D, B, C, 45°, 10 cm, 6 cm

(2) A, D, B, C, 8 cm, 5 cm, 150°

18 오른쪽 그림과 같은 □ABCD의 넓이를 구하시오.

19 오른쪽 그림과 같이 $\overline{AB}=\overline{AC}$인 이등변삼각형 ABC의 한 변 BC 위에 임의의 한 점 P를 잡고 점 P에서 $\overline{AB}$, $\overline{AC}$에 내린 수선의 발을 각각 Q, R라 하자. $\cos B=\frac{3}{4}$일 때, $\overline{PQ}+\overline{PR}$의 길이는?

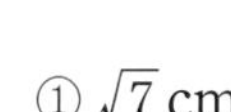

① $\sqrt{7}$ cm　② $\frac{3\sqrt{7}}{2}$ cm　③ 5 cm
④ $2\sqrt{7}$ cm　⑤ $\frac{15}{2}$ cm

20 다음 그림과 같이 한 변의 길이가 3 cm인 정사각형의 대각선의 길이와 정삼각형의 높이가 같을 때, 이 정삼각형의 넓이는?

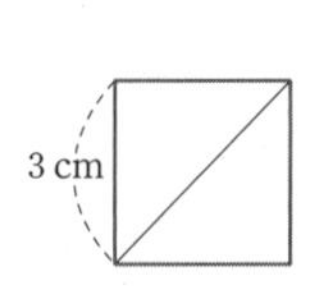

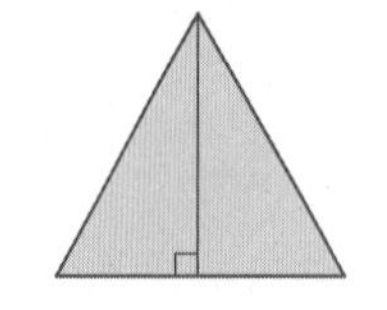

① $3\sqrt{3}$ cm² ② $3\sqrt{6}$ cm² ③ $6\sqrt{3}$ cm²
④ $6\sqrt{6}$ cm² ⑤ $12\sqrt{3}$ cm²

21 오른쪽 그림과 같이 한 변의 길이가 6 cm인 정삼각형 ABC의 무게중심을 G라 하고 $\overline{AG}$의 연장선이 $\overline{BC}$와 만나는 점을 D라 할 때, △GBC의 넓이를 구하시오.

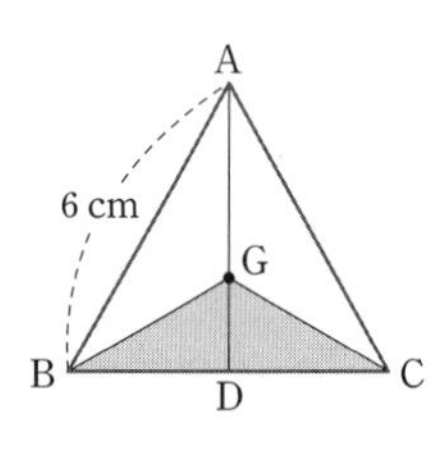

22 오른쪽 그림과 같이 정삼각형 ABC의 높이를 한 변으로 하는 정삼각형 ADE와 정삼각형 ADE의 높이를 한 변으로 하는 정삼각형 AFG가 있다. △ABC의 한 변의 길이가 8 cm일 때, △AFG의 넓이를 구하시오.

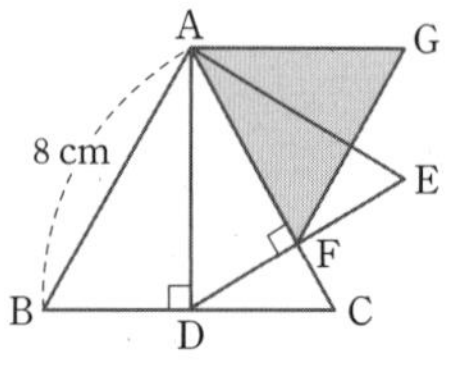

23 오른쪽 그림과 같은 정육각형의 넓이가 $24\sqrt{3}$ cm²일 때, 이 정육각형의 둘레의 길이는?

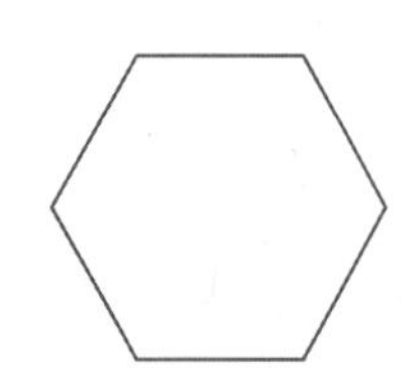

① 12 cm ② $12\sqrt{3}$ cm
③ 18 cm ④ 24 cm ⑤ $24\sqrt{3}$ cm

24 오른쪽 그림과 같이 반지름의 길이가 6 cm인 원 O에 내접하는 정팔각형의 넓이는?

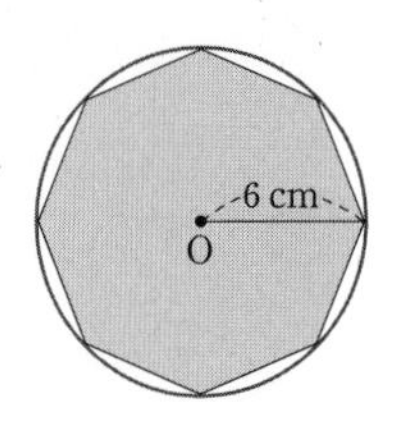

① 72 cm²
② $72\sqrt{2}$ cm²
③ $72\sqrt{3}$ cm²
④ 144 cm²
⑤ $144\sqrt{2}$ cm²

25 오른쪽 그림과 같이 반지름의 길이가 a인 원에 내접하는 정육각형과 외접하는 정육각형의 둘레의 길이를 이용하여 π의 범위를 구하였더니 $m<\pi<n$이 되었다. 이때 $m+n$의 값을 구하시오.

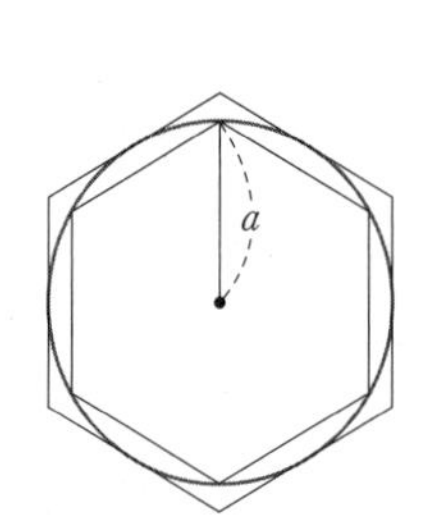

26 오른쪽 그림과 같이 $\overline{AD}\,/\!/\,\overline{BC}$인 사다리꼴 ABCD에서 $\angle B=45°$, $\angle C=60°$이고 $\overline{AB}=6\sqrt{2}$ cm, $\overline{AD}=5$ cm일 때, □ABCD의 넓이를 구하시오.

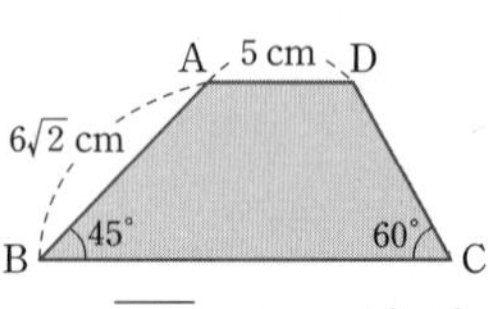

II 원의 성질

1. 원과 직선
2. 원주각
3. 원주각의 활용

1 원과 직선

1 중심각의 크기와 현의 길이

한 원 또는 합동인 두 원에서

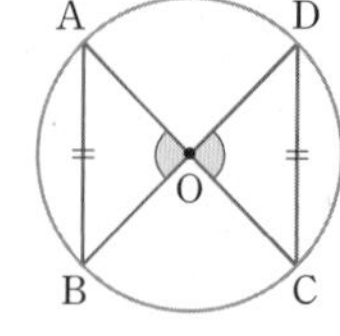
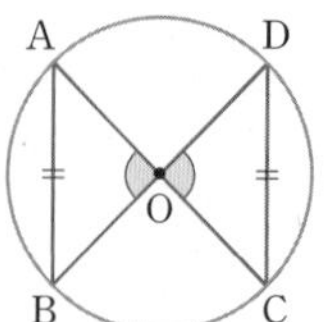

(1) 크기가 같은 두 중심각에 대한 현의 길이는 같다.
　$\angle AOB = \angle COD$이면 $\overline{AB} = \overline{CD}$

(2) 길이가 같은 두 현에 대한 중심각의 크기는 같다.
　$\overline{AB} = \overline{CD}$이면 $\angle AOB = \angle COD$

(3) 현의 길이와 중심각의 크기는 정비례하지 않는다.

＋ **중심각의 크기와 호의 길이**
한 원 또는 합동인 두 원에서
(1) 크기가 같은 두 중심각에 대한 호의 길이는 같다.
(2) 길이가 같은 두 호에 대한 중심각의 크기는 같다.
(3) 호의 길이와 중심각의 크기는 정비례한다.

2 원의 중심과 현의 수직이등분선

(1) 원의 중심에서 현에 내린 수선은 그 현을 수직이등분한다.
　$\overline{AB} \perp \overline{OM}$이면 $\overline{AM} = \overline{BM}$

(2) 현의 수직이등분선은 그 원의 중심을 지난다.

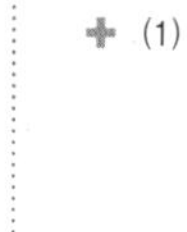

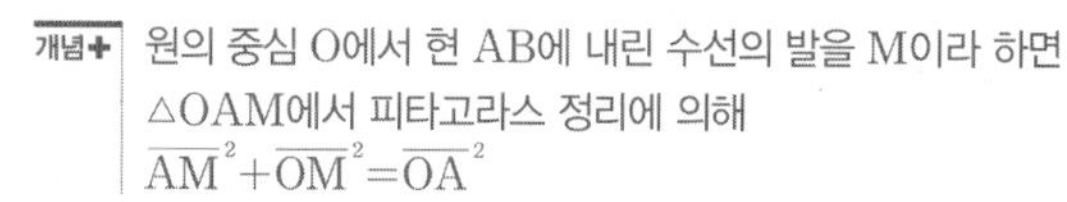
개념＋ 원의 중심 O에서 현 AB에 내린 수선의 발을 M이라 하면
$\triangle OAM$에서 피타고라스 정리에 의해
$\overline{AM}^2 + \overline{OM}^2 = \overline{OA}^2$

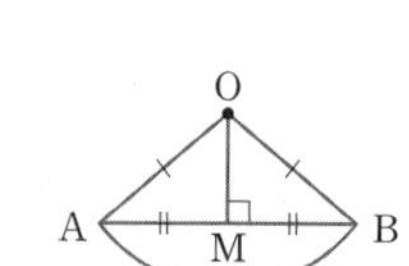

＋ (1)

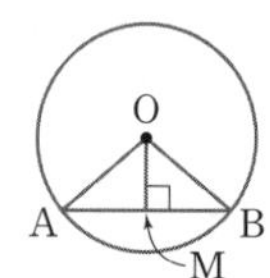

$\triangle OAM$과 $\triangle OBM$에서
$\angle OMA = \angle OMB = 90°$,
$\overline{OA} = \overline{OB}$ (반지름),
$\overline{OM}$은 공통이므로
$\triangle OAM \equiv \triangle OBM$ (RHS 합동)
$\therefore \overline{AM} = \overline{BM}$

3 현의 길이

한 원 또는 합동인 두 원에서

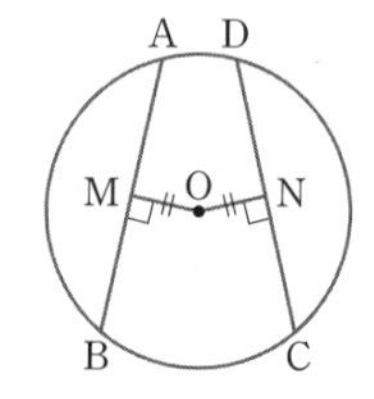

(1) 원의 중심으로부터 같은 거리에 있는 두 현의 길이는 서로 같다.
　$\overline{OM} = \overline{ON}$이면 $\overline{AB} = \overline{CD}$

(2) 길이가 같은 두 현은 원의 중심으로부터 같은 거리에 있다.
　$\overline{AB} = \overline{CD}$이면 $\overline{OM} = \overline{ON}$

개념＋ 오른쪽 그림에서 $\overline{OM} = \overline{ON}$이면 $\overline{AB} = \overline{AC}$이므로 $\triangle ABC$는 이등변삼각형이다.
$\therefore \angle ABC = \angle ACB$

＋ (1)

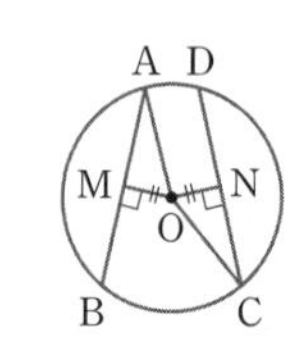

$\triangle OAM$과 $\triangle OCN$에서
$\angle OMA = \angle ONC = 90°$,
$\overline{OA} = \overline{OC}$ (반지름),
$\overline{OM} = \overline{ON}$이므로
$\triangle OAM \equiv \triangle OCN$ (RHS 합동)
$\therefore \overline{AM} = \overline{CN}$
이때 $\overline{AB} = 2\overline{AM}$,
$\overline{CD} = 2\overline{CN}$이므로
$\overline{AB} = \overline{CD}$

4 원의 접선과 그 성질

(1) **접선** : 직선 l이 원 O와 한 점에서 만날 때, 직선 l은 원 O에 접한다고 하고, 직선 l을 원 O의 접선, 만나는 점 T를 접점이라 한다.

(2) **할선** : 직선 m이 원 O와 두 점에서 만날 때, 직선 m을 원 O의 할선이라 한다.

(3) **원의 접선과 반지름** : 원의 접선은 그 접점을 지나는 원의 반지름과 서로 수직이다.
　⇨ $l \perp \overline{OT}$

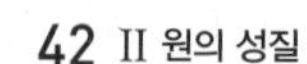

(4) 원의 접선의 길이

① 접선의 길이 : 원 O의 외부의 한 점 P에서 이 원에 그을 수 있는 접선은 2개이고, 그 접점을 각각 A, B라 하면 $\overline{PA}$, $\overline{PB}$의 길이를 점 P에서 원 O에 그은 접선의 길이라 한다.

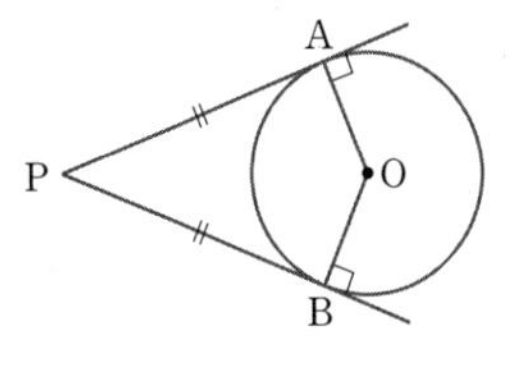

② 원의 접선의 성질 : 원의 외부의 한 점 P에서 그 원에 그은 두 접선의 길이는 서로 같다. ⇨ $\overline{PA}=\overline{PB}$

개념+ 오른쪽 그림에서
① $\triangle OAQ \equiv \triangle OBQ$ (SAS 합동)이므로
$\overline{OP} \perp \overline{AB}$, $\overline{AQ}=\overline{BQ}$
② $\angle APB+\angle AOB=180°$

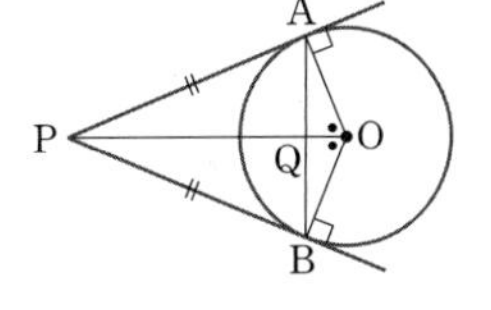

+ (4) ② $\triangle PAO$와 $\triangle PBO$에서
$\angle PAO=\angle PBO=90°$,
$\overline{OP}$는 공통,
$\overline{OA}=\overline{OB}$ (반지름)
이므로
$\triangle PAO \equiv \triangle PBO$ (RHS 합동)
$\therefore \overline{PA}=\overline{PB}$

5 삼각형의 내접원

원 O가 $\triangle ABC$에 내접하고 내접원의 반지름의 길이가 r일 때

(1) $\triangle ABC$의 둘레의 길이 ⇨ $a+b+c=2(x+y+z)$

(2) $\triangle ABC$의 넓이 ⇨ $\triangle ABC=\frac{1}{2}r(a+b+c)$

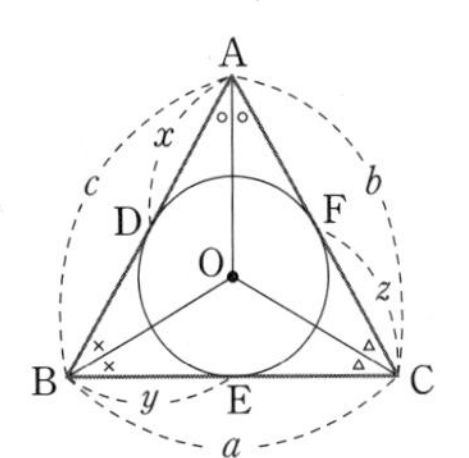

개념+ 직각삼각형에서 내접원의 성질
반지름의 길이가 r인 원 O가 직각삼각형 ABC의 내접원이고,
세 점 D, E, F가 그 접점일 때, $\overline{OE} \perp \overline{BC}$, $\overline{OF} \perp \overline{AC}$이고
$\overline{OE}=\overline{OF}=r$이므로 □OECF는 한 변의 길이가 r인 정사각형이다.

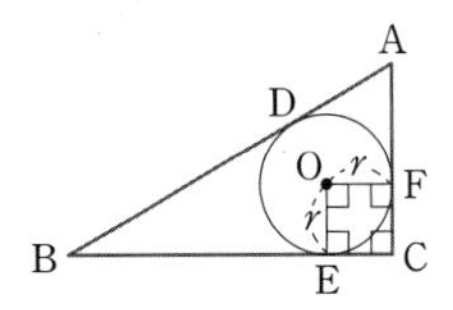

+ (1) $\overline{AD}=\overline{AF}=x$,
$\overline{BD}=\overline{BE}=y$,
$\overline{CE}=\overline{CF}=z$이므로
($\triangle ABC$의 둘레의 길이)
$=a+b+c$
$=(y+z)+(x+z)+(x+y)$
$=2(x+y+z)$

(2) $\triangle ABC$
$=\triangle OAB+\triangle OBC+\triangle OCA$
$=\frac{1}{2}cr+\frac{1}{2}ar+\frac{1}{2}br$
$=\frac{1}{2}r(a+b+c)$

6 외접사각형의 성질

(1) 원에 외접하는 사각형의 두 쌍의 대변의 길이의 합은 서로 같다.
⇨ $\overline{AB}+\overline{DC}=\overline{AD}+\overline{BC}$

(2) 두 쌍의 대변의 길이의 합이 서로 같은 사각형은 원에 외접한다.

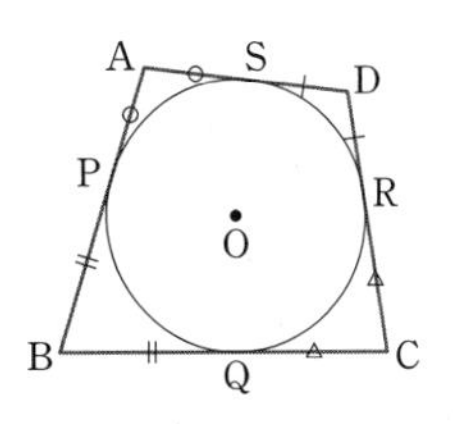

+ (1) $\overline{AB}+\overline{DC}$
$=(\overline{AP}+\overline{BP})+(\overline{DR}+\overline{CR})$
$=(\overline{AS}+\overline{BQ})+(\overline{DS}+\overline{CQ})$
$=(\overline{AS}+\overline{DS})+(\overline{BQ}+\overline{CQ})$
$=\overline{AD}+\overline{BC}$

7 직각삼각형과 원

오른쪽 그림과 같이 $\angle A=90°$인 직각삼각형 ABC의 세 변을 각각 지름으로 하는 반원의 넓이를 P, Q, R라 할 때,
$P+Q=R$

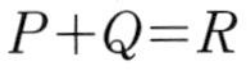

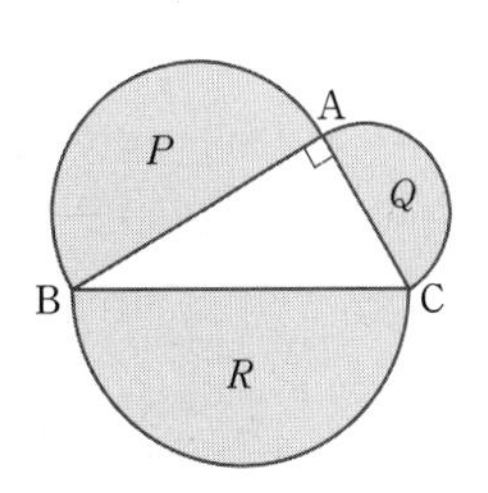

+ $\overline{AB}=c$, $\overline{BC}=a$, $\overline{CA}=b$라 하면
$P+Q$
$=\frac{1}{2}\pi\left(\frac{c}{2}\right)^2+\frac{1}{2}\pi\left(\frac{b}{2}\right)^2$
$=\frac{1}{8}\pi(b^2+c^2)$
$R=\frac{1}{2}\pi\left(\frac{a}{2}\right)^2=\frac{1}{8}\pi a^2$
$\triangle ABC$는 직각삼각형이므로
$b^2+c^2=a^2$
$\therefore P+Q=R$

주제별 실력다지기

1 중심각의 크기와 호, 현의 길이의 관계

01 오른쪽 그림과 같은 원 O에서 $3\angle AOB=\angle COD$, $\overline{BD}\perp\overline{CO}$일 때, 다음 중 옳지 않은 것을 모두 고르면? (정답 2개)

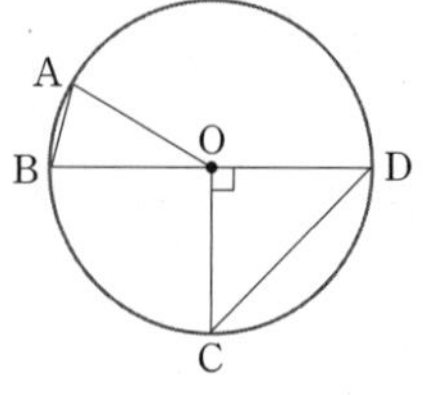

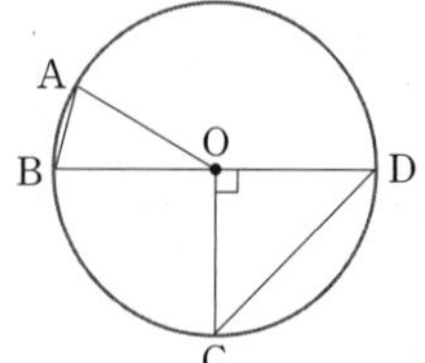

① $\angle AOB=30°$ ② $3\widehat{AB}=\widehat{CD}$
③ $3\overline{AB}=\overline{CD}$ ④ $3\triangle AOB=\triangle COD$
⑤ $3\overline{AB}>\overline{CD}$

한 원 또는 합동인 두 원에서
(1) 중심각의 크기와 호의 길이는 정비례한다.
(2) 중심각의 크기와 현의 길이는 정비례하지 않는다.

최상위 Q&A 003
두 개의 현으로 원의 중심을 찾을 수 있을까?
현의 수직이등선은 원의 중심을 지나고 지름과 지름의 교점은 원의 중심이다. 따라서 원의 중심을 찾으려면 다음 그림과 같이 서로 평행하지 않은 두 현 AB, CD의 수직이등분선을 그어 그 교점을 찾으면 된다.

현의 수직이등분선은 원의 지름이다.

02 오른쪽 그림과 같은 원 O에서 $\overline{AB}$는 원의 지름이고 $\angle AOC=36°$, $\widehat{AC}=5$ cm일 때, $\widehat{BC}$의 길이는?

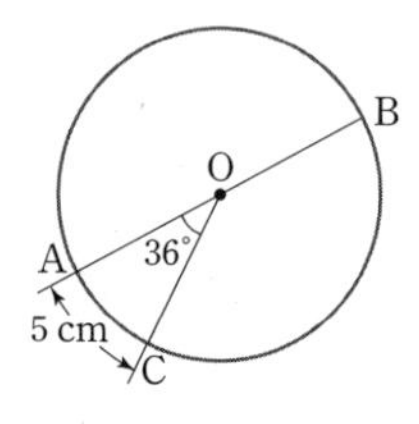

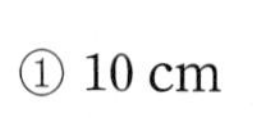

① 10 cm ② 15 cm
③ 20 cm ④ 25 cm
⑤ 30 cm

03 오른쪽 그림과 같은 원 O에서 $\overline{AO}/\!/\overline{BC}$이고 $\widehat{AB}=4$ cm이다. $\angle AOB=45°$일 때, $\widehat{BC}$의 길이는?

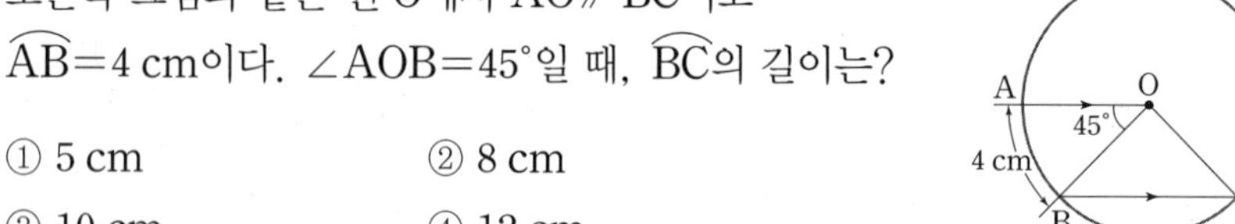

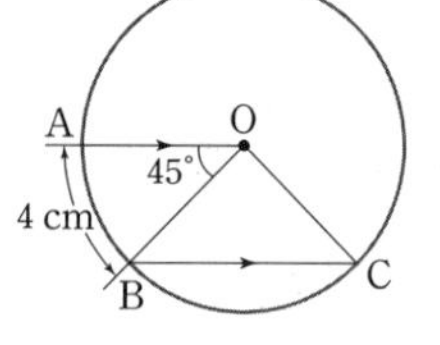

① 5 cm ② 8 cm
③ 10 cm ④ 12 cm
⑤ 14 cm

04 오른쪽 그림에서 $\overline{AB}$는 원 O의 지름이고 $\overline{OC}/\!/\overline{BD}$이다. $\angle ABD=30°$이고 $\widehat{AC}=5$ cm일 때, $\widehat{BD}$의 길이는?

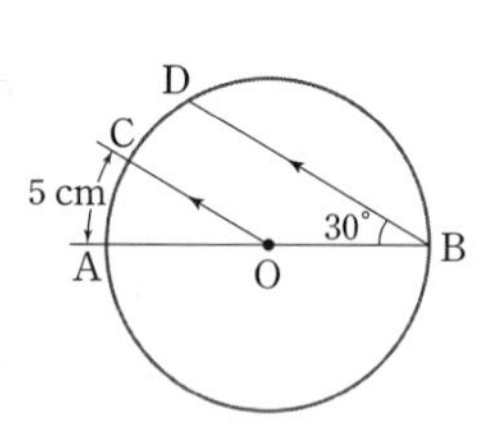

① 15 cm ② 20 cm
③ 25 cm ④ 30 cm ⑤ 35 cm

05 오른쪽 그림과 같은 원 O에서 현 AB와 원 O의 지름 CD의 연장선의 교점을 P라 하자. $\overline{AP}=\overline{AO}$이고 $\widehat{AC}=4$ cm일 때, $\widehat{BD}$의 길이는?

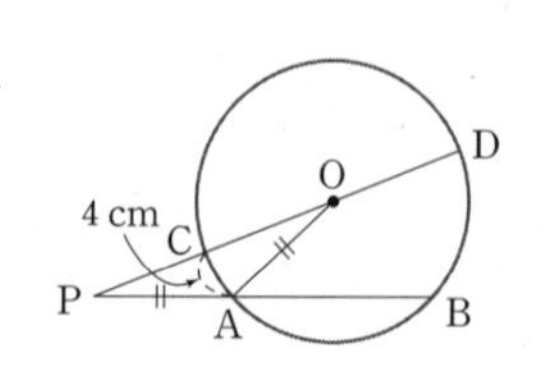

① 6 cm ② 8 cm
③ 10 cm ④ 12 cm ⑤ 14 cm

삼각형에서 한 외각의 크기는 그와 이웃하지 않는 두 내각의 크기의 합과 같음을 이용한다.

2 원의 중심과 현의 수직이등분선

06 오른쪽 그림과 같이 반지름의 길이가 10 cm인 원 O가 있다. 이 원의 중심에서 현 AB에 내린 수선의 길이가 6 cm일 때, $\overline{AB}$의 길이를 구하시오.

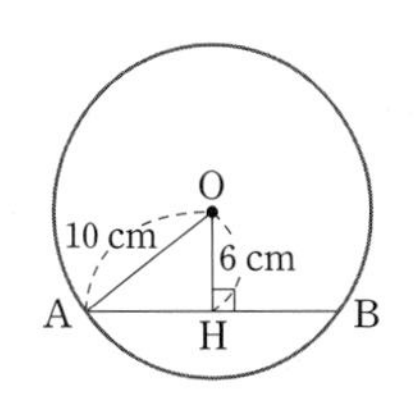

원의 중심에서 현에 내린 수선은 그 현을 수직이등분한다.

07 오른쪽 그림의 원 O에서 $\overline{OM}\perp\overline{AB}$, $\overline{OM}=3$ cm, $\overline{AB}=12$ cm일 때, 원 O의 넓이는?

① 18π cm^2　② 27π cm^2
③ 32π cm^2　④ 36π cm^2
⑤ 45π cm^2

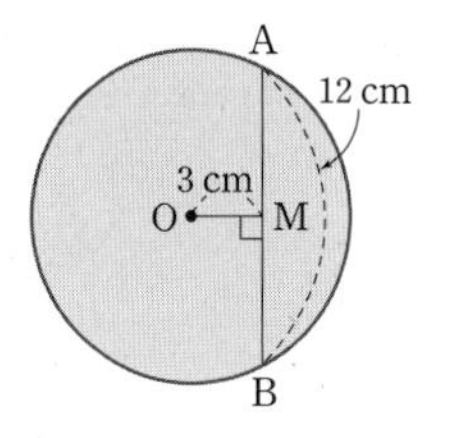

보조선을 그어 원의 반지름을 빗변으로 하는 직각삼각형을 만든다.

08 오른쪽 그림과 같이 지름의 길이가 10 cm인 원 O에서 $\overline{AB}\perp\overline{CD}$, $\overline{CM}=2$ cm일 때, $\overline{AB}$의 길이는?

① 4 cm　② 6 cm
③ 8 cm　④ 10 cm
⑤ 12 cm

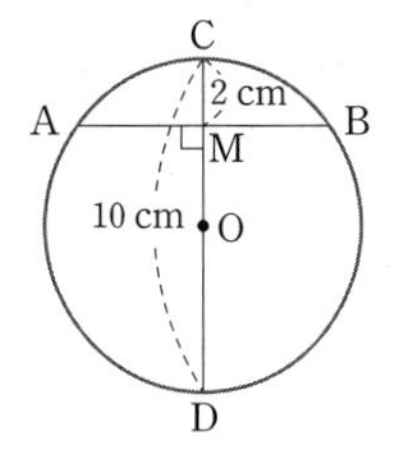

09 오른쪽 그림에서 $\overline{AB}$는 원 O의 지름이고 $\overline{AB}\perp\overline{CD}$이다. $\overline{OM}=\overline{BM}$, $\overline{OA}=8$ cm일 때, $\overline{CD}$의 길이는?

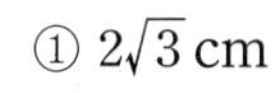
① $2\sqrt{3}$ cm　② 4 cm
③ $4\sqrt{3}$ cm　④ 8 cm
⑤ $8\sqrt{3}$ cm

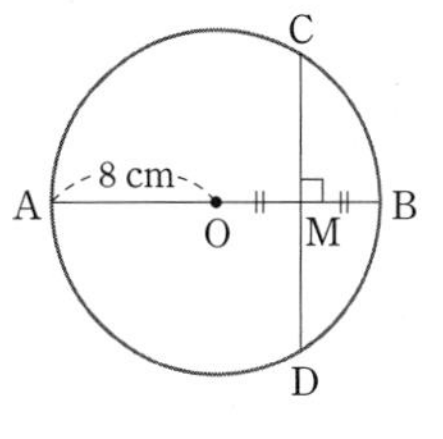

10 오른쪽 그림의 원 O에서 $\overline{AB}\perp\overline{OC}$이고 $\overline{AM}=5$ cm, $\overline{CM}=3$ cm일 때, 원 O의 반지름의 길이는?

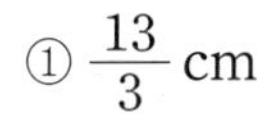
① $\frac{13}{3}$ cm　② $\frac{14}{3}$ cm
③ 5 cm　④ $\frac{16}{3}$ cm
⑤ $\frac{17}{3}$ cm

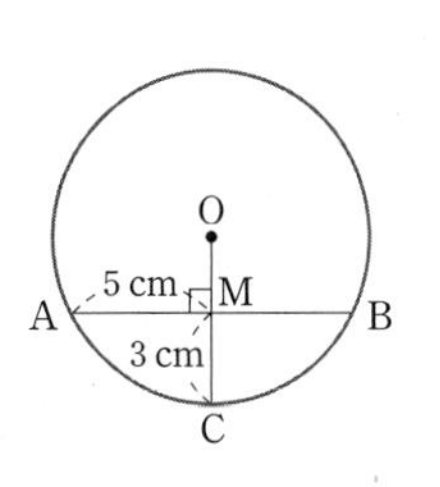

원의 반지름의 길이를 r cm로 놓고 $\overline{OM}$의 길이를 r로 나타낸다.

3 원의 중심에서 같은 거리에 있는 두 현

11 다음은 원의 중심으로부터 같은 거리에 있는 두 현의 길이가 같음을 설명하는 과정이다. (가)~(마)에 알맞은 것을 써넣으시오.

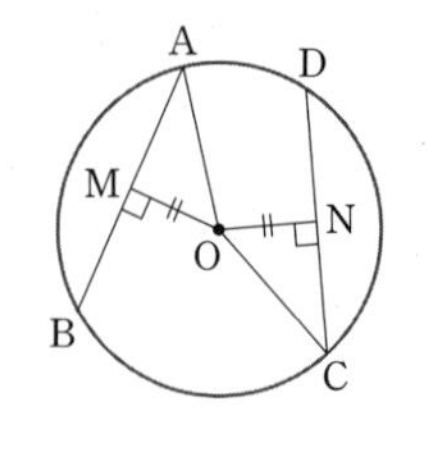

> 오른쪽 그림과 같이 원 O의 중심에서 두 현 AB, CD에 내린 수선의 발을 각각 M, N이라 하면
> $\triangle$OAM과 $\triangle$OCN에서
> $\overline{OM}=\overline{ON}$, $\angle OMA=\angle ONC=$ (가),
> $\overline{OA}=$ (나) (반지름)
> $\therefore$ $\triangle OAM\equiv\triangle OCN$ ((다) 합동)
> 따라서 $\overline{AM}=$ (라) 이고 $\overline{AM}=$ (마) $\overline{AB}$, $\overline{CN}=$ (마) $\overline{CD}$이므로
> $\overline{AB}=\overline{CD}$

12 오른쪽 그림과 같은 원 O에서 $\overline{AB}\perp\overline{OM}$, $\overline{CD}\perp\overline{ON}$이고 $\overline{OA}=5$ cm, $\overline{OM}=\overline{ON}=3$ cm일 때, $x+y$의 값은?

① 8 ② 12
③ 16 ④ 20
⑤ 24

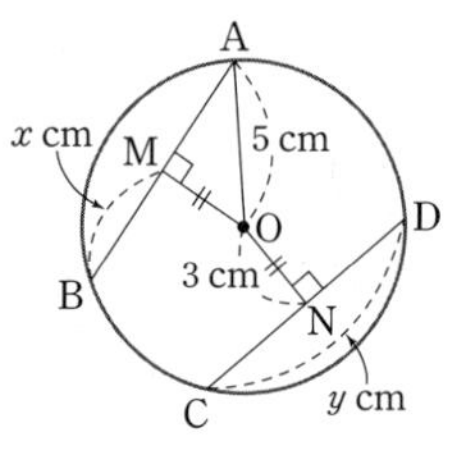
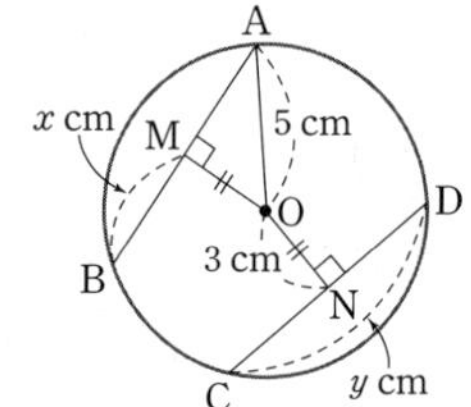

원의 중심으로부터 같은 거리에 있는 두 현의 길이는 서로 같다.

13 오른쪽 그림과 같이 원의 중심 O에서 두 현 AB, AC에 내린 수선의 발을 각각 M, N이라 하자. $\overline{OM}=\overline{ON}$이고 $\angle C=70°$일 때, $\angle A$의 크기를 구하시오.

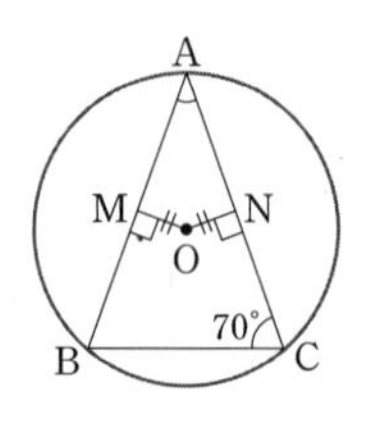

(1) $\overline{OM}=\overline{ON}$이므로 $\overline{AB}=\overline{AC}$
(2) $\overline{AB}=\overline{AC}$이므로 $\triangle ABC$는 이등변삼각형
(3) $\triangle ABC$는 이등변삼각형이므로 $\angle B=\angle C$

14 오른쪽 그림과 같이 원의 중심 O에서 세 현 AB, BC, CA에 내린 수선의 발을 각각 D, E, F라 하자. $\overline{OD}=\overline{OF}$이고 $\angle DOE=115°$일 때, $\angle A$의 크기는?

① 50° ② 55°
③ 60° ④ 65°
⑤ 70°

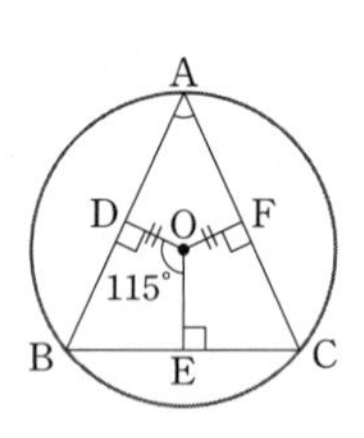

15 오른쪽 그림과 같이 원의 중심 O에서 두 현 AB, AC에 내린 수선의 발을 각각 M, N이라 하자. $\overline{OM}=\overline{ON}$이고 $\overline{AC}=10$ cm, $\angle BAC=120°$일 때, $\overline{BC}$의 길이를 구하시오.

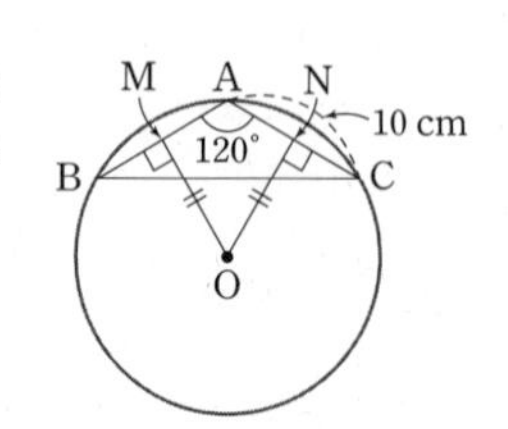

16

오른쪽 그림과 같이 원 O의 중심에서 $\overline{AB}$, $\overline{AC}$에 내린 수선의 발을 각각 M, N이라 하자. $\overline{OM}=\overline{ON}$이고 $\overline{AB}=8$ cm, $\angle MON=120°$일 때, $\triangle ABC$의 넓이는?

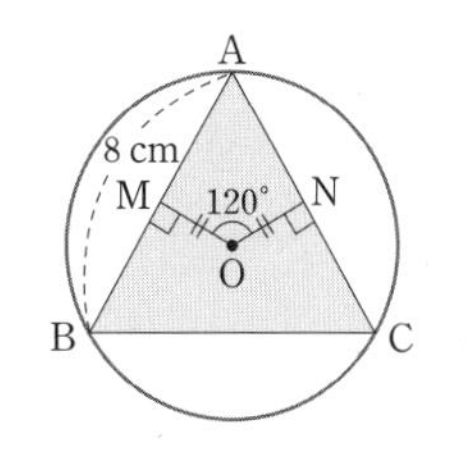

① $8\sqrt{2}$ cm² ② $8\sqrt{3}$ cm²
③ $12\sqrt{3}$ cm² ④ $16\sqrt{2}$ cm²
⑤ $16\sqrt{3}$ cm²

한 변의 길이가 a인 정삼각형의 넓이는 $\frac{\sqrt{3}}{4}a^2$이다.

17

오른쪽 그림과 같이 원 O의 중심에서 세 현 AB, BC, CA에 내린 수선의 발을 각각 L, M, N이라 하자. $\overline{OL}=\overline{OM}=\overline{ON}$이고 $\overline{AL}=5$ cm일 때, $\triangle ABC$의 넓이는?

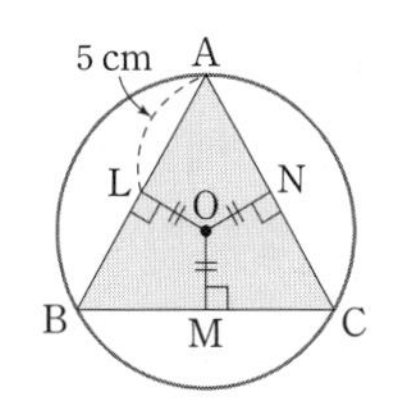

① $\frac{25}{4}$ cm² ② $\frac{25\sqrt{3}}{4}$ cm²
③ $\frac{25\sqrt{3}}{2}$ cm² ④ 25 cm² ⑤ $25\sqrt{3}$ cm²

4 중심이 같은 두 원과 현

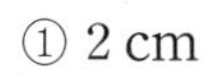

18

오른쪽 그림과 같이 중심이 같은 두 원에서 $\overline{AB}=10$ cm, $\overline{CD}=6$ cm일 때, $\overline{AC}$의 길이는?

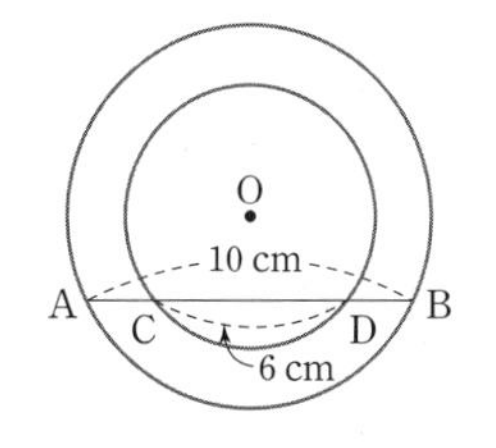

① 2 cm ② 3 cm
③ 4 cm ④ 5 cm
⑤ 6 cm

19

오른쪽 그림과 같이 반지름의 길이가 각각 8 cm, 16 cm이고 중심이 같은 두 원에서 큰 원의 현 AB가 작은 원에 접하고 그 접점을 T라 할 때, $\overline{AB}$의 길이를 구하시오.

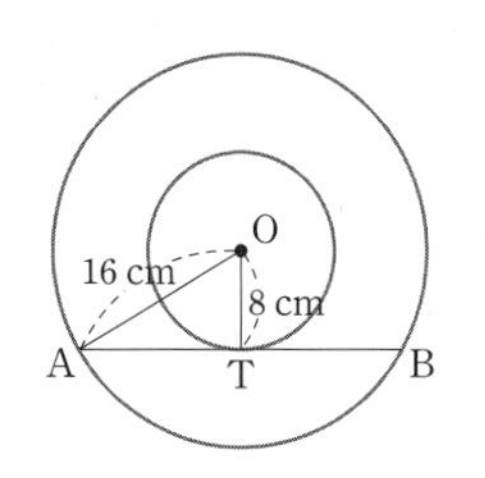

중심이 같은 두 원에서 점 T가 작은 원의 접점일 때

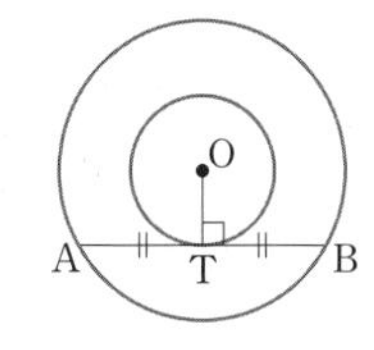

(1) $\overline{OT}\perp\overline{AB}$
(2) $\overline{AT}=\overline{BT}$
(3) $\overline{OA}^2=\overline{OT}^2+\overline{AT}^2$

20

오른쪽 그림과 같이 중심이 같은 두 원에서 큰 원의 현 AB가 작은 원에 접하고 그 접점을 P라 하자. 작은 원의 반지름의 길이가 4 cm이고 $\overline{PQ}=3$ cm일 때, $\overline{AB}$의 길이는?

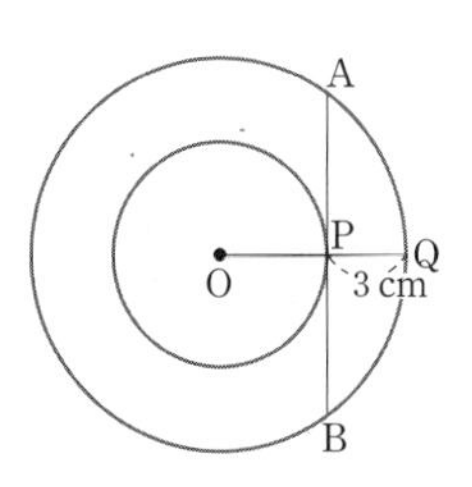

① $\sqrt{33}$ cm ② $\sqrt{65}$ cm
③ 10 cm ④ $2\sqrt{33}$ cm ⑤ $2\sqrt{65}$ cm

21 오른쪽 그림과 같이 중심이 같은 두 원에서 큰 원의 반지름의 길이는 6 cm이고, 작은 원에 접하는 큰 원의 현 AB의 길이는 10 cm이다. 이때 작은 원의 넓이를 구하시오.

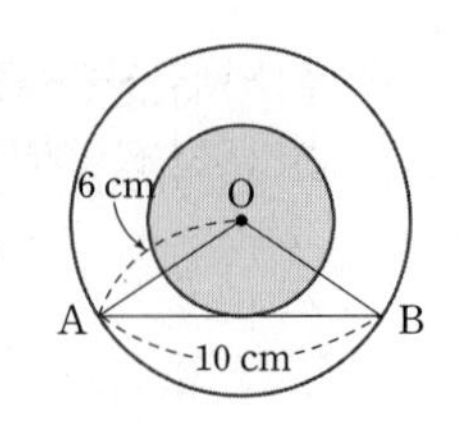

22 오른쪽 그림과 같이 중심이 같은 두 원에서 큰 원의 현 AB가 작은 원 위의 점 M에서 접한다. $\overline{AB}=16$ cm일 때, 어두운 부분의 넓이를 구하시오.

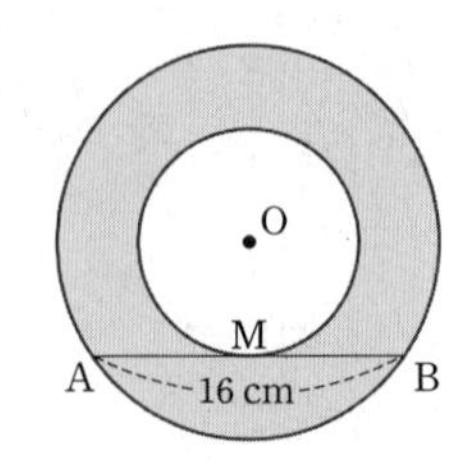

큰 원의 반지름의 길이를 R cm, 작은 원의 반지름의 길이를 r cm라 놓고 피타고라스 정리를 이용하여 식을 세운다.

23 오른쪽 그림과 같이 중심이 같은 두 원에서 어두운 부분의 넓이가 9π cm^{2}일 때, 작은 원에 접하는 현 AB의 길이를 구하시오.

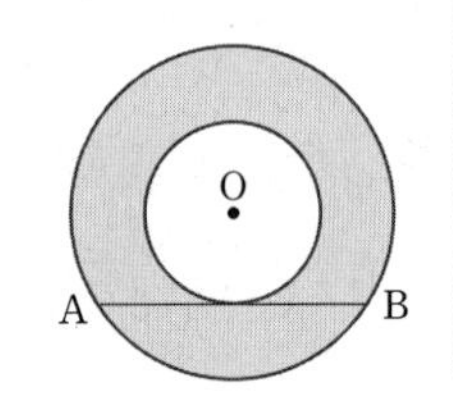

5 현의 수직이등분선

24 오른쪽 그림에서 $\widehat{AB}$는 원의 일부분이다. $\overline{AB}\perp\overline{CM}$이고 $\overline{AM}=\overline{BM}=8$ cm, $\overline{CM}=4$ cm일 때, 이 원의 반지름의 길이를 구하시오.

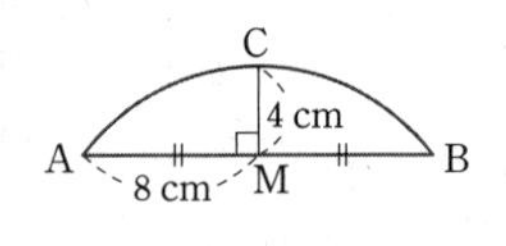

원의 일부분이 주어진 경우

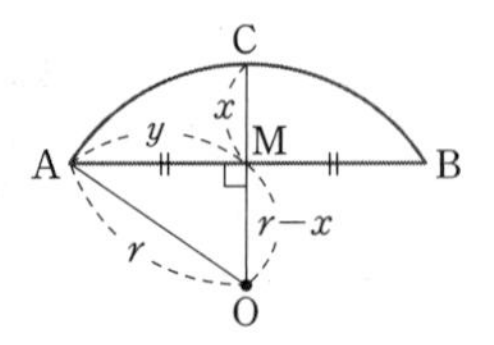

① $\overline{CM}$의 연장선을 그어 원의 중심을 정하고 반지름의 길이를 r로 놓는다.
② 직각삼각형 OMA에서 피타고라스 정리를 이용하여 식을 세운다.
⇨ $r^2=(r-x)^2+y^2$

25 유적지에서 오른쪽 그림과 같은 원 모양의 도자기 그릇의 일부분이 발굴되었다. 처음 이 도자기 그릇의 지름의 길이를 구하시오.

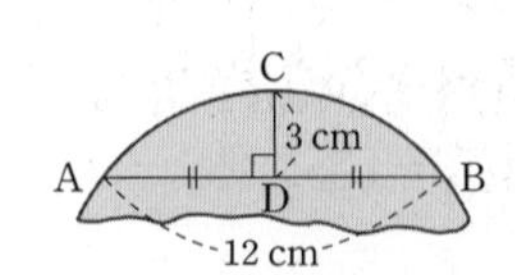

26

오른쪽 그림은 반지름의 길이가 8 cm인 원의 일부분이다. $\overline{AM}=\overline{BM}$, $\overline{AB}\perp\overline{CM}$이고 $\overline{CM}=6$ cm일 때, $\overline{AB}$의 길이를 구하시오.

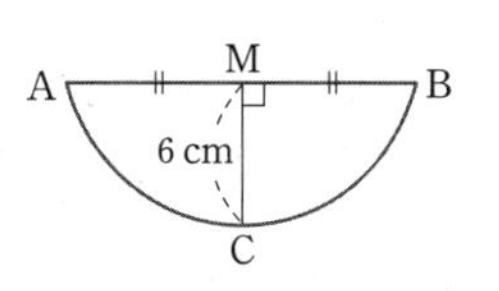

27

오른쪽 그림과 같이 원 O의 일부가 잘려 나갔다. 잘린 현 AB의 길이가 4 cm이고 $\overline{CH}=8$ cm일 때, 처음 원의 둘레의 길이를 구하시오.

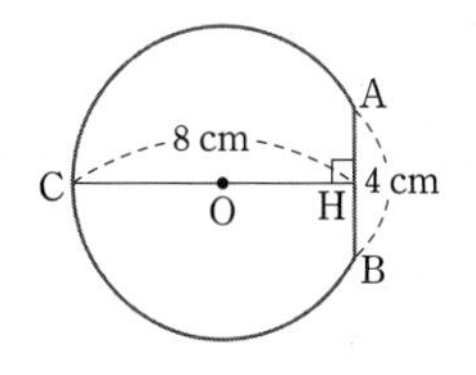

28

오른쪽 그림과 같이 반지름의 길이가 $2\sqrt{3}$ cm인 원 O를 현 AB를 접는 선으로 하여 접었더니 $\widehat{AB}$가 원의 중심 O와 만났다. 이때 $\overline{AB}$의 길이를 구하시오.

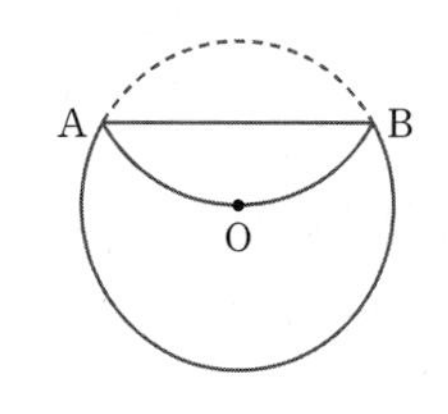

원주 위의 점이 원의 중심에 오도록 일부분을 접은 경우

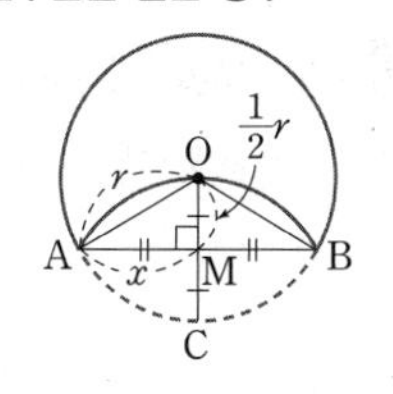

① 원의 중심 O에서 $\overline{AB}$에 수선을 내려 직각삼각형 OAM을 만든다.

② 반지름의 길이를 r로 놓고 직각삼각형 OAM에서 피타고라스 정리를 이용한다.

⇨ $r^2=x^2+\left(\frac{1}{2}r\right)^2$

29

오른쪽 그림과 같이 원 O의 둘레의 한 점이 원의 중심 O에 겹쳐지도록 접었다. 원의 중심 O에서 $\overline{AB}$에 내린 수선의 발을 M이라 하자. $\overline{OM}=3$ cm일 때, $\overline{AB}$의 길이는?

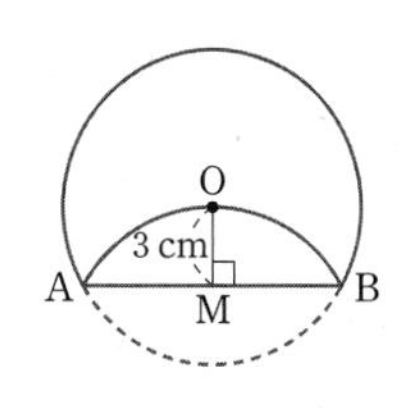

① $3\sqrt{3}$ cm ② $4\sqrt{3}$ cm ③ $5\sqrt{3}$ cm ④ $6\sqrt{3}$ cm ⑤ $7\sqrt{3}$ cm

30

오른쪽 그림과 같이 원 모양의 종이를 접어서 원의 둘레 위의 한 점이 원의 중심 O를 지나도록 하였다. $\overline{AB}=12\sqrt{3}$ cm일 때, 접기 전 원 O의 둘레의 길이는?

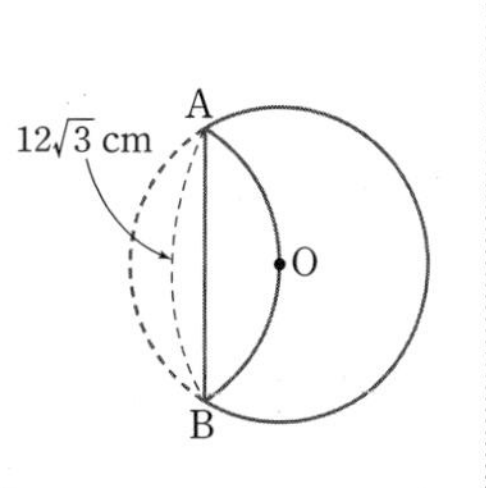

① 6π cm ② 12π cm ③ 18π cm ④ 24π cm ⑤ 30π cm

31

오른쪽 그림에서 두 원의 공통인 현 AB의 길이를 구하시오.

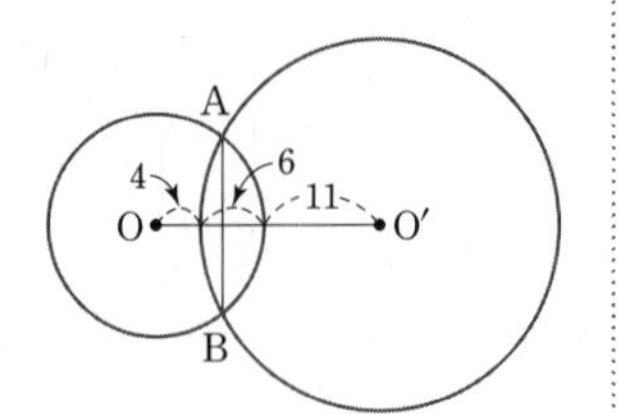

두 원의 중심을 이은 선은 두 원의 공통인 현을 수직이등분한다.

6 접선의 성질 (1) – 접선의 길이

32

오른쪽 그림에서 $\overline{PA}$, $\overline{PB}$는 원 O의 접선이고 두 점 A, B는 그 접점이다. $\overline{PA}=12$, $\overline{OB}=5$일 때, $\overline{PB}+\overline{PO}$의 길이를 구하시오.

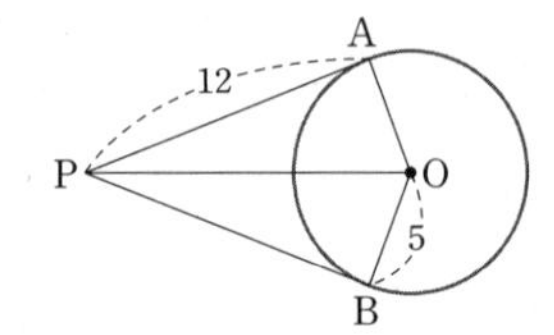

원의 외부의 한 점에서 원에 그은 두 접선의 길이는 같다.

33

오른쪽 그림에서 두 점 A, B는 원 밖의 한 점 P에서 원 O에 그은 두 접선의 접점이다. $\angle APB=56°$일 때, $\angle x$의 크기는?

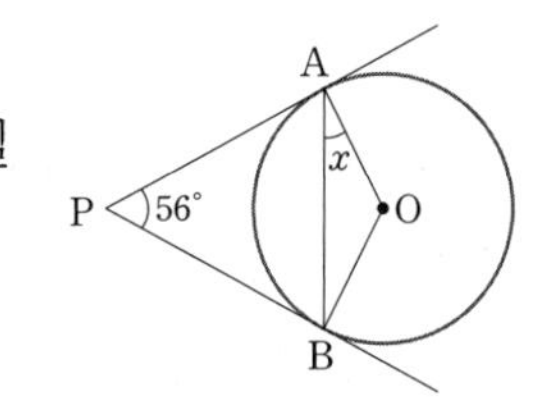

① 28° ② 30° ③ 32° ④ 34° ⑤ 36°

34

오른쪽 그림에서 $\overline{PA}$, $\overline{PB}$는 원 O의 접선이고 두 점 A, B는 그 접점이다. $\angle APB=45°$, $\overline{OA}=4$ cm일 때, 부채꼴 OAB의 넓이는?

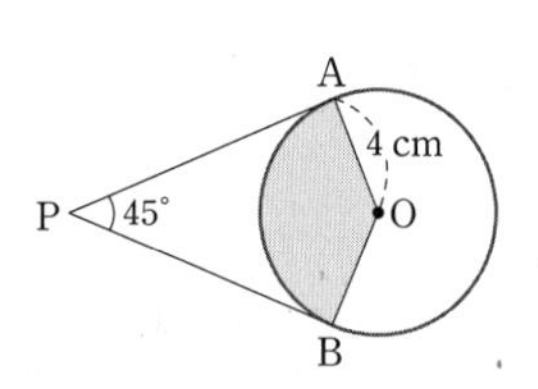

① 5π cm² ② 6π cm² ③ 8π cm² ④ 10π cm² ⑤ 12π cm²

35

오른쪽 그림에서 $\overrightarrow{PA}$, $\overrightarrow{PB}$는 원 O의 접선이고 두 점 A, B는 그 접점이다. $\angle APB=60°$, $\overline{OB}=5$ cm일 때, 어두운 부분의 넓이를 구하시오.

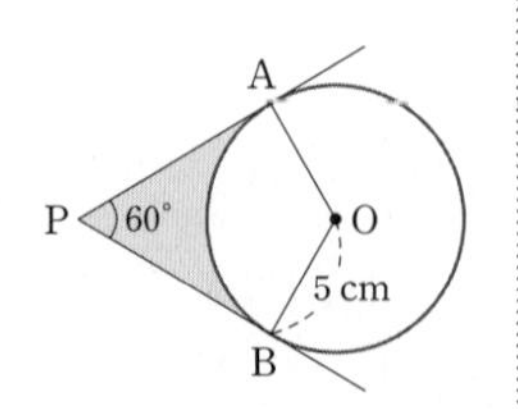

□APBO의 넓이에서 부채꼴 OAB의 넓이를 빼서 구한다.

36 오른쪽 그림에서 두 점 A, B는 원 밖의 한 점 P에서 원 O에 그은 두 접선의 접점이다. $\angle APB=60°$, $\overline{OP}=4$ cm일 때, 어두운 부분의 넓이를 구하시오.

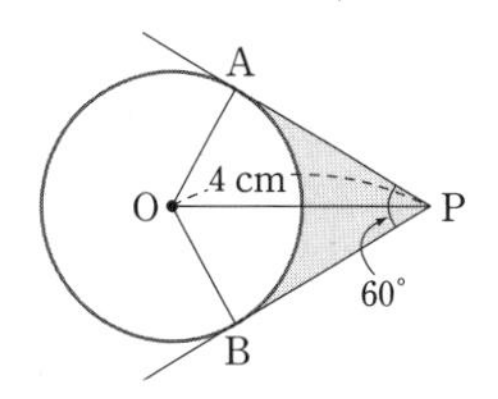

37 오른쪽 그림에서 $\overrightarrow{PC}$는 원 O의 접선이고 점 C는 그 접점이다. $\angle CAB=30°$, $\overline{OA}=8$ cm일 때, $\overline{PB}+\overline{PC}$의 길이는?

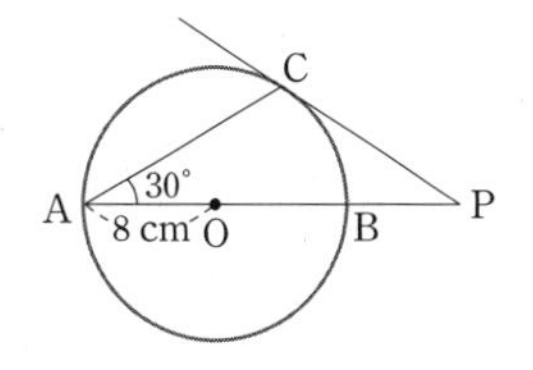

① $4(1+\sqrt{3})$ cm ② 12 cm
③ $8\sqrt{3}$ cm ④ $8(1+\sqrt{3})$ cm ⑤ $16\sqrt{3}$ cm

38 오른쪽 그림은 길이가 24인 $\overline{AC}$의 중점을 B라 하고 $\overline{AB}$, $\overline{BC}$를 각각 지름으로 하는 두 원 P, Q를 그린 것이다. 점 A에서 원 Q에 그은 접선 AE가 원 P와 만나는 점을 D라 할 때, $\overline{AD}$의 길이를 구하시오. (단, 점 E는 접점이다.)

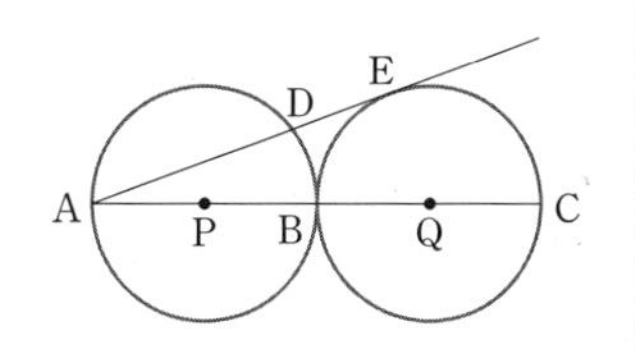

점 P에서 $\overline{AD}$에 내린 수선의 발을 M이라 하면
$\triangle APM \backsim \triangle AQE$ (AA 닮음)

7 접선의 성질 (2) – 삼각형의 내접원

39 오른쪽 그림에서 원 O는 △ABC의 내접원이고 세 점 D, E, F는 그 접점이다. $\overline{AB}=13$ cm, $\overline{EC}=5$ cm, $\overline{CA}=7$ cm일 때, $\overline{BE}$의 길이는?

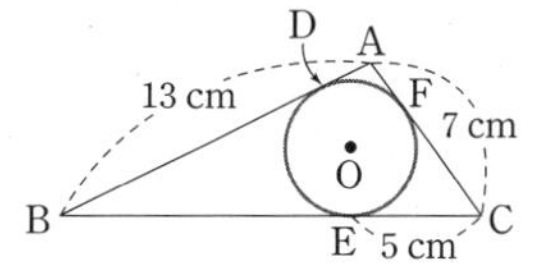

① 9 cm ② 10 cm
③ 11 cm ④ 12 cm ⑤ 13 cm

삼각형의 내접원
원 I가 △ABC의 내접원이고 세 점 D, E, F가 그 접점일 때

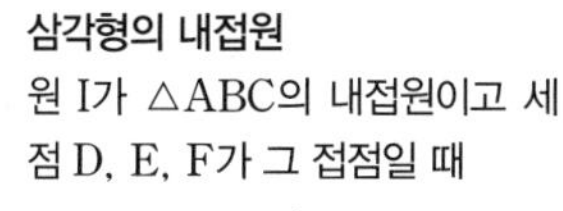
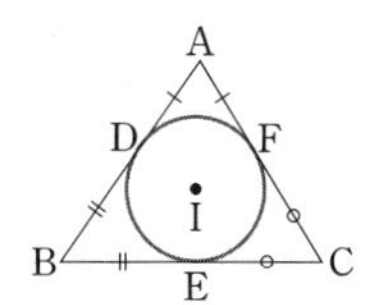

➡ $\overline{AD}=\overline{AF}$, $\overline{BD}=\overline{BE}$, $\overline{CE}=\overline{CF}$

40 오른쪽 그림에서 원 O는 △ABC의 내접원이고 세 점 D, E, F는 그 접점이다. $\overline{AB}=8$ cm, $\overline{BC}=10$ cm, $\overline{CA}=12$ cm일 때, $\overline{AD}$의 길이를 구하시오.

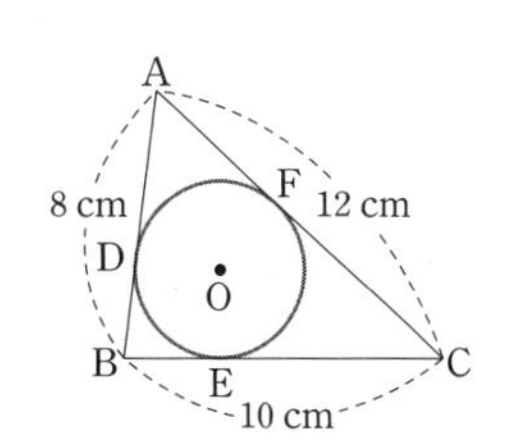

41

오른쪽 그림에서 원 I는 둘레의 길이가 32 cm인 △ABC의 내접원이고 세 점 D, E, F는 그 접점이다. $\overline{BD}=9$ cm, $\overline{CE}=4$ cm일 때, $\overline{AD}$의 길이를 구하시오.

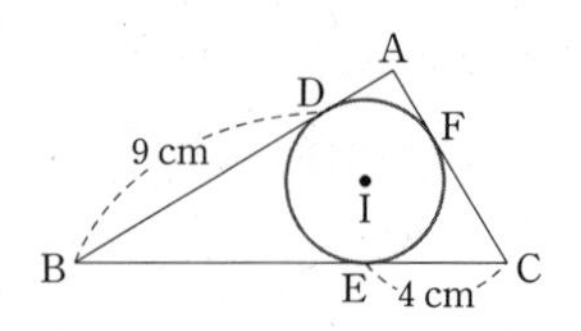

삼각형의 내접원이 주어지면 길이가 같은 선분을 모두 찾는다.

42

오른쪽 그림에서 원 I는 △ABC의 내접원이고 세 점 D, E, F는 그 접점이다. $\overline{AB}=10$ cm, $\overline{BE}=6$ cm이고 $\overline{AI}$가 원 I와 만나는 점을 G라 할 때, $\overline{GI}=3$ cm이다. 이때 $\overline{AG}$의 길이는?

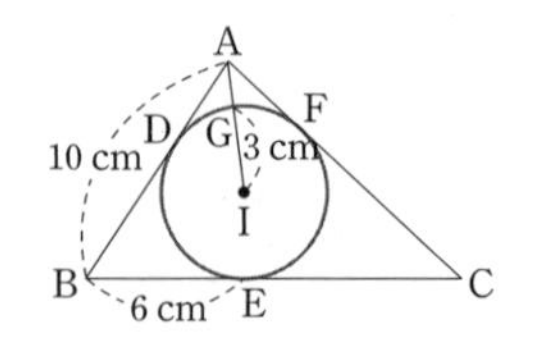

① 2 cm ② $\frac{5}{2}$ cm ③ 3 cm
④ $\frac{7}{2}$ cm ⑤ 4 cm

$\overline{DI}$를 그으면 △AID는 직각삼각형이다.

43

오른쪽 그림에서 원 I는 직각삼각형 ABC의 내접원이고 세 점 D, E, F는 그 접점이다. $\overline{BE}=2$ cm, $\overline{CE}=6$ cm일 때, △ABC의 둘레의 길이는?

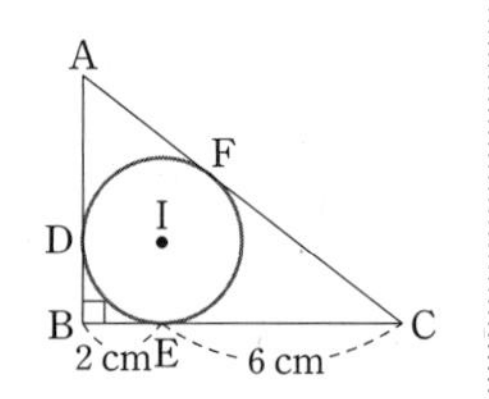

① 20 cm ② 21 cm
③ 22 cm ④ 23 cm ⑤ 24 cm

44

오른쪽 그림에서 원 I는 직각삼각형 ABC의 내접원이고 세 점 D, E, F는 그 접점이다. $\overline{AC}=3$ cm, $\overline{BC}=4$ cm일 때, 어두운 부분의 넓이를 구하시오.

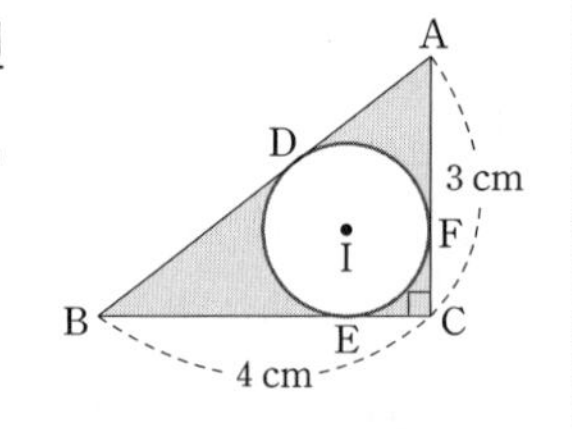

직각삼각형의 내접원
원 I가 ∠C=90°인 직각삼각형 ABC의 내접원이고 세 점 D, E, F가 그 접점일 때

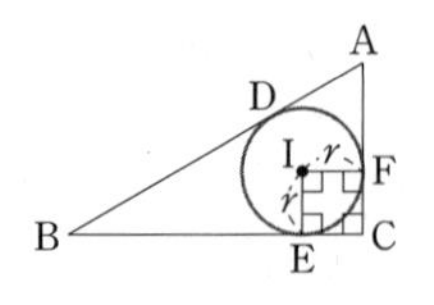

(1) $\overline{AD}=\overline{AF}$, $\overline{BD}=\overline{BE}$, $\overline{CE}=\overline{CF}$
(2) □IECF는 한 변의 길이가 r인 정사각형이다.

45

오른쪽 그림에서 원 I는 ∠A=90°인 직각삼각형 ABC의 내접원이고 세 점 D, E, F는 그 접점이다. $\overline{BE}=6$ cm, $\overline{CE}=4$ cm일 때, 원 I의 반지름의 길이는?

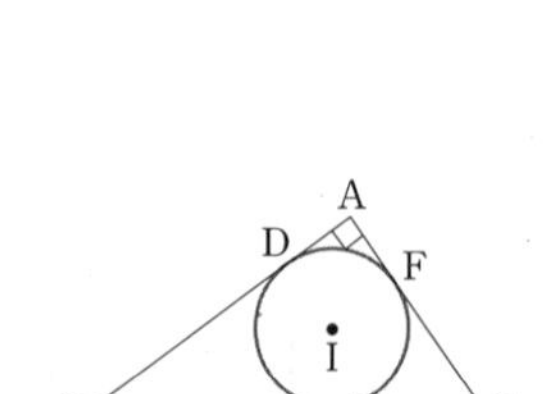

① 2 cm ② $\frac{9}{4}$ cm ③ $\frac{5}{2}$ cm
④ $\frac{11}{4}$ cm ⑤ 3 cm

46 오른쪽 그림에서 원 I는 직각삼각형 ABC의 내접원이고 세 점 D, E, F는 그 접점이다. $\overline{BE}=9$ cm, $\overline{CF}=6$ cm일 때, 어두운 부분의 넓이를 구하시오.

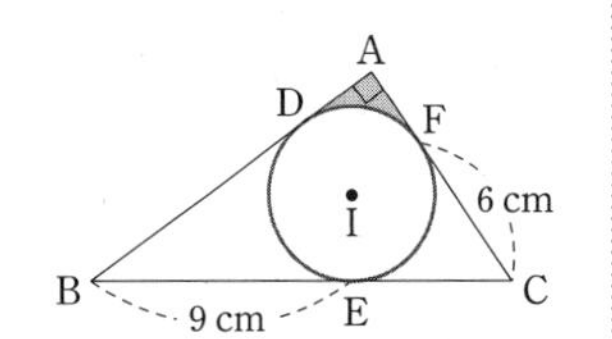

8 접선의 성질 (3) – 사각형의 외접원

47 오른쪽 그림과 같이 □ABCD는 원 O에 외접하고 $\overline{AB}=6$ cm, $\overline{BC}=9$ cm, $\overline{AD}=5$ cm일 때, $\overline{CD}$의 길이는?

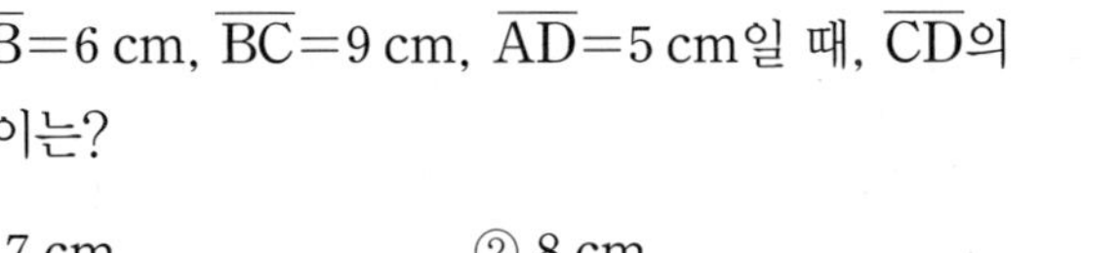

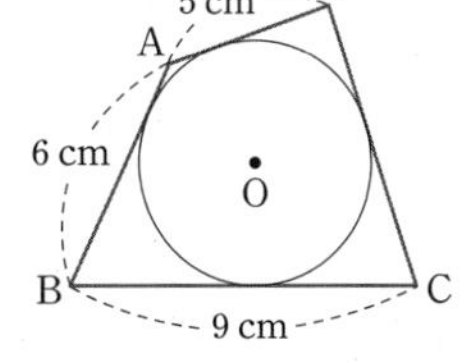

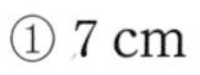

① 7 cm ② 8 cm
③ 9 cm ④ 10 cm
⑤ 11 cm

원에 외접하는 사각형의 두 쌍의 대변의 길이의 합은 서로 같다.

48 오른쪽 그림과 같이 □ABCD는 원 O에 외접하고 $\overline{AP}=2$ cm, $\overline{BC}=12$ cm, $\overline{DR}=3$ cm일 때, □ABCD의 둘레의 길이는?

(단, 네 점 P, Q, R, S는 접점이다.)

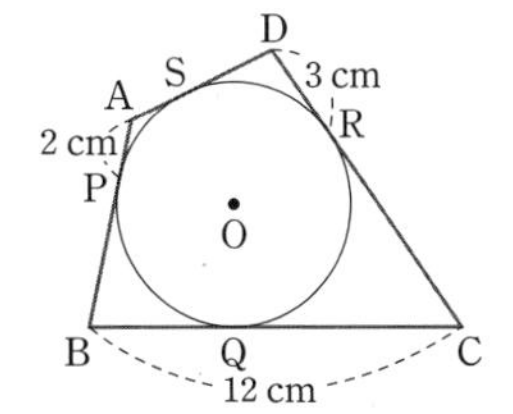

① 30 cm ② 32 cm
③ 34 cm ④ 36 cm ⑤ 38 cm

49 오른쪽 그림과 같이 ∠A=∠B=90°인 □ABCD가 반지름의 길이가 6 cm인 원 O에 외접한다. $\overline{AD}=10$ cm, $\overline{BC}=15$ cm일 때, $\overline{CD}$의 길이를 구하시오. (단, 네 점 P, Q, R, S는 접점이다.)

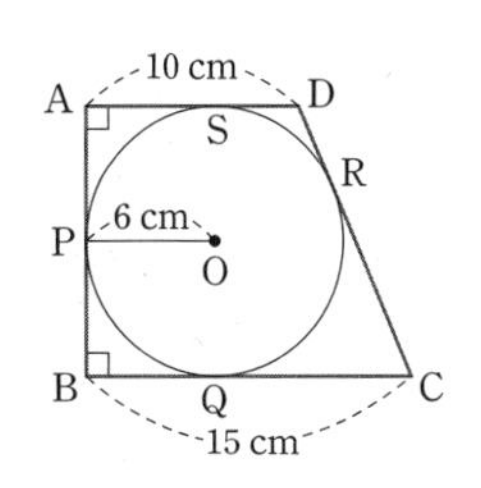

50 오른쪽 그림에서 원 O는 □ABCD의 내접원이고 원 O의 반지름의 길이는 3 cm이다. $\overline{AB}=5$ cm, $\overline{CD}=7$ cm일 때, □ABCD의 넓이는?

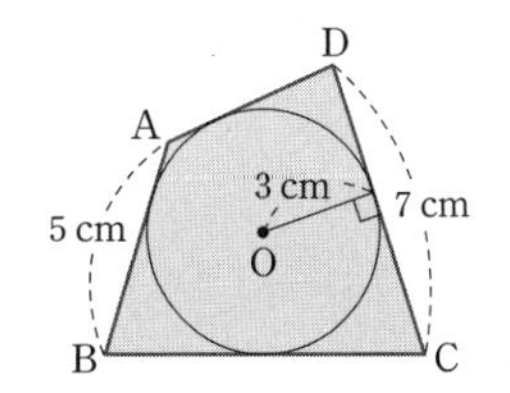

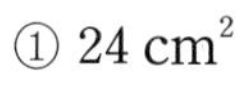

① 24 cm² ② 28 cm²
③ 32 cm² ④ 36 cm² ⑤ 40 cm²

□ABCD
=△OAB+△OBC
+△OCD+△ODA

51

오른쪽 그림과 같이 $\angle C=90^{\circ}$인 □ABCD가 반지름의 길이가 2 cm인 원 O에 외접할 때, $\overline{BQ}$의 길이는?
(단, 네 점 P, Q, R, S는 접점이다.)

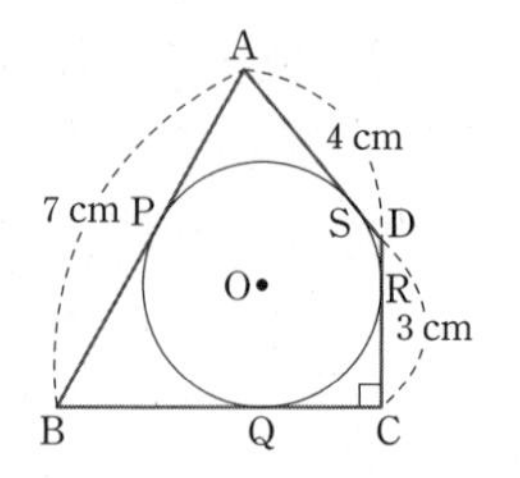

① 4 cm　② $\frac{13}{3}$ cm
③ $\frac{14}{3}$ cm　④ 5 cm
⑤ $\frac{16}{3}$ cm

52

오른쪽 그림과 같이 $\angle A=\angle B=90^{\circ}$인 □ABCD가 원 O에 외접한다. $\overline{AB}=6$ cm, $\overline{BC}=8$ cm일 때, $\overline{AD}$의 길이를 구하시오.

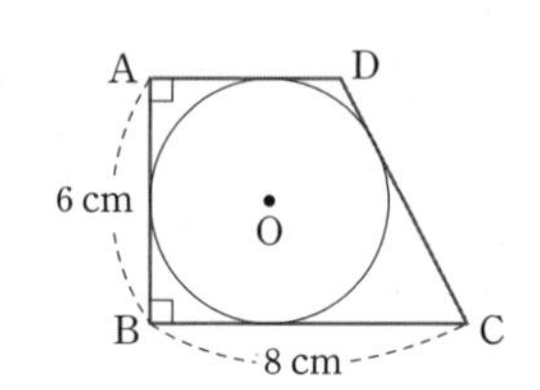

점 D에서 $\overline{BC}$에 수선을 긋는다.

53

오른쪽 그림과 같이 원 O에 외접하는 등변사다리꼴 ABCD에서 $\overline{AD}=8$ cm, $\overline{BC}=18$ cm일 때, 원 O의 반지름의 길이를 구하시오.

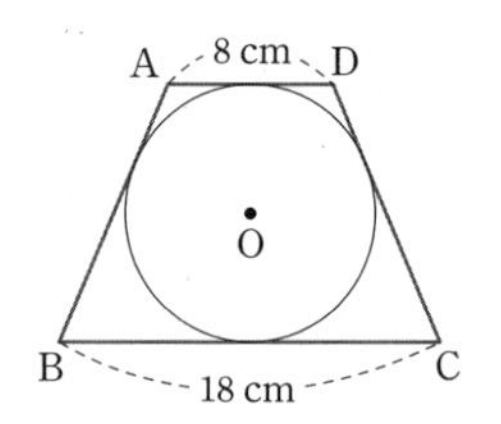

두 점 A, D에서 $\overline{BC}$에 각각 수선을 긋는다.

54

오른쪽 그림과 같이 원 O는 직사각형 ABCD의 세 변과 접하고 $\overline{DE}$는 원 O의 접선이다. $\overline{CE}=6$ cm, $\overline{DE}=10$ cm일 때, $\overline{AD}$의 길이를 구하시오.

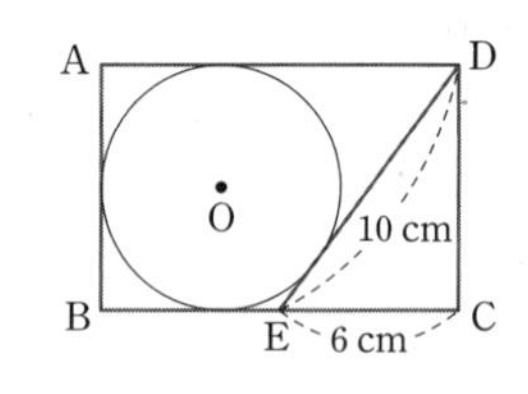

원 O가 직사각형 ABCD의 세 변과 $\overline{DE}$에 접하고 네 점 P, Q, R, S가 접점일 때

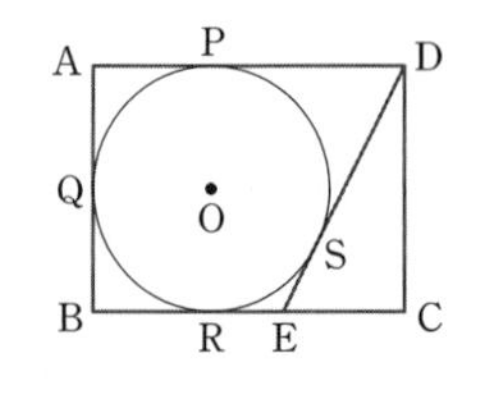

(1) □ABED는 원 O에 외접하므로 $\overline{AB}+\overline{DE}=\overline{AD}+\overline{BE}$
(2) $\overline{DS}=\overline{DP}$, $\overline{ES}=\overline{ER}$
$\overline{BQ}=\overline{BR}$, $\overline{AP}=\overline{AQ}$
(3) 직각삼각형 CDE에서
$\overline{DE}^2=\overline{CD}^2+\overline{CE}^2$

55

오른쪽 그림과 같이 원 O는 직사각형 ABCD의 세 변과 접하고 $\overline{BE}$는 원 O의 접선이다. $\overline{AB}=4$, $\overline{BC}=7$일 때, $\overline{AE}$의 길이를 구하시오.
(단, 네 점 F, G, H, I는 접점이다.)

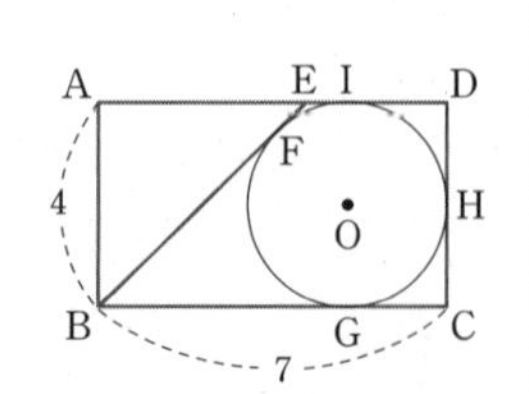

56 오른쪽 그림과 같이 원 O는 직사각형 ABCD의 세 변과 접하고 $\overline{DI}$는 원 O의 접선이다. 네 점 E, F, G, H가 원 O의 접점일 때, △DIC의 넓이를 구하시오.

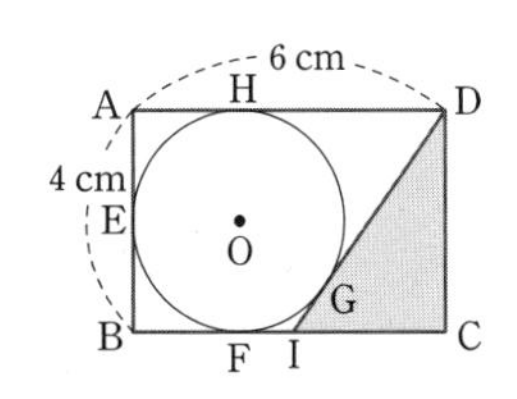

57 오른쪽 그림과 같이 직사각형 ABCD의 내부에서 두 원 O, O′이 서로 접하고 있다. $\overline{AB}=8$, $\overline{AD}=9$일 때, 두 원 O, O′의 반지름의 길이의 차는?

① 1 ② 2
③ 3 ④ 4
⑤ 5

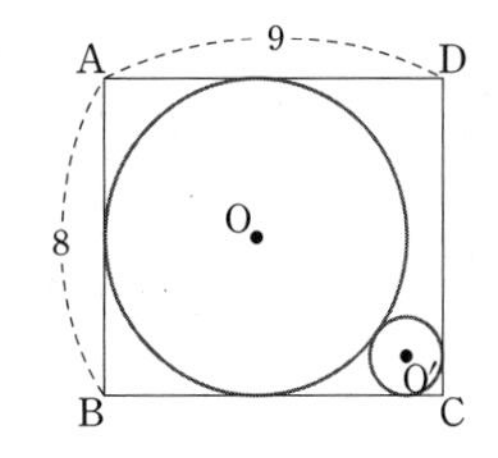

다음 그림과 같이 직사각형의 세 변 또는 두 변에 접하고 서로 외접하는 두 원이 주어진 경우에는 두 원의 중심을 연결하여 직각삼각형을 만든 후 피타고라스 정리를 이용한다.

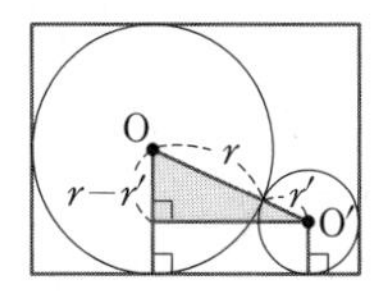

참고 **두 원의 외접**
두 원이 한 점에서 만날 때, 두 원은 서로 접한다고 하며 서로 외부에서 접하면 외접한다고 한다.

58 오른쪽 그림에서 원 O는 한 변의 길이가 18인 정사각형 ABCD의 두 변 AB, AD와 접하고, 나머지 두 변과 각각 두 점에서 만난다. 원 O가 $\overline{BC}$와 만나는 점을 각각 E, F라 하고 $\overline{BE}=4$일 때, $\overline{EF}$의 길이를 구하시오.

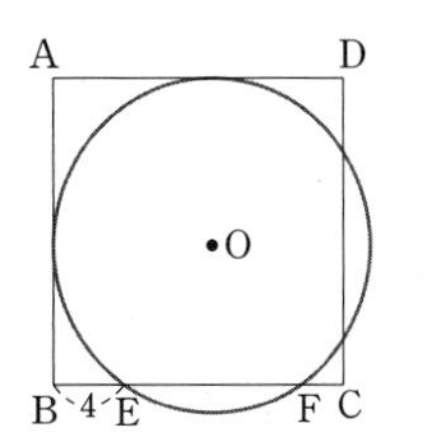

점 O에서 $\overline{BC}$에 수선을 내린 후, 원의 중심에서 현에 내린 수선은 현을 수직이등분함을 이용한다.

9 접선의 성질 (4) – 사각형과 반원

59 오른쪽 그림에서 $\overline{AB}$는 반원 O의 지름이고 $\overline{AD}$, $\overline{BC}$, $\overline{DC}$는 각각 반원 O의 접선이다. $\overline{AD}=4$ cm, $\overline{BC}=9$ cm일 때, $\overline{AB}$의 길이를 구하시오.
(단, 점 E는 접점이다.)

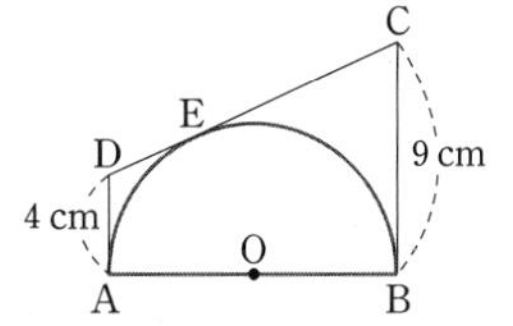

$\overline{BC}$를 지름으로 하는 반원 O가 $\overline{AB}$, $\overline{CD}$, $\overline{AD}$에 각각 접하고 점 E는 접점일 때

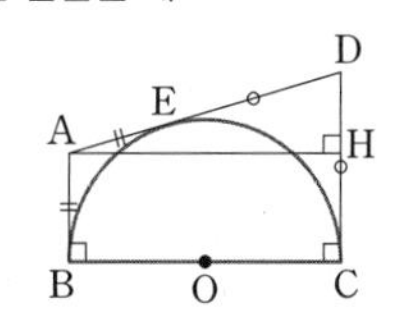

(1) $\overline{AB}=\overline{AE}$, $\overline{DE}=\overline{DC}$
(2) $\overline{BC}=\overline{AH}=\sqrt{\overline{AD}^2-\overline{DH}^2}$

60

오른쪽 그림에서 $\overline{AB}$는 반원 O의 지름이고 $\overline{AD}$, $\overline{BC}$, $\overline{CD}$는 반원 O의 접선이다. $\overline{AD}=4$ cm, $\overline{BC}=7$ cm일 때, □ABCD의 넓이를 구하시오.
(단, 점 E는 접점이다.)

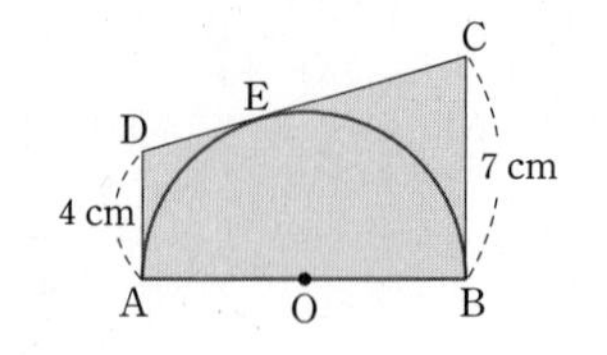

점 D에서 $\overline{BC}$에 수선을 긋는다.

61

오른쪽 그림에서 $\overline{AD}$, $\overline{BC}$, $\overline{CD}$는 $\overline{AB}$를 지름으로 하는 반원 O의 접선이다. $\overline{DE}=3$ cm, $\overline{BC}=8$ cm일 때, 반원 O의 반지름의 길이는? (단, 점 E는 접점이다.)

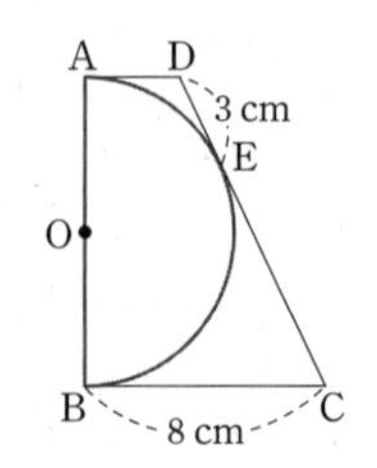

① $2\sqrt{3}$ cm
② $2\sqrt{6}$ cm
③ $3\sqrt{3}$ cm
④ $4\sqrt{3}$ cm
⑤ $4\sqrt{6}$ cm

62

오른쪽 그림에서 □ABCD는 $\overline{AD}=8$ cm, $\overline{DC}=10$ cm인 직사각형이다. $\overline{DE}$가 $\overline{BC}$를 지름으로 하는 반원 O에 접할 때, $\overline{EB}$의 길이를 구하시오.
(단, 점 P는 접점이다.)

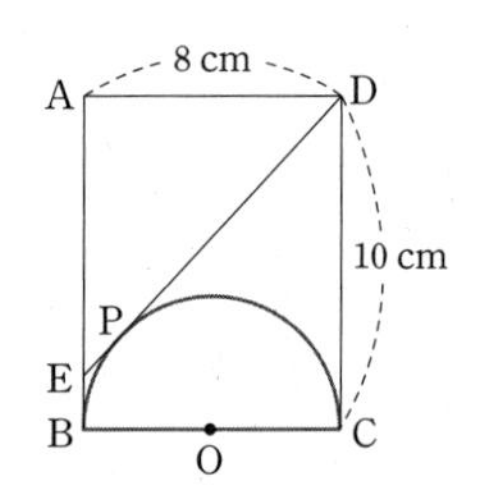

63

오른쪽 그림에서 □ABCD는 한 변의 길이가 12 cm인 정사각형이다. $\overline{DE}$가 $\overline{BC}$를 지름으로 하는 반원 O 위의 점 P에서 접할 때, $\overline{DE}$의 길이는?

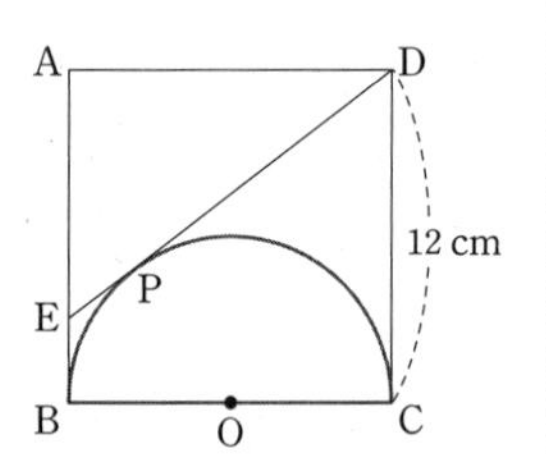

① 13.5 cm
② 14 cm
③ 14.5 cm
④ 15 cm
⑤ 15.5 cm

$\overline{EB}=x$ cm라 놓고 △ADE에서 피타고라스 정리를 이용하여 x의 값을 구한다.

64

오른쪽 그림에서 □ABCD는 $\overline{AB}=4$ cm, $\overline{BC}=5$ cm인 직사각형이다. 점 B를 중심으로 사분원을 그리고 점 C에서 사분원에 접선을 그어 $\overline{AD}$와 만나는 점을 F라 할 때, $\overline{FE}$의 길이를 구하시오.
(단, 점 E는 접점이다.)

A F D
E
4 cm
B G C
5 cm

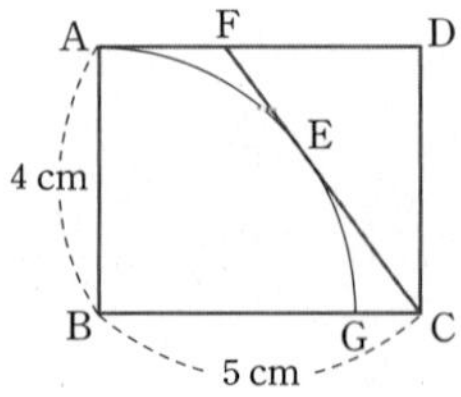

$\overline{BE}$를 그어서 두 직각삼각형에서 각 변의 길이를 구한다.

10 접선의 성질 (5) – 삼각형의 방심

65 오른쪽 그림에서 $\overline{AD}$, $\overline{AF}$, $\overline{BC}$는 원 O의 접선이고 세 점 D, E, F는 그 접점이다. $\overline{AB}=6$ cm, $\overline{BC}=3$ cm, $\overline{AC}=7$ cm일 때, $\overline{BD}$의 길이를 구하시오.

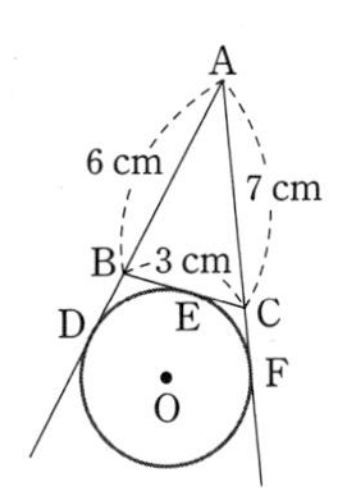

66 오른쪽 그림에서 $\overline{CD}$, $\overline{CE}$, $\overline{AB}$는 원 O의 접선이고 세 점 D, E, F는 그 접점이다. $\overline{AC}=8$ cm, $\overline{BC}=6$ cm, $\overline{CE}=10$ cm일 때, $\overline{AB}$의 길이를 구하시오.

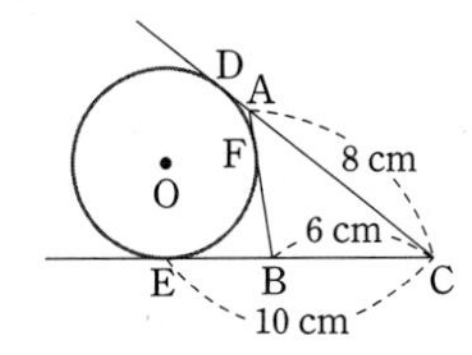

67 오른쪽 그림에서 $\overline{PA}$, $\overline{PB}$, $\overline{QR}$는 반지름의 길이가 5 cm인 원 O의 접선이고 세 점 A, B, C는 그 접점이다. $\overline{PO}=13$ cm일 때, △PRQ의 둘레의 길이를 구하시오.

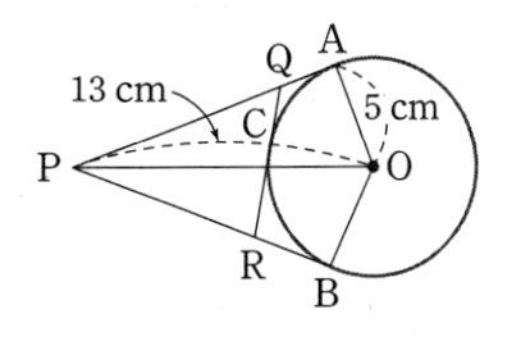

68 오른쪽 그림에서 △ABC는 원 I에 외접하고 $\overline{GH}$는 원 I의 접선일 때, △CHG의 둘레의 길이를 구하시오. (단, 네 점 D, E, F, P는 접점이다.)

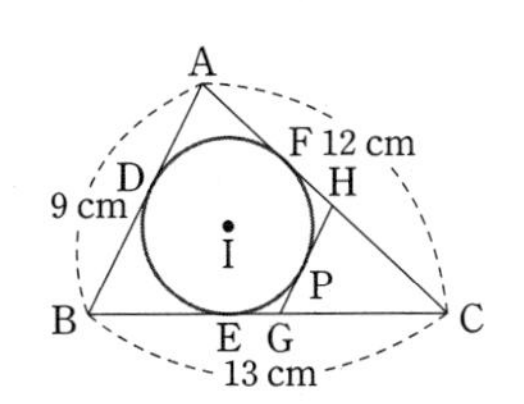

69 오른쪽 그림에서 $\overline{AE}$, $\overline{AG}$, $\overline{BC}$는 세 점 E, G, Q를 각각 접점으로 하는 원 O′의 접선이고, 세 점 D, F, P는 △ABC에 내접하는 원 O의 접점이다. $\overline{AB}=13$, $\overline{BC}=8$, $\overline{CA}=9$일 때, $\overline{PQ}$의 길이를 구하시오.

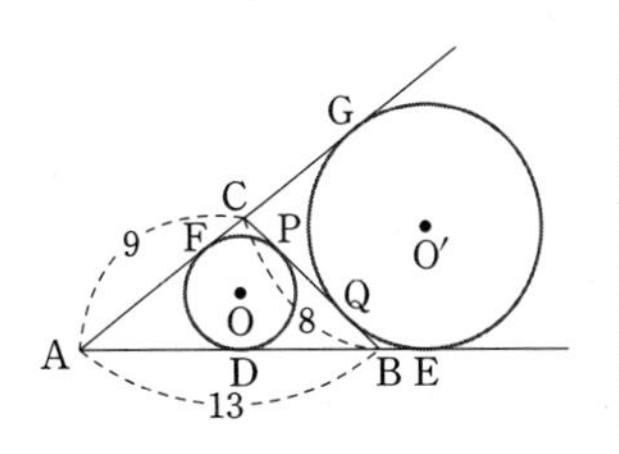

$\overline{AD}$, $\overline{AE}$, $\overline{BC}$가 원 O의 접선이고 세 점 D, E, F가 접점일 때

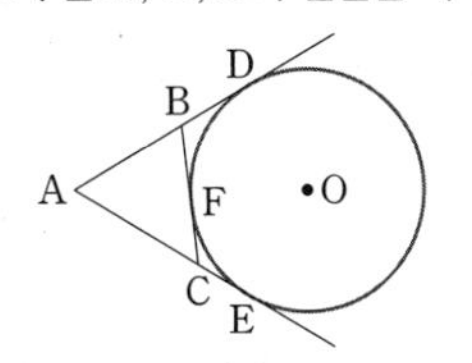

(1) $\overline{AD}=\overline{AE}$, $\overline{BD}=\overline{BF}$
$\overline{CE}=\overline{CF}$

(2) $\overline{AB}+\overline{BC}+\overline{CA}$
$=\overline{AB}+(\overline{BF}+\overline{CF})+\overline{CA}$
$=\overline{AB}+(\overline{BD}+\overline{CE})+\overline{CA}$
$=(\overline{AB}+\overline{BD})+(\overline{CE}+\overline{CA})$
$=\overline{AD}+\overline{AE}$
$=2\overline{AD}=2\overline{AE}$

참고
삼각형의 한 내각의 이등분선과 나머지 두 각의 외각의 이등분선의 교점을 삼각형의 방심이라 한다. 방심에서 삼각형의 세 변 또는 그 연장선에 그은 수선의 길이는 같다. 즉, $\overline{OD}=\overline{OE}=\overline{OF}$이므로 세 점 D, E, F를 지나는 원을 그릴 수 있다.

$\overline{PQ}=\overline{BC}-(\overline{CP}+\overline{BQ})$

70

오른쪽 그림과 같이 $\angle A=90°$이고, $\overline{BC}=8$ cm인 직각삼각형 ABC에서 $\overline{AB}$, $\overline{AC}$를 지름으로 하는 반원을 그려 그 넓이를 각각 P, Q라 할 때, $P+Q$의 값을 구하시오.

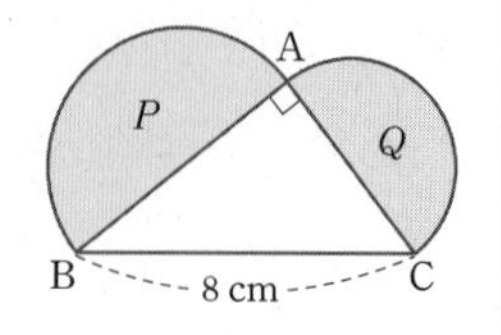

세 반원과 직각삼각형

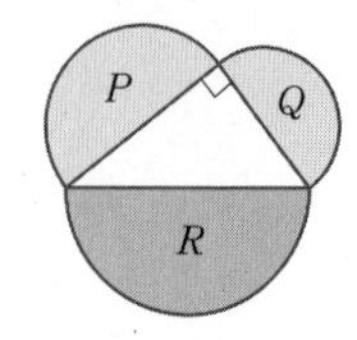

$P+Q=R$

71

오른쪽 그림과 같이 직각삼각형 ABC의 세 변을 각각 지름으로 하는 반원을 그렸다. $\overline{AB}$, $\overline{BC}$를 지름으로 하는 반원의 넓이가 각각 6π cm^2, 24π cm^{2}일 때, $\overline{AC}$의 길이는?

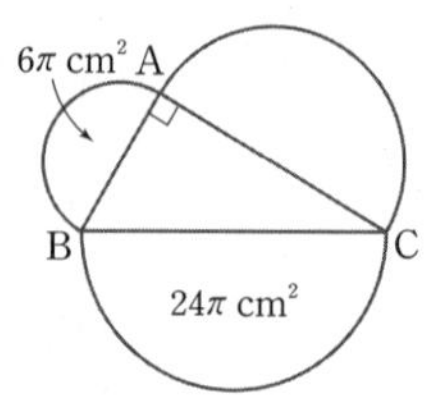

① $3\sqrt{2}$ cm ② $\sqrt{30}$ cm ③ 6 cm
④ 12 cm ⑤ $4\sqrt{15}$ cm

72

오른쪽 그림과 같이 $\angle A=90°$이고 $\overline{AC}=2\sqrt{2}$ cm인 직각삼각형 ABC의 세 변을 각각 지름으로 하는 반원을 그렸다. $\overline{BC}$를 지름으로 하는 반원의 넓이가 16π cm^{2}일 때, 반원 P의 넓이는?

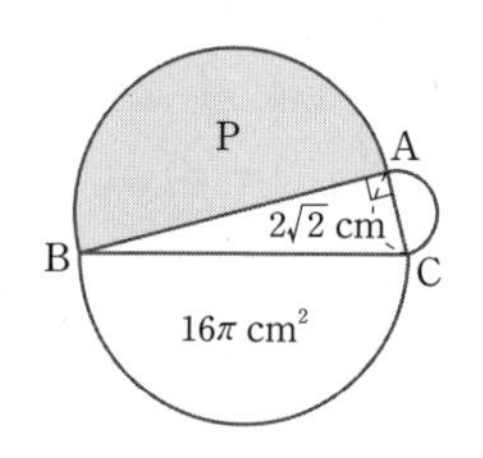

① 13π cm^2 ② 14π cm^2
③ 15π cm^2 ④ 16π cm^2 ⑤ 17π cm^2

73

$\angle B=90°$이고 $\overline{AB}=12\sqrt{2}$ cm인 직각삼각형 ABC의 세 변을 각각 지름으로 하는 반원을 그렸다. $\overline{BC}$를 지름으로 하는 반원의 넓이가 24π cm^{2}일 때, 가장 큰 반원의 반지름의 길이를 구하시오.

문제의 조건에 맞게 직각삼각형 ABC의 세 변을 각각 지름으로 하는 반원을 그린 후, $\overline{AC}$의 길이를 구한다.

74

오른쪽 그림은 $\angle A=90°$인 직각삼각형 ABC의 세 변을 각각 지름으로 하는 반원을 그린 것이다. $\overline{AC}=4\sqrt{2}$ cm, $\overline{BC}=9$ cm일 때, 어두운 부분의 넓이를 구하시오.

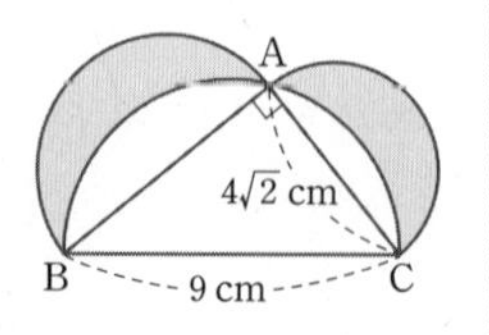

히포크라테스의 달꼴

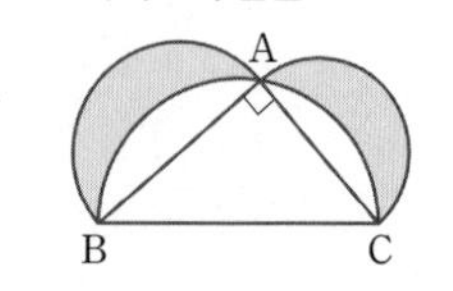

(어두운 부분의 넓이)$=\triangle$ABC

75 오른쪽 그림은 직각삼각형 ABC의 세 변을 각각 지름으로 하는 반원을 그린 것이다. $\overline{AB}=8\text{ cm}$이고 어두운 부분의 넓이가 $16\sqrt{3}\text{ cm}^2$일 때, $\overline{BC}$의 길이는?

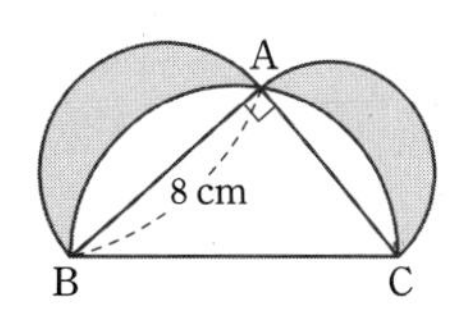

① 5 cm ② $3\sqrt{5}$ cm ③ 7 cm
④ $2\sqrt{19}$ cm ⑤ $4\sqrt{7}$ cm

76 오른쪽 그림은 $\angle A=90°$인 직각삼각형 ABC의 세 변을 각각 지름으로 하는 반원을 그린 것이다. 어두운 부분의 넓이의 합 즉, $S_1+S_2=18\pi\text{ cm}^2$일 때, 빗금친 부분의 넓이는?

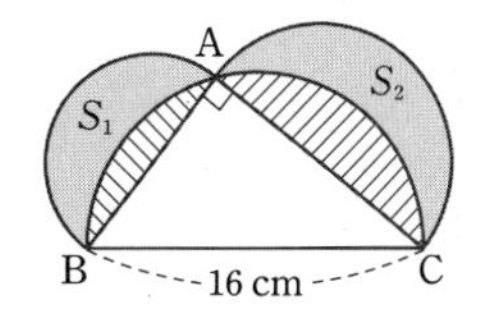

① $8\pi\text{ cm}^2$ ② $10\pi\text{ cm}^2$ ③ $12\pi\text{ cm}^2$
④ $14\pi\text{ cm}^2$ ⑤ $16\pi\text{ cm}^2$

77 오른쪽 그림은 원에 내접하는 직사각형 ABCD의 네 변을 각각 지름으로 하는 반원과 대각선 BD를 지름으로 하는 원을 그린 것이다. $\overline{AB}=6\text{ cm}$, $\overline{BD}=10\text{ cm}$일 때, 어두운 부분의 넓이는?

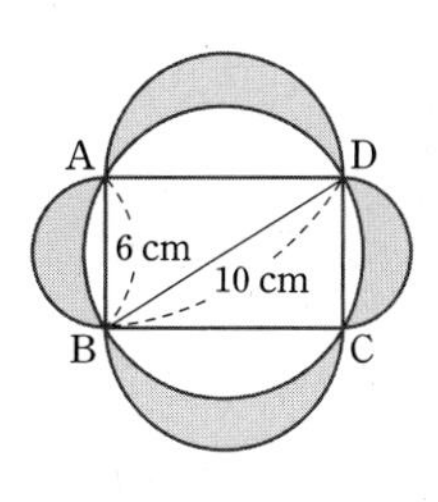

① 12 cm^2 ② 24 cm^2
③ 36 cm^2 ④ 48 cm^2 ⑤ 60 cm^2

두 직각삼각형 ABD, BCD와 넓이가 같은 부분을 찾는다.

78 오른쪽 그림은 $\angle A=90°$인 직각삼각형 ABC의 세 변을 각각 지름으로 하는 반원을 그린 것이다. $\overline{AH}\perp\overline{BC}$이고 $\overline{AC}=6\text{ cm}$, $\overline{AH}=3\text{ cm}$일 때, 어두운 부분의 넓이를 구하시오.

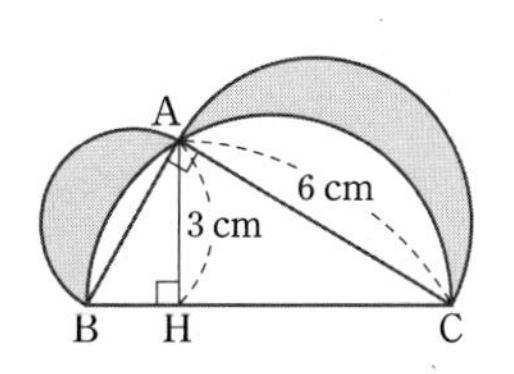

2 원주각

1 원주각의 크기와 중심각의 크기

(1) 원주각

원 O에서 호 AB를 제외한 원 위의 한 점을 P라 할 때, $\angle APB$를 호 AB에 대한 원주각이라 한다.

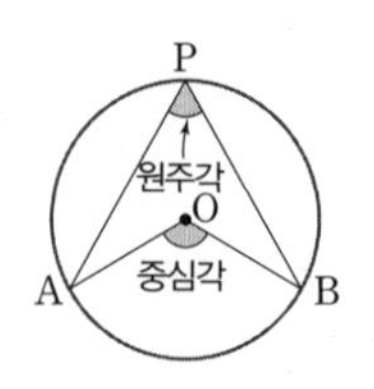

(2) 원주각의 크기와 중심각의 크기

한 원에서 한 호에 대한 원주각의 크기는 그 호에 대한 중심각의 크기의 $\frac{1}{2}$이다. ⇨ $\angle APB=\frac{1}{2}\angle AOB$

✚ 원의 중심에서 두 반지름으로 이루어지는 각을 중심각이라 한다.

개념✚ 선분 PO의 연장선이 원 O와 만나는 점을 Q라 하면
$\triangle OPA$와 $\triangle OPB$는 이등변삼각형이므로
$\angle OPA=\angle OAP$, $\angle OPB=\angle OBP$
이때 $\angle AOQ=2\angle OPA$, $\angle BOQ=2\angle OPB$이므로
$\angle AOB=\angle AOQ+\angle BOQ=2(\angle OPA+\angle OPB)=2\angle APB$
$\therefore \angle APB=\frac{1}{2}\angle AOB$

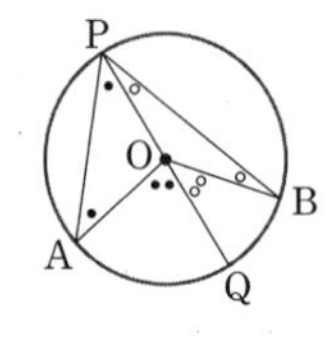

2 원주각의 성질

(1) 한 원에서 한 호에 대한 원주각의 크기는 모두 같다.
⇨ $\angle APB=\angle AQB=\angle ARB$

(2) 반원(또는 지름)에 대한 원주각의 크기는 90°이다.

✚ 호 AB에 대한 중심각은 하나로 정해지지만 원주각은 무수히 많이 그릴 수 있고, 그 크기는 중심각의 크기의 $\frac{1}{2}$로 모두 같다.

개념✚ $\angle AOB=180^\circ$이고 원주각의 크기는 중심각의 크기의 $\frac{1}{2}$이므로 $\angle APB=\frac{1}{2}\times 180^\circ=90^\circ$

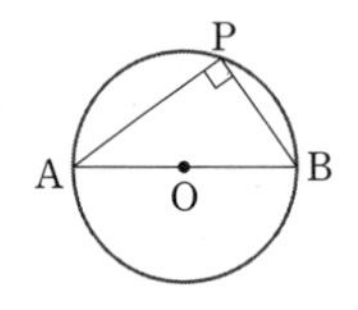

3 원주각의 크기와 호의 길이

한 원 또는 합동인 두 원에서

(1) 길이가 같은 호에 대한 원주각의 크기는 서로 같다.
⇨ $\overset{\frown}{AB}=\overset{\frown}{CD}$이면 $\angle APB=\angle CQD$

(2) 크기가 같은 원주각에 대한 호의 길이는 서로 같다.
⇨ $\angle APB=\angle CQD$이면 $\overset{\frown}{AB}=\overset{\frown}{CD}$

(3) 원주각의 크기와 호의 길이는 정비례한다.

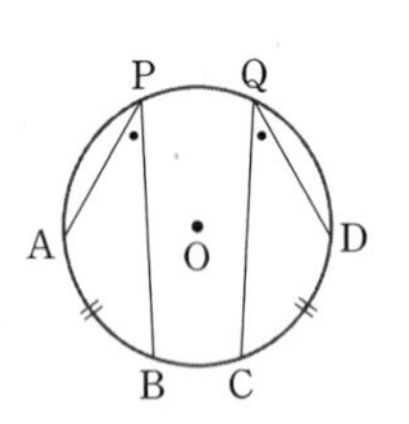

✚ 한 원에서 모든 호에 대한 원주각의 크기의 합은 180°이다.

4 네 점이 한 원 위에 있을 조건

두 점 C, D가 직선 AB에 대하여 같은 쪽에 있을 때,
$\angle ACB=\angle ADB$
이면 네 점 A, B, C, D는 한 원 위에 있다.

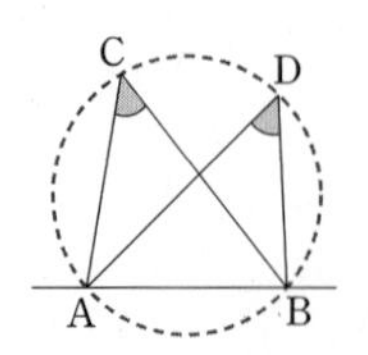

✚ 직선 AB에 대하여 두 점 C, D가 다른 방향에 있으면 네 점 A, B, C, D는 한 원 위에 있다고 할 수 없다.

주제별 실력다지기

정답과 풀이 29쪽

1 원주각의 기본 성질

01 오른쪽 그림의 원 O에서 $\angle APB=50^\circ$일 때, $\angle x$의 크기는?

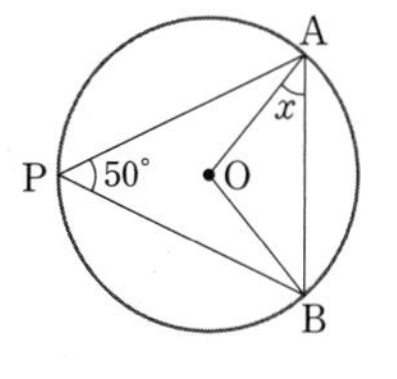

① 40° ② 45°
③ 50° ④ 55°
⑤ 60°

(원주각의 크기) $=\frac{1}{2}\times$(중심각의 크기)

02 오른쪽 그림의 원 O에서 $\angle APB=20^\circ$일 때, $\angle x$의 크기는?

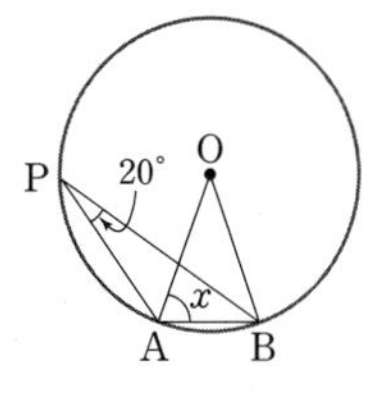

① 40° ② 50°
③ 60° ④ 70°
⑤ 80°

03 오른쪽 그림의 원 O에서 $\angle BDC=120^\circ$일 때, $\angle y-\angle x$의 크기는?

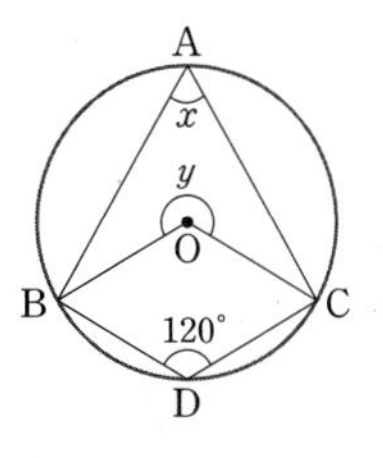

① 180° ② 200°
③ 220° ④ 240°
⑤ 260°

04 오른쪽 그림의 원 O에서 $\angle x$의 크기는?

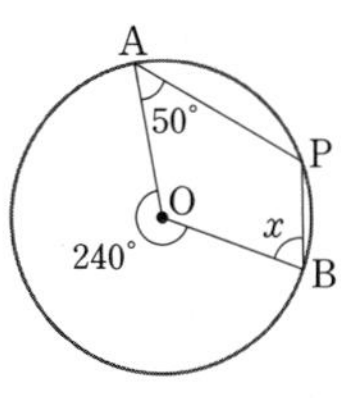

① 60° ② 65°
③ 70° ④ 75°
⑤ 80°

05 오른쪽 그림과 같이 $\triangle ABC$가 원 O에 내접하고, $\overline{AB}=\overline{AC}$, $\angle ABC=20^\circ$일 때, $\angle x$의 크기는?

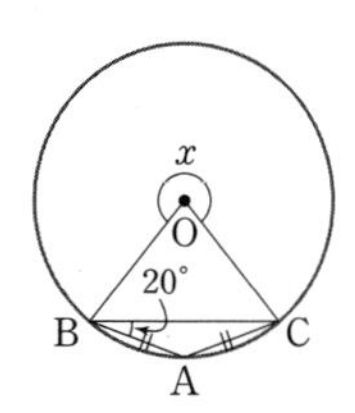

① 220° ② 240°
③ 260° ④ 280°
⑤ 300°

$\triangle ABC$는 이등변삼각형임을 이용하여 각의 크기를 구한다.

06 오른쪽 그림과 같이 반지름의 길이가 8 cm인 원 O에서 $\angle APB=135°$일 때, 어두운 부분의 넓이를 구하시오.

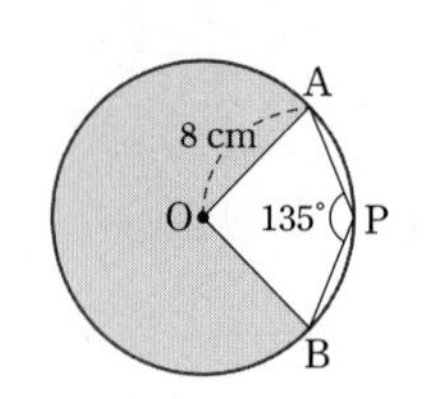

반지름의 길이가 r, 중심각의 크기가 $x°$인 부채꼴의 넓이
⇨ $\pi r^2 \times \frac{x°}{360°}$

07 오른쪽 그림의 원 O에서 $\angle ACB=55°$일 때, $\angle x+\angle y$의 크기는?

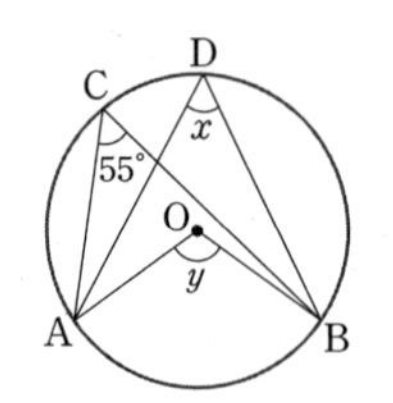

① 150° ② 155°
③ 160° ④ 165°
⑤ 170°

한 원에서 한 호에 대한 원주각의 크기는 모두 같다.

08 오른쪽 그림에서 $\widehat{AB}:\widehat{BC}:\widehat{CA}=2:3:5$일 때, $\angle ABC$의 크기를 구하시오.

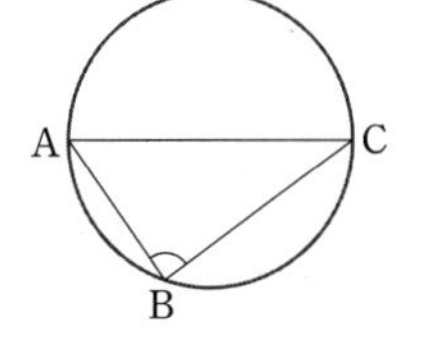

$\widehat{AB}:\widehat{BC}:\widehat{CA}=l:m:n$
➡ $\angle ACB:\angle BAC:\angle CBA$
$=l:m:n$
➡ $\angle ACB=\frac{l}{l+m+n}\times 180°$
$\angle BAC=\frac{m}{l+m+n}\times 180°$
$\angle CBA=\frac{n}{l+m+n}\times 180°$

09 오른쪽 그림의 원 O에서 $\widehat{AP}:\widehat{PB}=2:1$일 때, $\angle x$의 크기를 구하시오.

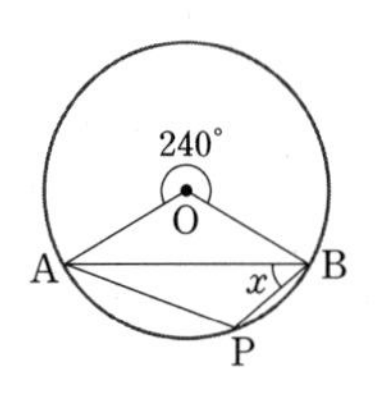

10 오른쪽 그림에서 두 반직선 PA, PB는 원 O의 접선이고 두 점 A, B는 그 접점이다. $\angle APB=54°$일 때, $\angle x$의 크기는?

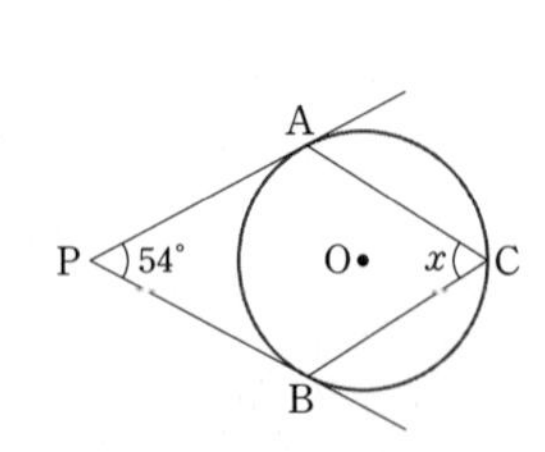

① 62° ② 63°
③ 64° ④ 66° ⑤ 68°

11 오른쪽 그림에서 $\overrightarrow{PA}$, $\overrightarrow{PB}$는 원 O의 접선이고 두 점 A, B는 그 접점이다. $\angle ACB=68°$일 때, $\angle x$의 크기는?

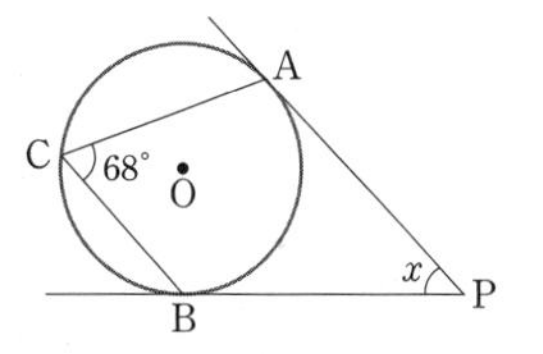

① 40° ② 44° ③ 48° ④ 52° ⑤ 56°

2 원의 내부에 존재하는 각

12 오른쪽 그림에서 $\angle CAE=83°$, $\angle CBD=32°$일 때, $\angle x$의 크기는?

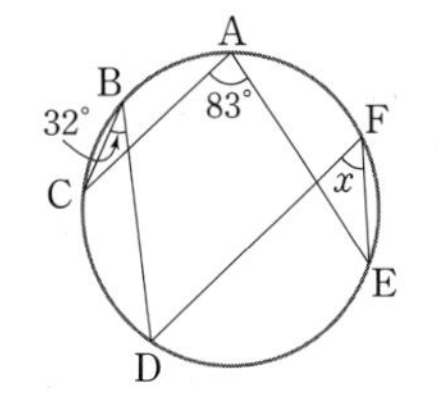

① 49° ② 50° ③ 51° ④ 52° ⑤ 53°

한 원에서 한 호에 대한 원주각의 크기는 모두 같다.

13 오른쪽 그림의 원 O에서 $\angle ACE=32°$, $\angle BDE=24°$일 때, $\angle x$의 크기는?

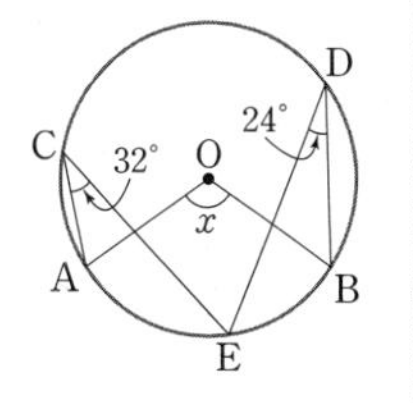

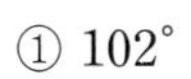
① 102° ② 104° ③ 108° ④ 110° ⑤ 112°

한 원에서 한 호에 대한 원주각의 크기는 그 호에 대한 중심각의 크기의 $\frac{1}{2}$이다.

14 오른쪽 그림에서 $\overline{BD}$는 원 O의 지름이고 $\angle ADB=20°$일 때, $\angle x$의 크기는?

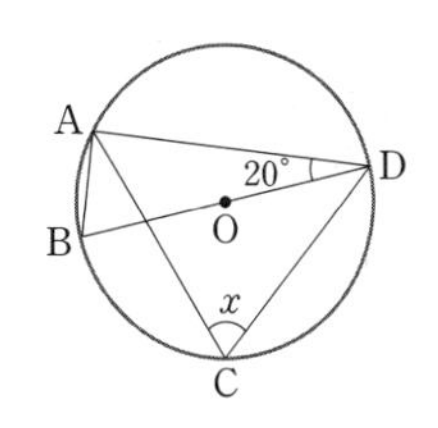

① 55° ② 60° ③ 65° ④ 70° ⑤ 75°

반원에 대한 원주각의 크기는 90°이다.

15 오른쪽 그림에서 $\overline{AB}$는 원 O의 지름이고 $\angle BED=35°$일 때, $\angle x$의 크기는?

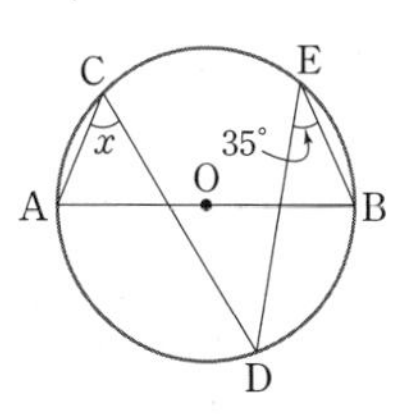

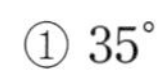
① 35° ② 45° ③ 55° ④ 65° ⑤ 75°

16

오른쪽 그림에서 $\angle CAD=25°$, $\angle ACB=40°$일 때, $\angle x$, $\angle y$의 크기를 각각 구하면?

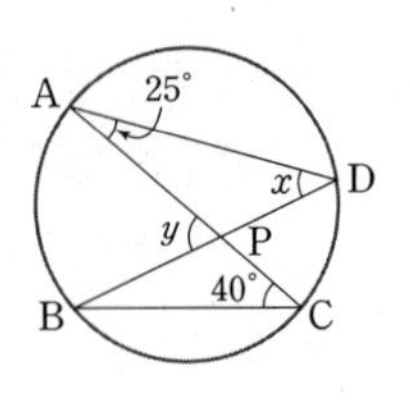

① $\angle x=40°$, $\angle y=65°$ ② $\angle x=40°$, $\angle y=75°$
③ $\angle x=40°$, $\angle y=80°$ ④ $\angle x=35°$, $\angle y=65°$
⑤ $\angle x=35°$, $\angle y=70°$

17

오른쪽 그림에서 $\widehat{AC}=\widehat{BD}$, $\angle BAD=24°$일 때, $\angle x$의 크기는?

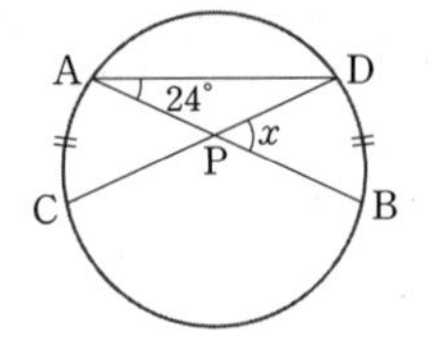

① 24° ② 30°
③ 36° ④ 42°
⑤ 48°

18

오른쪽 그림에서 점 P는 두 현 AB, CD의 교점이고 $\angle ABD=15°$, $\angle CPB=75°$, $\widehat{BC}=12$ cm일 때, $\widehat{AD}$의 길이는?

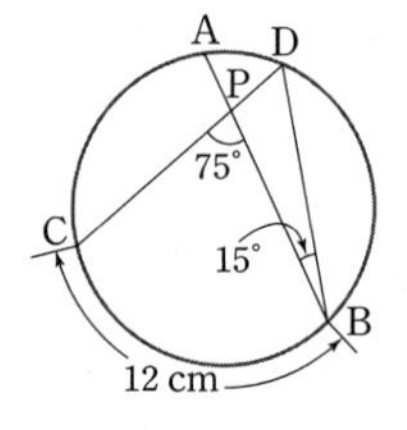

① 3 cm ② 4 cm
③ 5 cm ④ 6 cm
⑤ 7 cm

원주각의 크기와 호의 길이는 정비례함을 이용하여 호의 길이를 구한다.

19

오른쪽 그림에서 $\overline{AC}$는 원 O의 지름이고 점 P는 $\overline{AC}$, $\overline{BD}$의 교점이다. $\angle ABP=35°$, $\angle ADP=25°$일 때, $\angle x+\angle y$의 크기는?

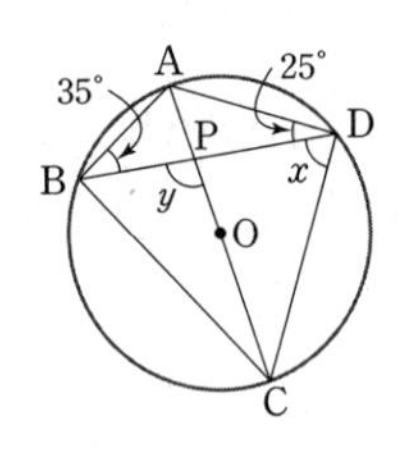

① 145° ② 155°
③ 165° ④ 175°
⑤ 185°

지름에 대한 원주각의 크기는 90°임을 이용하여 각의 크기를 구한다.

20

오른쪽 그림과 같이 반원 O에서 두 현 AD, BC의 교점을 P라 하자. $\widehat{BD}=\widehat{CD}$이고 $\angle BAD=24°$일 때, $\angle x$의 크기를 구하시오.

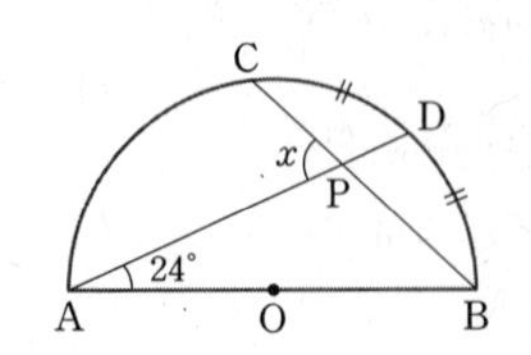

21

오른쪽 그림과 같이 원의 두 현 AB와 CD가 이루는 각의 크기가 50°이다. $\overset{\frown}{AD}=6\pi$ cm, $\overset{\frown}{BC}=9\pi$ cm일 때, 원의 반지름의 길이는?

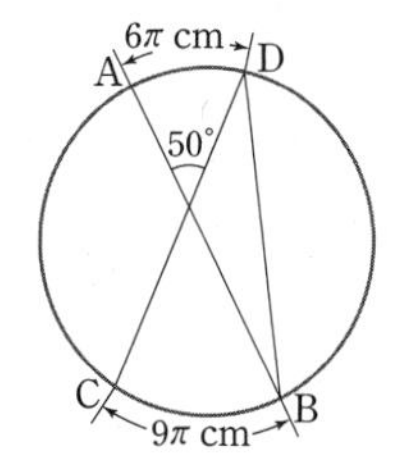

① 15 cm　　② 18 cm
③ 21 cm　　④ 24 cm
⑤ 27 cm

한 원에서 모든 호에 대한 원주각의 크기의 합은 180°임을 이용하여 원의 둘레의 길이를 구한다.

3 원의 외부에 존재하는 각

22

오른쪽 그림에서 점 P는 두 현 AD, BC의 연장선의 교점이다. $\angle DPC=32^\circ$이고 $3\overset{\frown}{AB}=\overset{\frown}{CD}$일 때, $\angle x$의 크기는?

① 24°　　② 30°

③ 36°　　④ 42°　　⑤ 48°

삼각형의 외각의 성질을 이용한 원주각의 크기

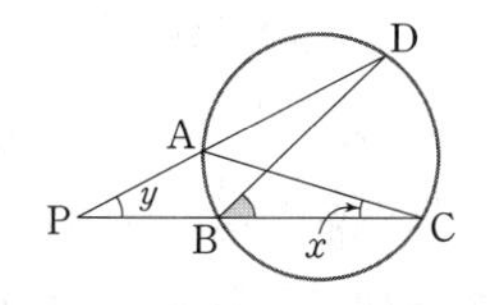

한 호에 대한 원주각의 크기는 같으므로

$\angle ADB=\angle ACB=\angle x$

따라서 $\triangle PBD$에서

$\angle DBC=\angle PDB+\angle y$

$=\angle x+\angle y$

23

오른쪽 그림에서 점 P는 두 현 AB, CD의 연장선의 교점이다. $\angle BPC=30^\circ$, $\angle BDC=65^\circ$일 때, $\angle x$의 크기를 구하시오.

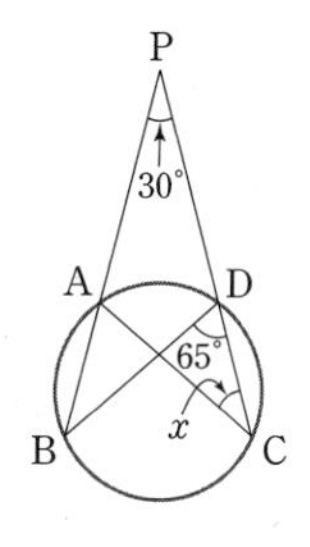

24

오른쪽 그림과 같이 두 현 AB와 CD의 연장선의 교점을 P, 두 현 AD와 BC의 교점을 Q라 하자. $\angle BPD=32^\circ$, $\angle BQD=78^\circ$일 때, $\angle x$의 크기를 구하시오.

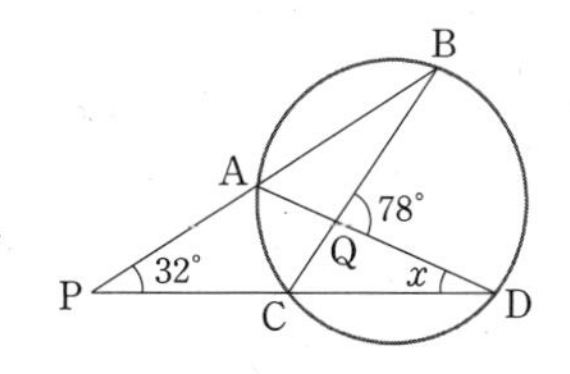

25 오른쪽 그림의 원 O에서 $\widehat{AC}:\widehat{BED}=2:5$이고 $\angle P=63^\circ$일 때, $\angle x$의 크기는?

① 105° ② 126°
③ 135° ④ 147°
⑤ 154°

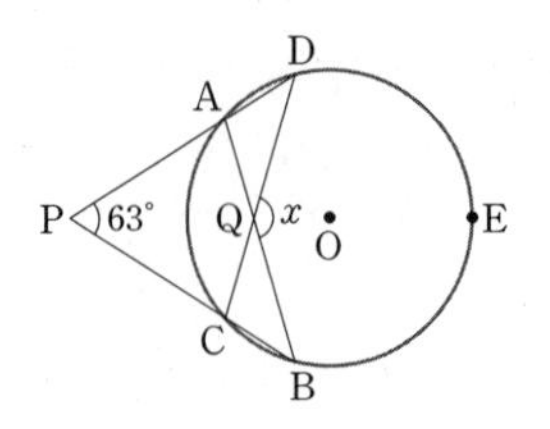

△APB와 △QCB에서 외각의 성질을 이용한다.

26 오른쪽 그림과 같이 두 현 AB, CD의 연장선의 교점을 P라 하자. $\overline{AC}$는 원 O의 지름이고 $\angle AOD=24^\circ$, $\angle BOC=60^\circ$일 때, $\angle x$의 크기는?

① 16° ② 18°
③ 20° ④ 22°
⑤ 24°

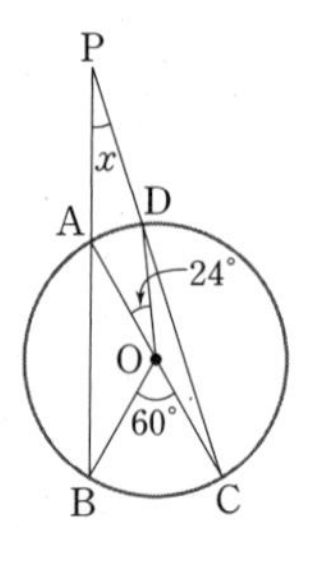

27 오른쪽 그림에서 $\widehat{BCE}$의 길이는 원 O의 둘레의 길이의 $\frac{5}{12}$이고, $\angle BAE=75^\circ$일 때, $\angle COD$의 크기를 구하시오.

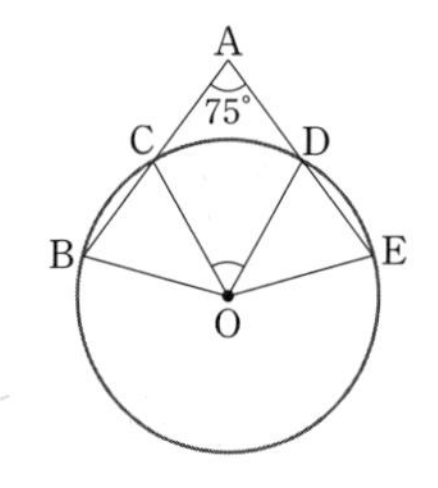

보조선 BD를 긋고 한 원에서 한 호에 대한 원주각의 크기는 그 호에 대한 중심각의 크기의 $\frac{1}{2}$임을 이용한다.

28 오른쪽 그림과 같은 반원 O에서 두 현 AC, BD의 연장선의 교점을 P라 하자. $\angle APB=58^\circ$일 때, $\angle x$의 크기는?

① 58° ② 60°
③ 62° ④ 64°

⑤ 66°

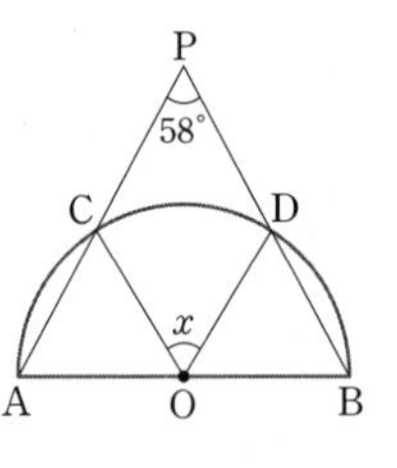

반원에 대한 원주각

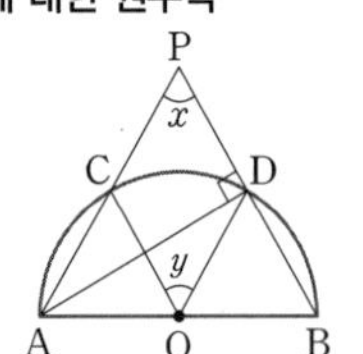

$\overline{AB}$를 지름으로 하는 반원에서 보조선 AD를 그으면 △PAD는 직각삼각형이므로
$\angle PAD=90^\circ-\angle x$,
$\angle COD=2\angle CAD$
$\therefore \angle y=2\times(90^\circ-\angle x)$

29 오른쪽 그림과 같은 반원 O에서 두 현 AC, BD의 연장선의 교점을 P라 하자. $\angle COD=50^\circ$일 때, $\angle x$의 크기를 구하시오.

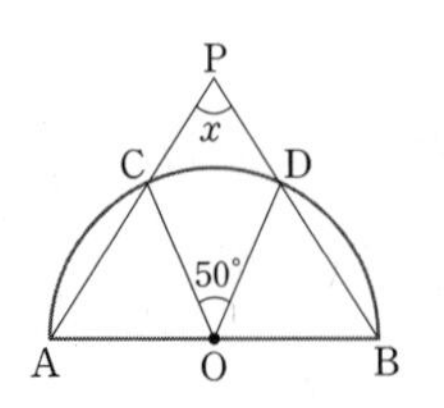

30 오른쪽 그림에서 $\overline{AB}$는 원 O의 지름이고 $\angle ACB=50°$, $\angle BOE=40°$일 때, $\widehat{AD}$와 $\widehat{BE}$의 길이의 비는?

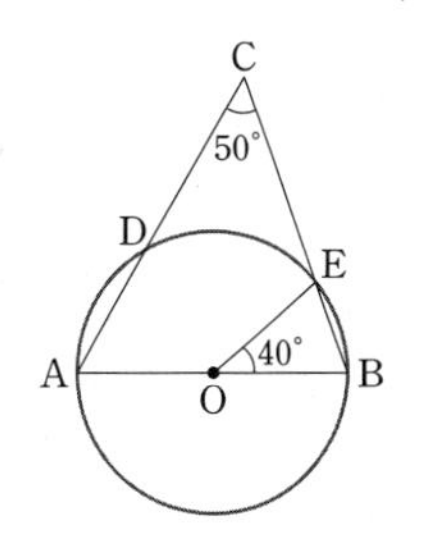

① 3 : 2　　② 4 : 3
③ 5 : 2　　④ 5 : 3
⑤ 5 : 4

$\overline{OD}$, $\overline{BD}$를 긋고 원주각의 크기와 호의 길이는 정비례함을 이용한다.

4 네 점이 한 원 위에 있을 조건

31 다음 **보기** 중에서 네 점 A, B, C, D가 한 원 위에 있는 것을 모두 고른 것은?

보기

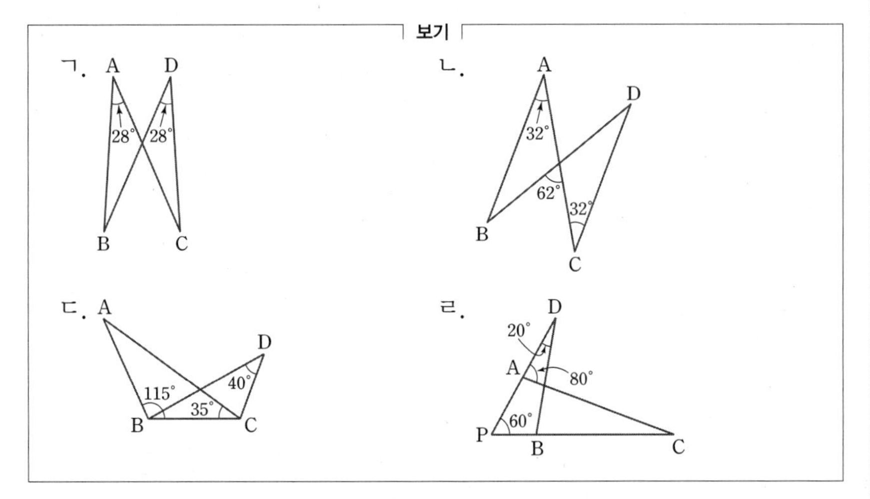

① ㄱ, ㄴ　　② ㄱ, ㄷ　　③ ㄱ, ㄹ
④ ㄴ, ㄷ　　⑤ ㄷ, ㄹ

한 선분에 대하여 같은 쪽에 있는 각의 크기가 같을 때, 네 점 A, B, C, D는 한 원 위에 있다.

32 오른쪽 그림에서 네 점 A, B, C, D가 한 원 위에 있을 때, $\angle x$의 크기는?

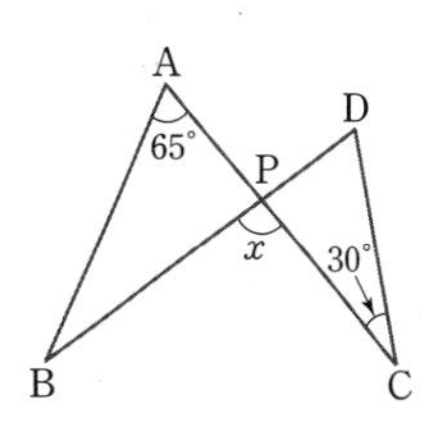

① 85°　　② 87°

③ 90°　　④ 92°
⑤ 95°

3 원주각의 활용

1 원에 내접하는 사각형의 성질

(1) 원에 내접하는 사각형의 한 쌍의 대각의 크기의 합은 180°이다.

⇨ $\angle A+\angle C=\angle B+\angle D=180^\circ$

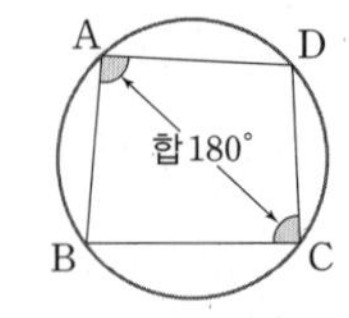

+ 네 꼭짓점이 모두 한 원 위에 있는 사각형을 내접사각형이라 한다.

(2) 원에 내접하는 사각형의 한 외각의 크기는 그 이웃하는 내각의 대각의 크기와 같다.

⇨ $\angle A=\angle DCE$

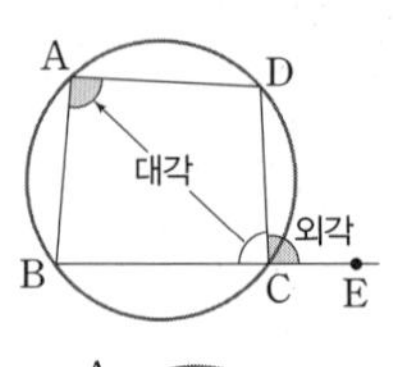

개념+ (1) $\angle A=\frac{1}{2}\angle x$, $\angle C=\frac{1}{2}\angle y$이고 $\angle x+\angle y=360^\circ$이므로

$\angle A+\angle C=\frac{1}{2}(\angle x+\angle y)=180^\circ$

마찬가지 방법으로 $\angle B+\angle D=180^\circ$

(2) $\angle A+\angle C=180^\circ$, $\angle DCE+\angle C=180^\circ$이므로

$\angle A=\angle DCE$

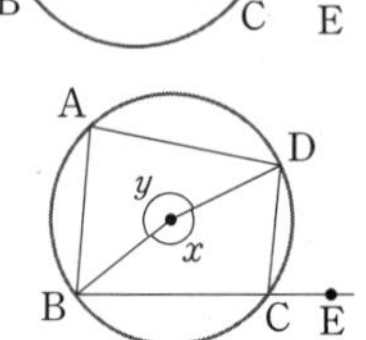

2 사각형이 원에 내접하기 위한 조건

(1) 한 쌍의 대각의 크기의 합이 180°인 사각형은 원에 내접한다.

(2) 한 외각의 크기가 그 이웃하는 내각의 대각의 크기와 같은 사각형은 원에 내접한다.

+ 정사각형, 직사각형, 등변사다리꼴은 항상 원에 내접한다.

3 접선과 현이 이루는 각의 크기

원의 접선과 그 접점을 지나는 현이 이루는 각의 크기는 그 각의 내부에 있는 호에 대한 원주각의 크기와 같다.

⇨ $\angle BPT=\angle BAP$

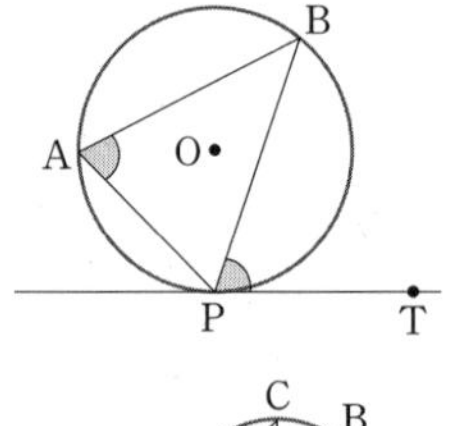

+ 왼쪽 그림의 원 O에서 $\angle BPT=\angle BAP$이면 직선 PT는 원 O의 접선이다.

개념+ 점 P에서 원의 중심 O를 지나도록 선분을 그어 원과 만나는 점을 C라 하면

$\overline{PT}$는 원 O의 접선이므로 $\angle CPT=90^\circ$

$\overline{PC}$는 원 O의 지름이므로 $\angle CAP=90^\circ$

$\widehat{BC}$에 대한 원주각의 크기는 같으므로 $\angle CPB=\angle CAB$

$\therefore \angle BPT=\angle BAP$

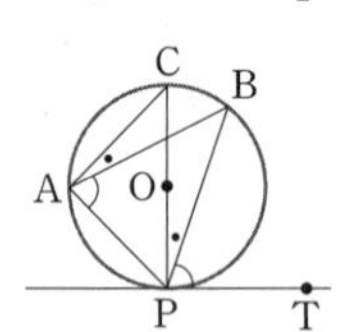

4 원뿔의 높이와 부피

밑면의 반지름의 길이가 r, 모선의 길이가 l인 원뿔의 높이를 h, 부피를 V라 하면

(1) $h=\sqrt{l^2-r^2}$

(2) $V=\frac{1}{3}\pi r^2 h$

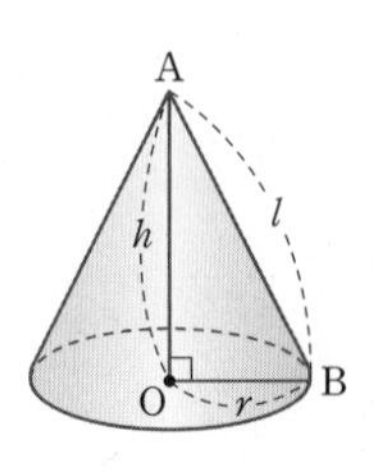

+ 원뿔의 전개도에서 부채꼴의 호의 길이는 밑면인 원의 둘레의 길이와 같다.

개념+ (1) 직각삼각형 AOB에서 $l=\sqrt{h^2+r^2}$, $r=\sqrt{l^2-h^2}$

주제별 실력다지기

정답과 풀이 32쪽

1 원에 내접하는 사각형에서의 각 (1) – 기본형

01 오른쪽 그림과 같이 □ABCD가 원 O에 내접하고 $\overline{AC}=\overline{AD}$, $\angle ABC=125^\circ$일 때, $\angle x$의 크기는?

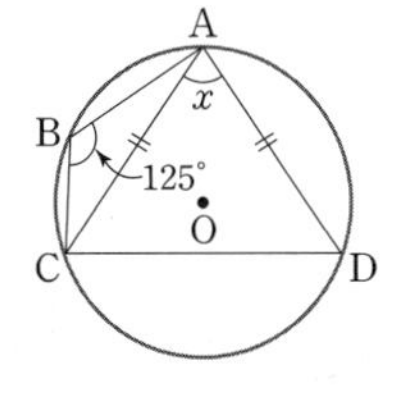

① 55° ② 60° ③ 65° ④ 70° ⑤ 75°

원에 내접하는 사각형에서 한 쌍의 대각의 크기의 합은 180°이다.

최상위 Q&A 004

항상 원에 내접하는 사각형이 있을까?

다음 그림과 같이 정사각형, 직사각형, 등변사다리꼴은 한 쌍의 대각의 크기의 합이 180°이므로 항상 원에 내접한다.

정사각형 직사각형 등변사다리꼴

02 오른쪽 그림과 같이 □ABCD는 원 O에 내접하고 $\overline{BC}$는 원 O의 지름이다. $\angle ACB=15^\circ$일 때, $\angle x$의 크기는?

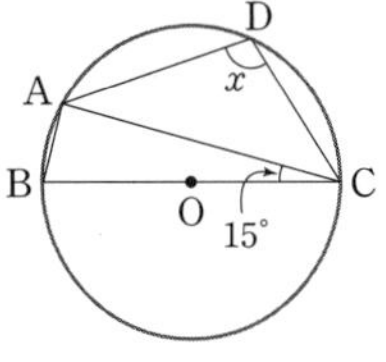

① 95° ② 105° ③ 115° ④ 125° ⑤ 135°

03 오른쪽 그림과 같이 □ABCD가 원 O에 내접하고 $\angle BOD=160^\circ$일 때, $\angle x$의 크기는?

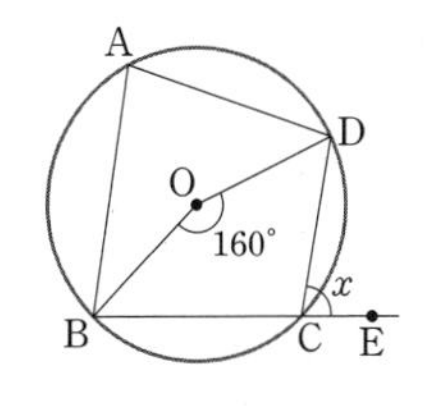

① 80° ② 81° ③ 82° ④ 83° ⑤ 84°

원에 내접하는 사각형에서 한 외각의 크기는 그 이웃하는 내각의 대각의 크기와 같다.

04 오른쪽 그림과 같이 □ABCD는 원 O에 내접하고 두 현 AD, BC의 연장선의 교점을 P라 하자. $\angle DPC=20^\circ$, $\angle PCD=85^\circ$일 때, $\angle x$의 크기는?

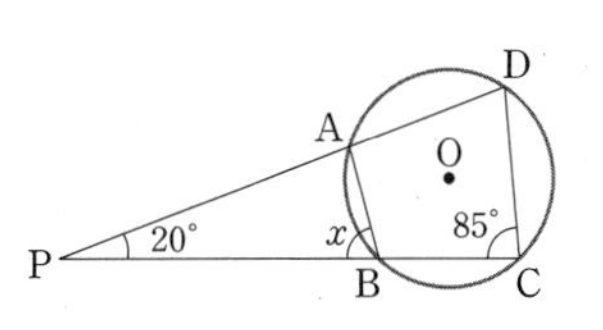

① 65° ② 70° ③ 75° ④ 80° ⑤ 85°

05 오른쪽 그림과 같이 □ABCD가 원에 내접할 때, $\angle x+\angle y$의 크기는?

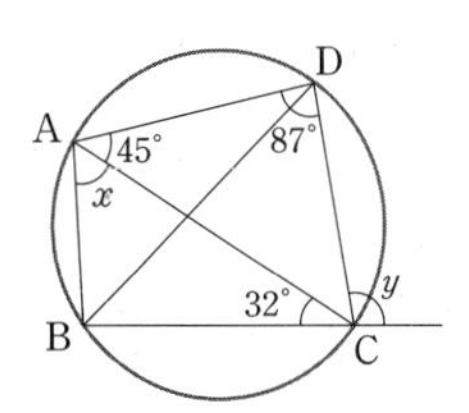

① 109° ② 122° ③ 132° ④ 145° ⑤ 155°

06

오른쪽 그림에서 $\angle x - \angle y$의 크기는?

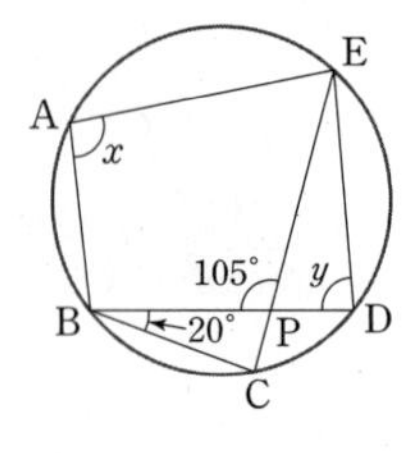

① 5° ② 10°
③ 15° ④ 20°
⑤ 25°

□ABCE와 □ABDE는 원에 내접한다.

07

오른쪽 그림과 같이 □ABCE와 □ABDE가 원에 내접할 때, $\angle x + \angle y$의 크기는?

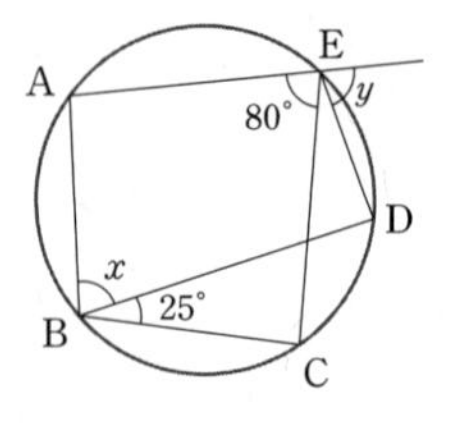

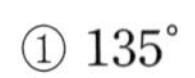

① 135° ② 140°
③ 145° ④ 150°
⑤ 155°

08

오른쪽 그림에서 직선 PT가 점 P를 접점으로 하는 원 O의 접선일 때, $\angle y - \angle x$의 크기는?

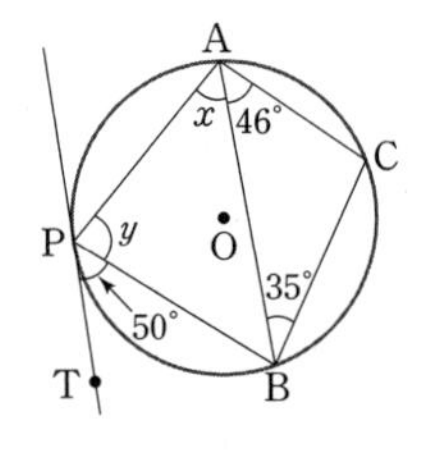

① 29° ② 30°
③ 31° ④ 32°
⑤ 33°

09

오른쪽 그림에서 두 점 P, Q는 두 원의 교점이고 $\angle B = 95°$일 때, $\angle x$의 크기는?

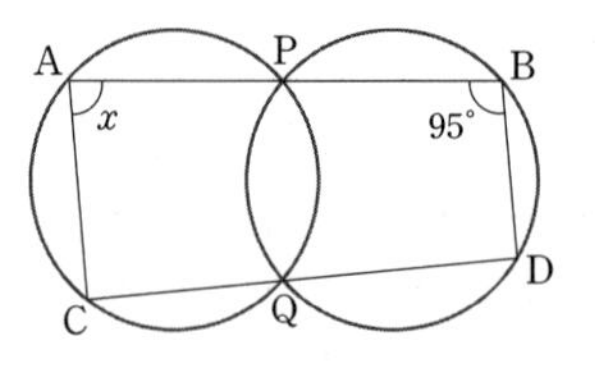

① 75° ② 85°

③ 95° ④ 105°
⑤ 115°

두 원이 두 점 P, Q에서 만나고, □ABQP와 □PQCD가 두 원에 각각 내접할 때

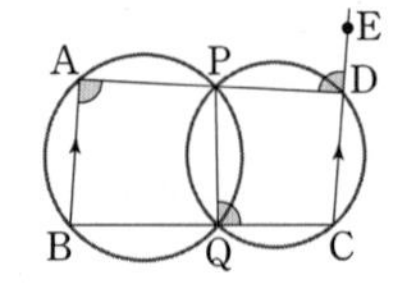

(1) 원에 내접하는 사각형에서 한 외각의 크기는 그 이웃하는 내각의 대각의 크기와 같으므로 $\angle A = \angle PQC = \angle PDE$

(2) $\angle A = \angle PDE$(엇각)이므로 $\overline{AB} /\!/ \overline{CD}$

10

오른쪽 그림에서 두 점 P, Q는 두 원 O, O′의 교점이고 $\angle PDC = 110°$일 때, $\angle x + \angle y$의 크기는?

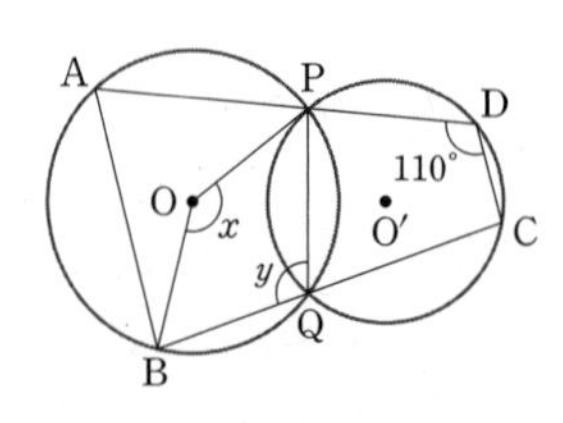

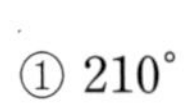

① 210° ② 220°
③ 230° ④ 240°
⑤ 250°

11

오른쪽 그림에서 두 점 E, F는 두 원의 교점이고 $\angle A=115^\circ$, $\angle B=86^\circ$일 때, $\angle x+\angle y$의 크기는?

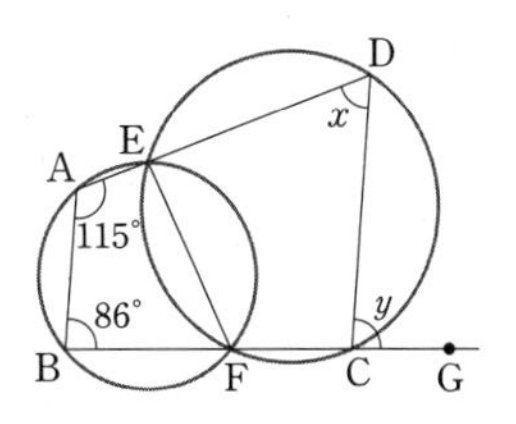

① 141° ② 151° ③ 179° ④ 201° ⑤ 209°

2 원에 내접하는 사각형에서의 각 (2) – 응용형

12

오른쪽 그림과 같이 □ABCD가 원에 내접하고 $\angle BPC=35^\circ$, $\angle AQB=45^\circ$일 때, $\angle x$의 크기를 구하시오.

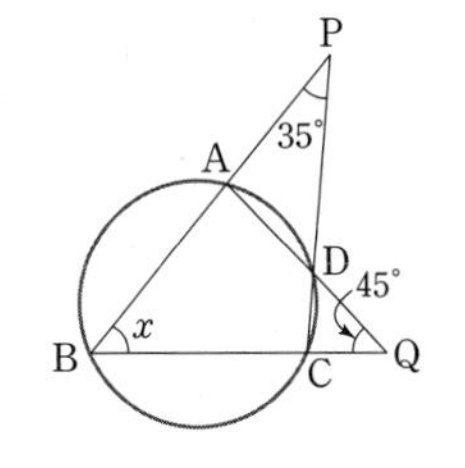

□ABCD가 원에 내접할 때

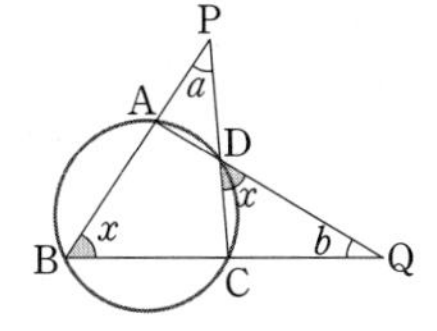

(1) $\angle ABC=\angle CDQ$
(2) △PBC에서 $\angle DCQ=\angle a+\angle x$
(3) △CDQ에서 $\angle x+(\angle a+\angle x)+\angle b=180^\circ$

13

오른쪽 그림과 같이 □ABCD가 원에 내접하고 $\angle P=28^\circ$, $\angle C=55^\circ$일 때, $\angle x$의 크기는?

① 42° ② 45° ③ 48° ④ 52° ⑤ 56°

14

오른쪽 그림과 같이 원에 내접하는 □ABCD에서 $\overline{AB}$와 $\overline{CD}$의 연장선의 교점을 P, $\overline{AD}$와 $\overline{BC}$의 연장선의 교점을 Q라 하자. $\angle BPC=25^\circ$, $\angle CQD=33^\circ$일 때, $\angle x$의 크기를 구하시오.

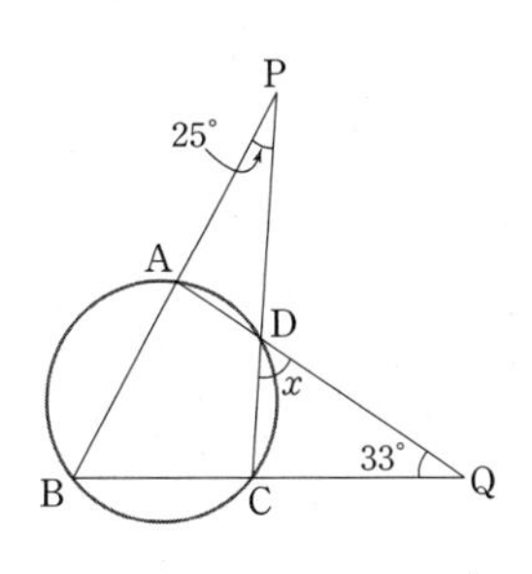

15

오른쪽 그림과 같이 □ABCD가 원에 내접하고 $\angle P=24^\circ$, $\angle Q=36^\circ$일 때, $\angle x$의 크기는?

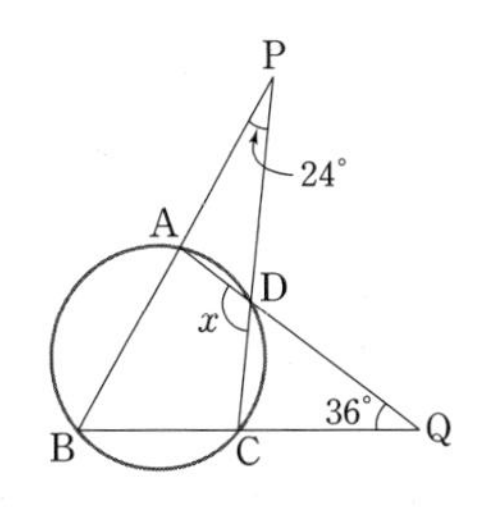

① 110° ② 120° ③ 130° ④ 140° ⑤ 150°

$\angle ABC=\angle y$라 놓고 크기가 같은 각을 찾는다.

16 오른쪽 그림에서 $\widehat{AB}=\widehat{BC}=\widehat{CD}$이고 점 E는 $\overline{BA}$와 $\overline{CD}$의 연장선이 만나는 점이다. $\angle BEC=24°$일 때, $\angle ACD$의 크기를 구하시오.

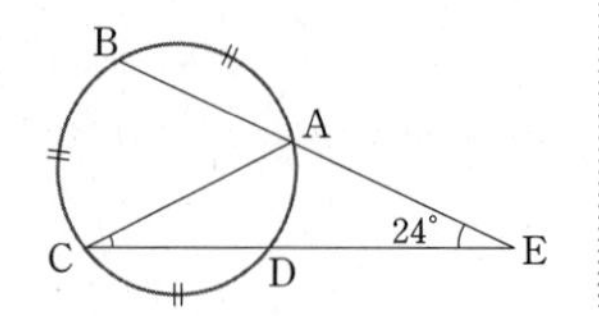

$\overline{AD}$, $\overline{BC}$를 그으면 □ABCD는 원에 내접하므로 $\angle A+\angle C=180°$

3 원에 내접하는 다각형

17 오른쪽 그림과 같이 오각형 ABCDE가 원 O에 내접하고 $\angle AOE=32°$일 때, $\angle B+\angle D$의 크기를 구하시오.

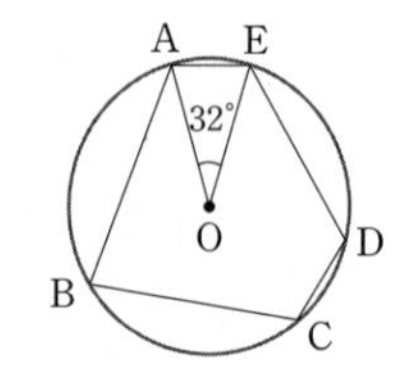

원에 내접하는 다각형에서 보조선을 그어 원에 내접하는 사각형을 만든다.

예 원에 내접하는 오각형 ABCDE에서 $\overline{CE}$를 그으면

(1) □ABCE에서 $\angle x+\angle y=180°$

(2) $\angle COD=2\angle CED$

18 오른쪽 그림과 같이 오각형 ABCDE가 원 O에 내접하고 $\angle A=68°$, $\angle BOC=70°$일 때, $\angle x$의 크기를 구하시오.

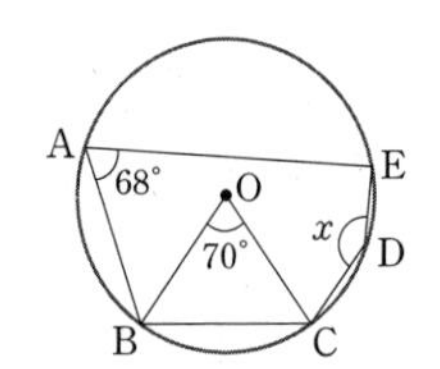

19 오른쪽 그림에서 $\angle B=85°$, $\angle E=140°$일 때, $\angle x$의 크기를 구하시오.

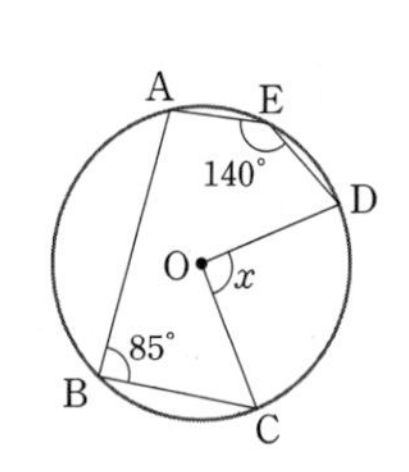

20 오른쪽 그림과 같이 육각형 ABCDEF가 원에 내접할 때, $\angle A+\angle C+\angle E$의 크기를 구하시오.

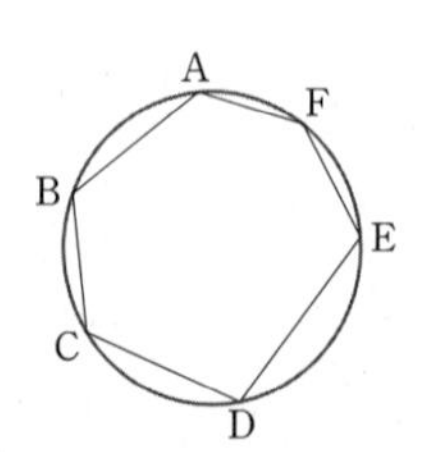

적당한 보조선을 그어 원에 내접하는 2개의 사각형을 만든다.

4 사각형이 원에 내접하기 위한 조건

21 다음 **보기** 중에서 항상 원에 내접하는 사각형은 모두 몇 개인지 구하시오.

보기

ㄱ. 사다리꼴　　ㄴ. 등변사다리꼴　　ㄷ. 평행사변형
ㄹ. 직사각형　　ㅁ. 마름모　　ㅂ. 정사각형

22 다음 □ABCD 중 원에 내접하지 <u>않는</u> 것을 모두 고르면? (정답 2개)

①
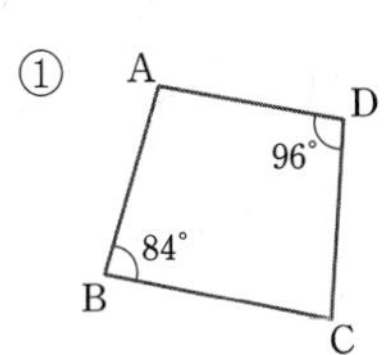

②
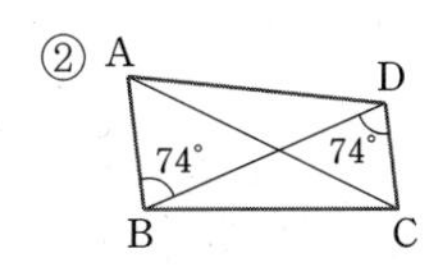

③
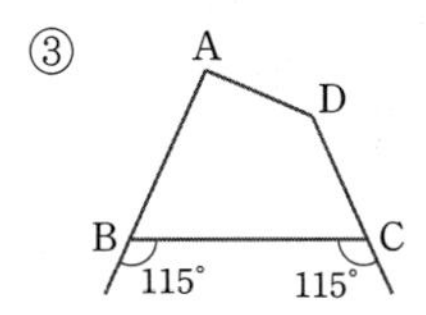

④
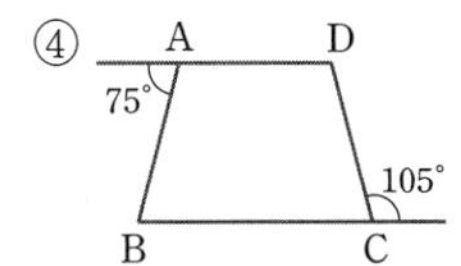

⑤
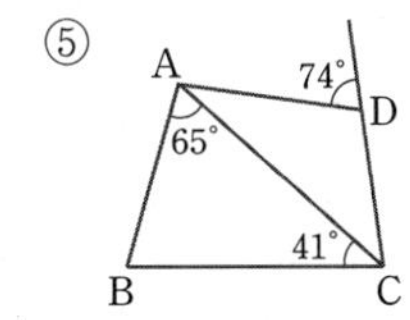

사각형이 원에 내접하기 위한 조건
(1) 한 쌍의 대각의 크기의 합이 180°인 사각형은 원에 내접한다.
(2) 한 외각의 크기가 그 이웃하는 내각의 대각의 크기와 같은 사각형은 원에 내접한다.

5 삼각비를 이용한 원주각의 활용

23 오른쪽 그림과 같이 반지름의 길이가 3인 원 O에 내접하는 △ABC에서 $\overline{BC}=4$일 때, $\cos A$의 값은?

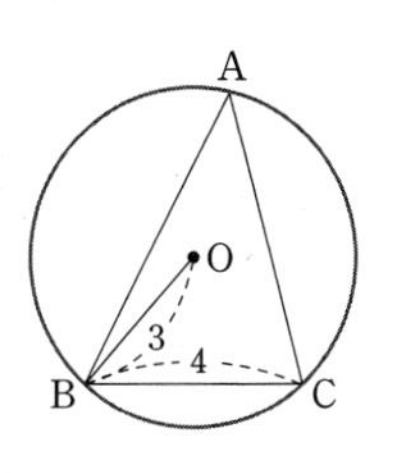

① 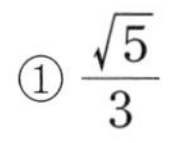 $\frac{\sqrt{5}}{3}$　② $\frac{2\sqrt{5}}{5}$　③ $\frac{\sqrt{3}}{2}$
④ $\frac{3}{4}$　⑤ $\frac{7}{8}$

원주각의 성질을 이용하여 지름을 빗변으로 하는 직각삼각형을 만든다.

24 오른쪽 그림과 같이 반지름의 길이가 3인 원 O에 내접하는 △ABC에서 $\overline{BC}=2\sqrt{3}$일 때, $\cos A\times\tan A$의 값은?

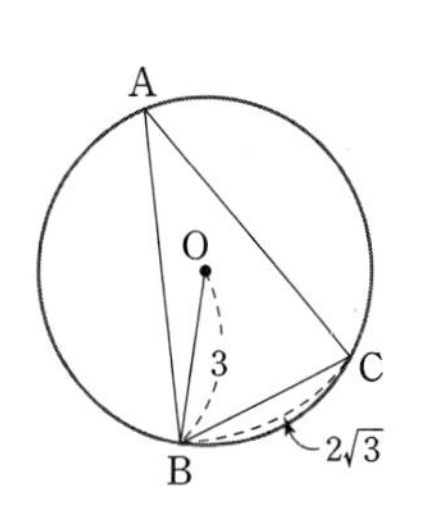

① 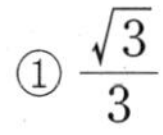 $\frac{\sqrt{3}}{3}$　② $\frac{\sqrt{2}}{2}$　③ $\frac{\sqrt{6}}{3}$
④ $\frac{2\sqrt{6}}{3}$　⑤ $\frac{3\sqrt{3}}{2}$

25

오른쪽 그림과 같이 반지름의 길이가 10인 원 O에 내접하는 △ABC에서 $\overline{BC}=12$일 때, $\sin A+\cos A$의 값은?

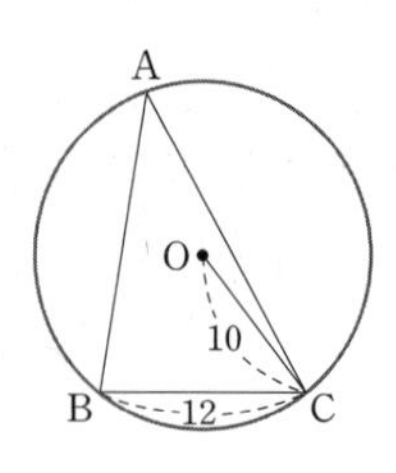

① $\frac{3}{4}$ ② $\frac{27}{20}$ ③ $\frac{7}{5}$
④ $\frac{31}{20}$ ⑤ $\frac{9}{5}$

26

오른쪽 그림과 같이 반지름의 길이가 5인 원 O에 내접하는 △ABC에서 $\overline{BC}=6$일 때, $\cos A$의 값은?

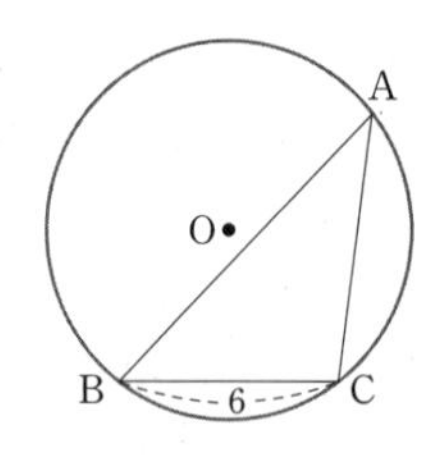

① $\frac{3}{5}$ ② $\frac{3}{4}$ ③ $\frac{4}{5}$
④ $\frac{5}{6}$ ⑤ $\frac{6}{7}$

적절한 보조선을 그어 지름을 빗변으로 하는 직각삼각형을 만든다.

27

오른쪽 그림과 같이 □ABCD가 원 O에 내접하고 $\angle A=120^\circ$, $\overline{CD}=4$ cm일 때, 원 O의 넓이를 구하시오.

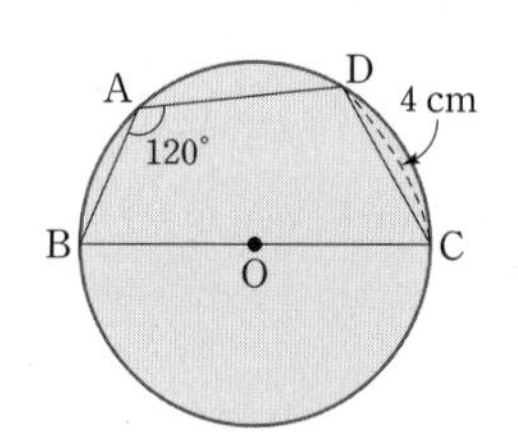

□ABCD가 원 O에 내접하므로 $\angle A+\angle C=180^\circ$이다.

28

오른쪽 그림과 같이 지름이 6 cm인 원 O에서 직선 PT는 점 P를 접점으로 하는 원 O의 접선이다. $\angle BPT=30^\circ$일 때, $\overline{AB}$의 길이를 구하시오.

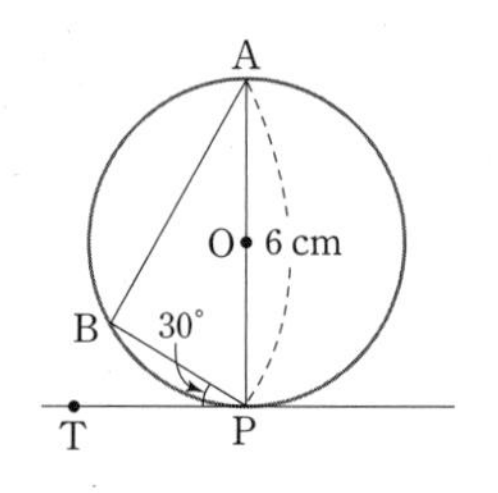

6 접선과 현이 이루는 각의 크기

29

오른쪽 그림에서 직선 PT는 원 O의 접선이고 $\angle BOP=150^\circ$일 때, $\angle x+\angle y$의 크기는?

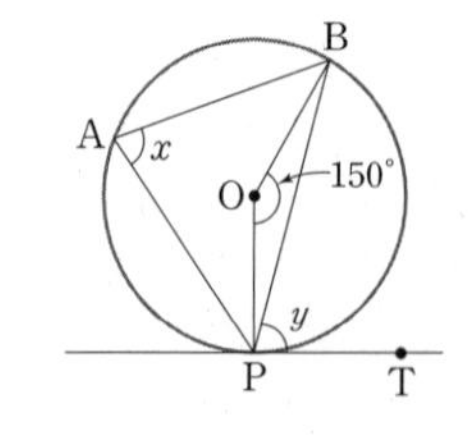

① 140° ② 150°
③ 160° ④ 165°
⑤ 175°

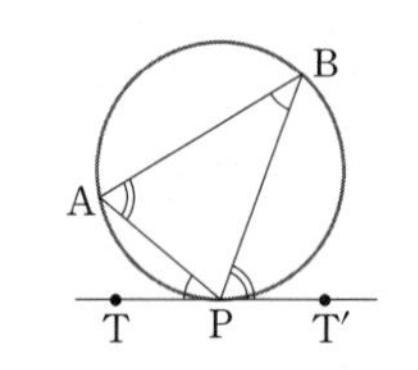

직선 TT′이 원 위의 점 P에서 원에 접할 때

⇨ $\angle APT=\angle ABP$
$\angle BPT'=\angle BAP$

30

오른쪽 그림에서 $\overline{AB}$는 원 O의 지름이고 반직선 PT는 원 O의 접선이다. $\angle BPT=40^\circ$일 때, $\angle x$의 크기를 구하시오.

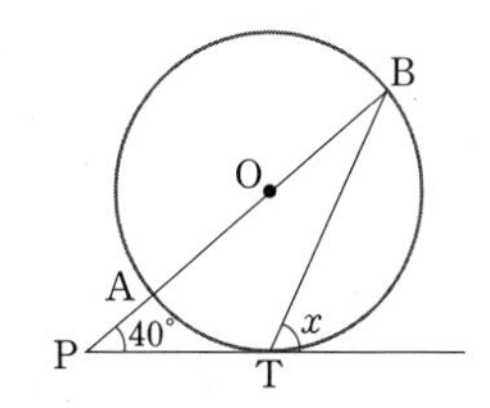

할선이 원의 중심을 지날 때
보조선 AT를 그어 접선과 현이 이루는 각을 찾는다.

(1) $\overline{AB}$는 원 O의 지름이므로 $\angle ATB=90^\circ$
(2) 접선과 현이 이루는 각의 성질에 의해 $\angle ATP=\angle ABT$

31

오른쪽 그림에서 $\overline{AB}$는 원 O의 지름이고 반직선 PT는 원 O의 접선이다. $\angle ATC=60^\circ$일 때, $\angle x$의 크기는?

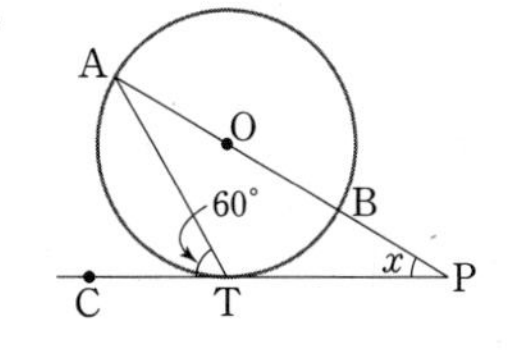

① 30°　② 36°　③ 42°　④ 48°　⑤ 54°

32

오른쪽 그림에서 $\overline{AB}$는 원 O의 지름이고 반직선 PT는 원 O의 접선이다. $\angle BPT=32^\circ$일 때, $\angle x$의 크기는?

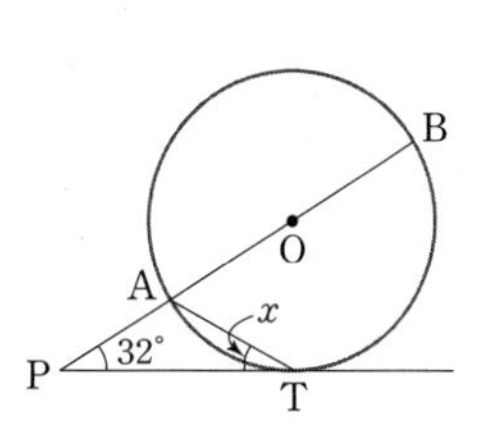

① 29°　② 32°　③ 34°　④ 39°　⑤ 44°

33

오른쪽 그림에서 $\overline{AB}$는 원 O의 지름이고 $\overline{PT}$는 원 O의 접선이다. $\angle BCT=55^\circ$일 때, $\angle x$의 크기를 구하시오.

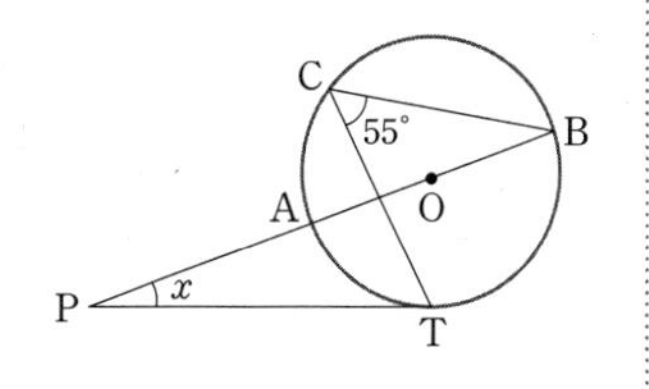

34

오른쪽 그림에서 $\overline{AB}$는 원 O의 지름이고 직선 CD는 원 O의 접선이다. $\overline{AC}\perp\overleftrightarrow{CD}$이고 $\overline{AB}=8\,\text{cm}$, $\overline{AC}=3\,\text{cm}$일 때, $\overline{CD}$의 길이는?

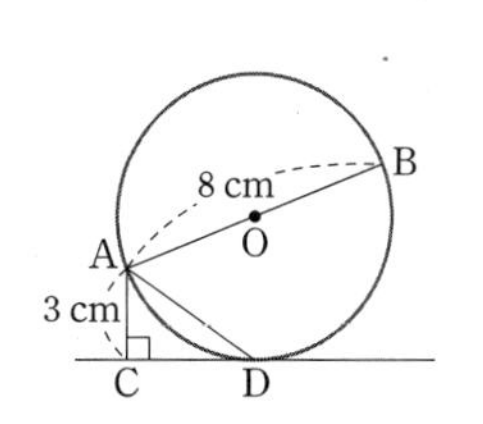

① $3\,\text{cm}$　② $\sqrt{11}\,\text{cm}$　③ $\sqrt{13}\,\text{cm}$　④ $\sqrt{15}\,\text{cm}$　⑤ $2\sqrt{6}\,\text{cm}$

보조선을 그어 닮은 삼각형을 찾아 비례식을 세운다.

35

오른쪽 그림에서 $\overline{AC}$는 원 O의 지름이고 직선 ST는 원 O의 접선이다. $\overline{AD} /\!/ \overleftrightarrow{ST}$이고 $\angle CBT=23^\circ$일 때, $\angle x$의 크기는?

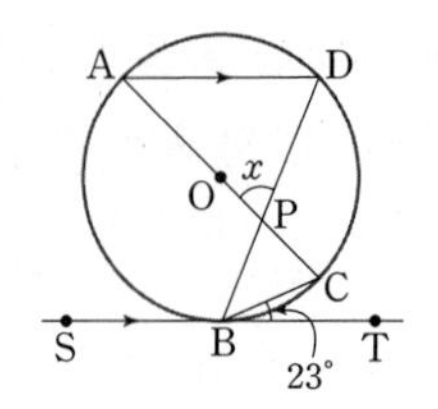

① 67° ② 68° ③ 69° ④ 70° ⑤ 71°

36

오른쪽 그림에서 $\overline{BD}$는 원 O의 지름이고 직선 EF는 원 O의 접선이다. $\overline{AD} /\!/ \overleftrightarrow{EF}$이고 $\angle BCE=25^\circ$일 때, $\angle y-\angle x$의 크기를 구하시오.

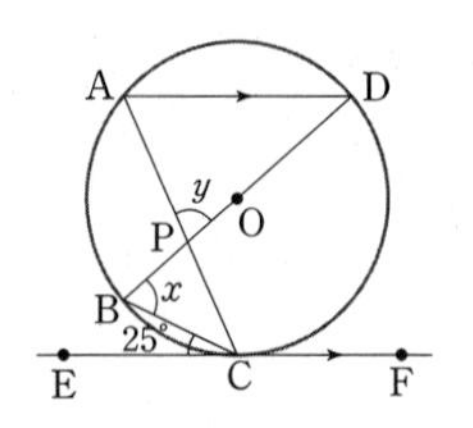

평행선에서 엇각의 크기가 같음을 이용한다.

37

오른쪽 그림에서 원 O는 $\triangle ABC$의 내접원이면서 $\triangle DEF$의 외접원이다. $\angle ABC=50^\circ$, $\angle DEF=36^\circ$일 때, $\angle x$의 크기를 구하시오.

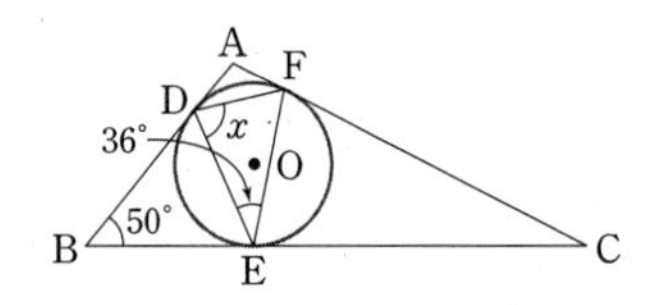

두 반직선 PA, PB가 원의 접선일 때

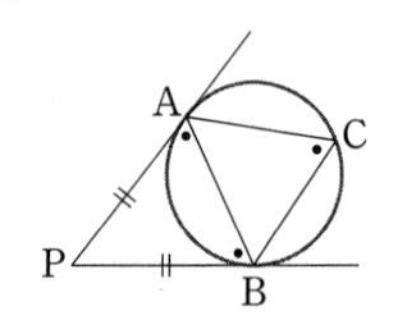

$\angle PAB=\angle PBA=\angle ACB$

38

오른쪽 그림에서 $\overline{AD}$는 $\triangle ABC$의 외접원과 점 A에서 접하고, $\angle ADB$의 이등분선은 $\overline{AB}$와 점 E에서 만난다. $\angle BAC=50^\circ$일 때, $\angle AED$의 크기를 구하시오.

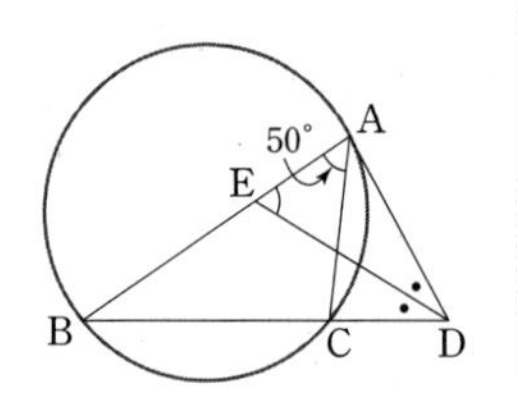

$\overline{AD}$가 점 A에서 원에 접하므로 $\angle ABC=\angle CAD$

7 구에 내접 또는 외접하는 도형

39

오른쪽 그림과 같이 한 변의 길이가 4 cm인 정육면체에 외접하는 구의 반지름의 길이는?

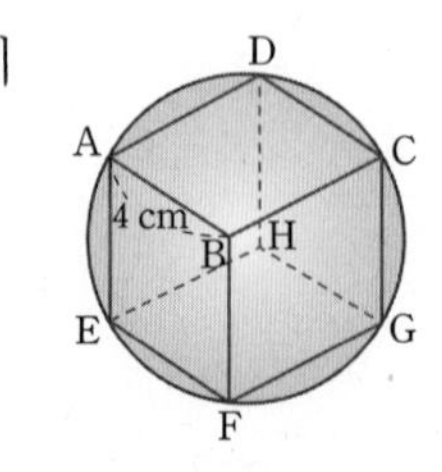

① $2\sqrt{2}$ cm ② $2\sqrt{3}$ cm ③ 4 cm ④ $4\sqrt{2}$ cm ⑤ $4\sqrt{3}$ cm

구의 지름은 정육면체의 대각선의 길이와 같다.

40

오른쪽 그림과 같이 대각선의 길이가 18 cm인 정육면체에 구가 내접할 때, 구의 부피는?

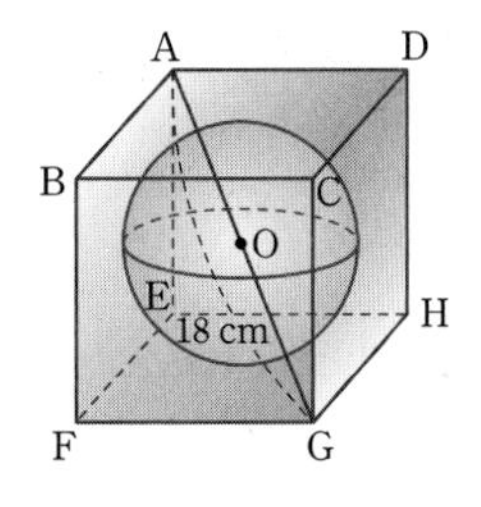

① $36\pi\ cm^3$ ② $36\sqrt{3}\pi\ cm^3$

③ $54\sqrt{3}\pi\ cm^3$ ④ $108\pi\ cm^3$

⑤ $108\sqrt{3}\pi\ cm^3$

구의 지름은 정육면체의 한 모서리의 길이와 같다.

41

오른쪽 그림과 같이 밑면의 반지름의 길이가 $4\sqrt{3}$ cm이고 높이가 12 cm인 원뿔이 구에 내접할 때, 구의 반지름의 길이는?

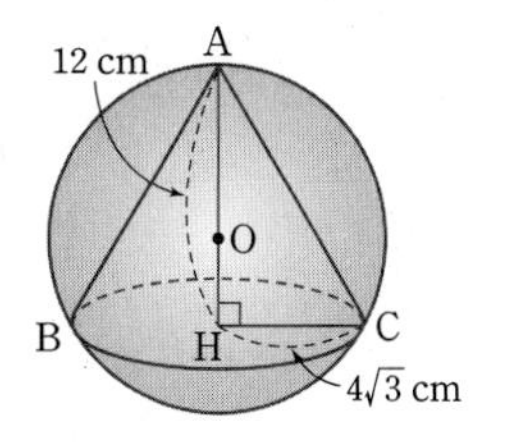

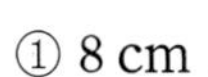

① 8 cm ② 9 cm

③ $4\sqrt{6}$ cm ④ 10 cm

⑤ $8\sqrt{2}$ cm

△OHC에서
$\overline{CH}^2=r^2-(h-r)^2$

42

오른쪽 그림과 같이 반지름의 길이가 5 cm인 구에 원뿔이 내접하고 있다. 원뿔의 높이가 9 cm일 때, 이 원뿔의 부피는?

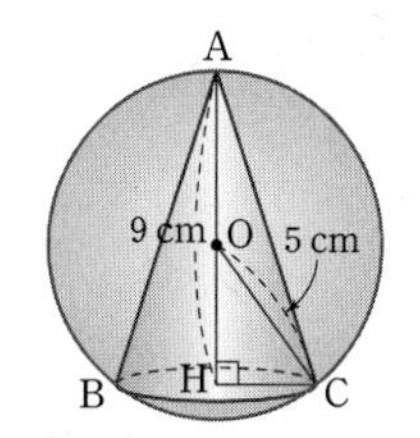

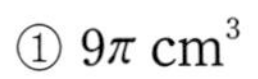

① $9\pi\ cm^3$ ② $18\pi\ cm^3$

③ $27\pi\ cm^3$ ④ $48\pi\ cm^3$

⑤ $81\pi\ cm^3$

43

오른쪽 그림과 같이 반지름의 길이가 2 cm인 구에 모선의 길이가 $2\sqrt{3}$ cm인 원뿔이 내접하고 있다. 이때 이 원뿔의 부피를 구하시오.

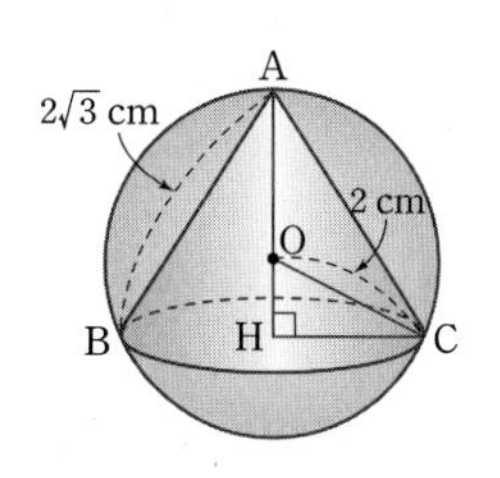

44

오른쪽 그림과 같이 밑면의 반지름의 길이가 3 cm이고 높이가 9 cm인 원뿔에 내접하는 구가 있다. 이때 $\overline{AO}$의 길이를 구하시오.

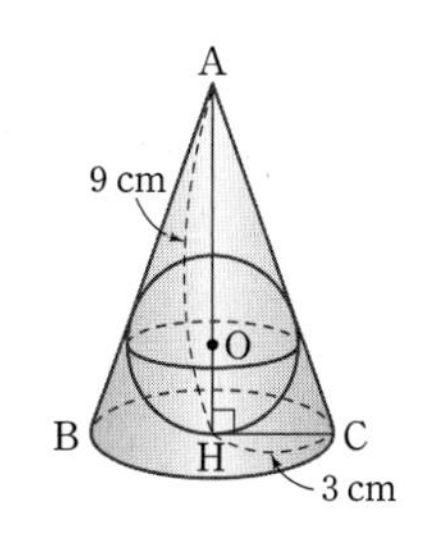

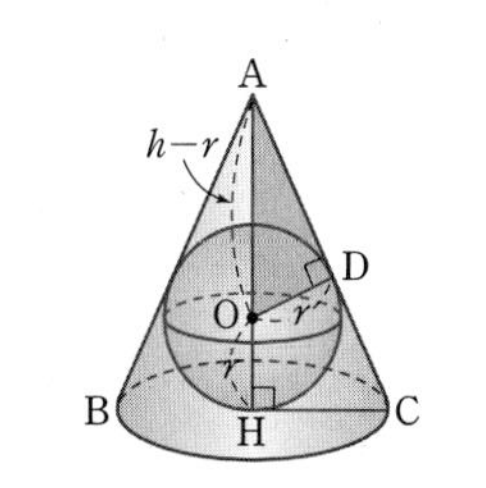

△AOD∽△ACH(AA 닮음)

단원 종합 문제

01 오른쪽 그림과 같은 원 O에서 $\widehat{AB} : \widehat{BC} : \widehat{CA} = 2 : 3 : 4$일 때, $\angle BOC$의 크기를 구하시오.

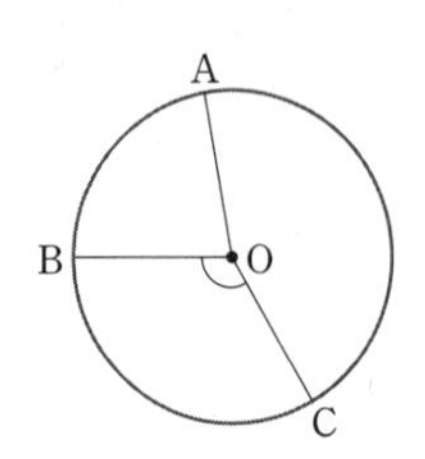

02 오른쪽 그림에서 $\overline{AB}$는 원 O의 지름이고 $\overline{OM} = \overline{ON}$이다. $\overline{AB} = 8\text{ cm}$일 때, $\overline{AC}$의 길이를 구하시오.

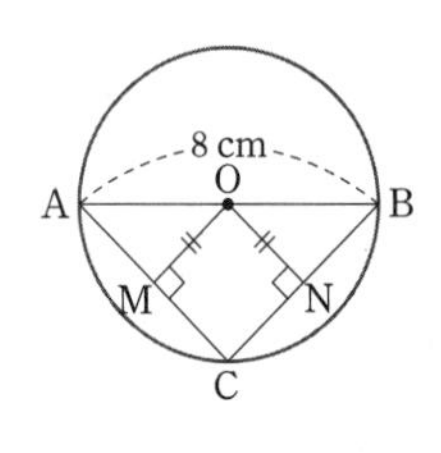

03 오른쪽 그림과 같이 원 O의 중심에서 두 현 AB, AC에 내린 수선의 발을 각각 M, N이라 하자. $\overline{OM} = \overline{ON}$, $\angle B = 75°$일 때, $\angle MON$의 크기는?

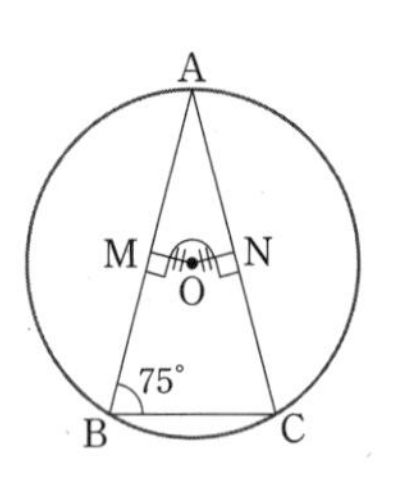

① 100° ② 110° ③ 125°
④ 130° ⑤ 150°

04 다음 중 x의 값이 나머지 넷과 다른 하나는?

①
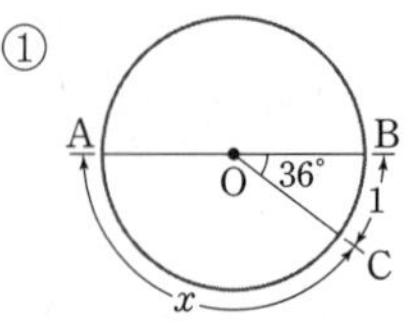

②
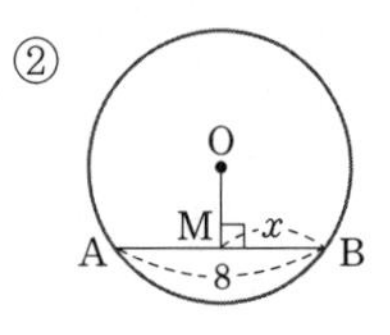

③
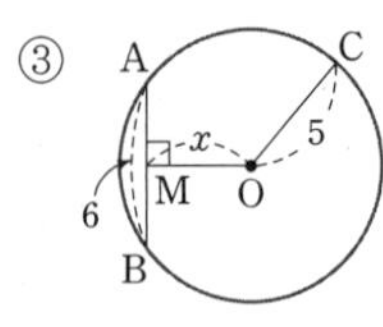

④
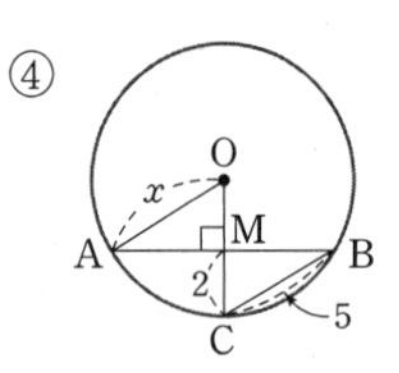

⑤
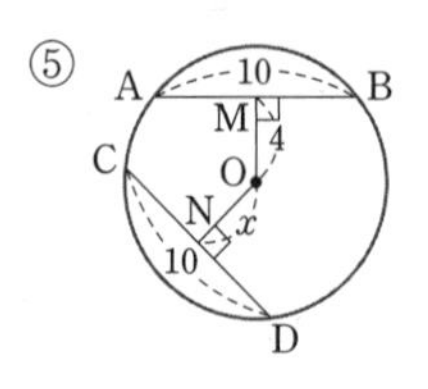

05 오른쪽 그림에서 $\widehat{AB}$는 원의 일부분이다. $\overline{AB} \perp \overline{CM}$, $\overline{AM} = \overline{BM}$이고 $\overline{AB} = 12\text{ cm}$, $\overline{CM} = 4\text{ cm}$일 때, 이 원의 둘레의 길이는?

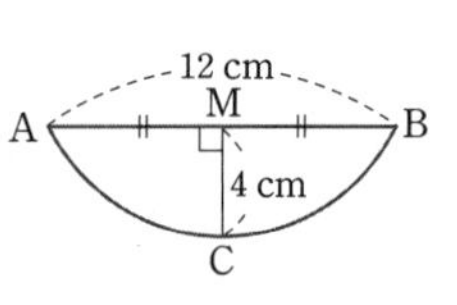

① $2\sqrt{13}\pi\text{ cm}$ ② $\frac{13}{2}\pi\text{ cm}$
③ $4\sqrt{13}\pi\text{ cm}$ ④ $13\pi\text{ cm}$
⑤ $26\pi\text{ cm}$

06 오른쪽 그림과 같이 원 O의 둘레 위의 한 점이 원의 중심 O에 겹쳐지도록 접었다. $\overline{AB}=12$ cm일 때, 원 O의 넓이를 구하시오.

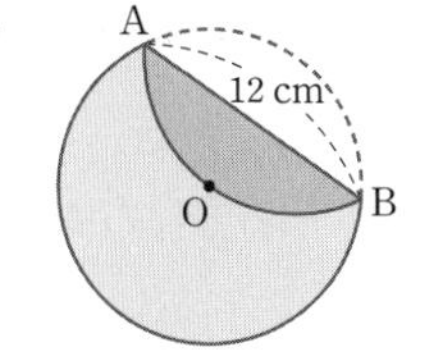

07 오른쪽 그림에서 $\overrightarrow{PA}$, $\overrightarrow{PB}$가 원 O의 접선이고 $\angle APB=60°$, $\overline{PA}=6$ cm일 때, 다음 중 옳지 않은 것을 모두 고르면? (정답 2개)

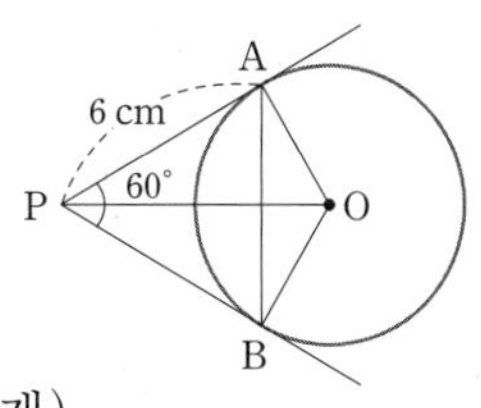

① $\angle AOB=120°$
② $\overline{OA}=3\sqrt{3}$ cm
③ $\triangle APB=9\sqrt{3}$ cm^2
④ $\overline{AB}=6\sqrt{3}$ cm
⑤ $\triangle APB$는 정삼각형이다.

08 오른쪽 그림에서 반직선 CP는 원 O의 접선이고 $\overline{AB}$는 원 O의 지름이다. $\angle BAP=30°$일 때, $\overline{BC}$의 길이는?

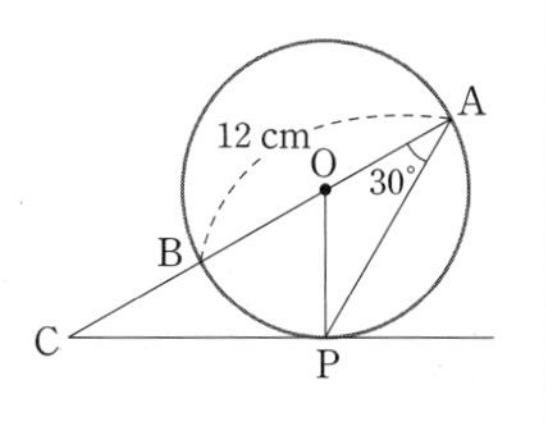

① 6 cm ② 7 cm ③ 8 cm
④ 9 cm ⑤ 10 cm

09 오른쪽 그림과 같이 원 I는 직각삼각형 ABC의 내접원이고 세 점 D, E, F는 그 접점일 때, 내접원 I의 반지름의 길이를 구하시오.

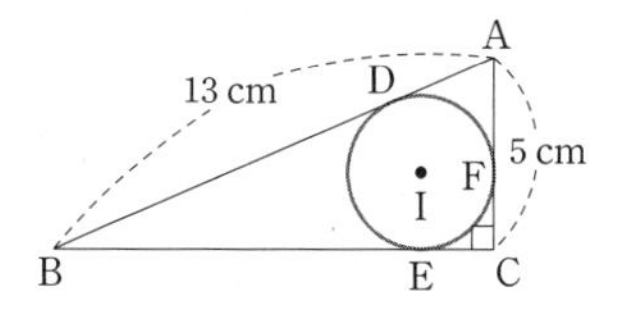

10 오른쪽 그림에서 점 I가 직각삼각형 ABC의 내심이고 $\overline{AB}=5$ cm이다. 원 I의 반지름의 길이가 2 cm일 때, $\overline{AC}$의 길이를 구하시오.

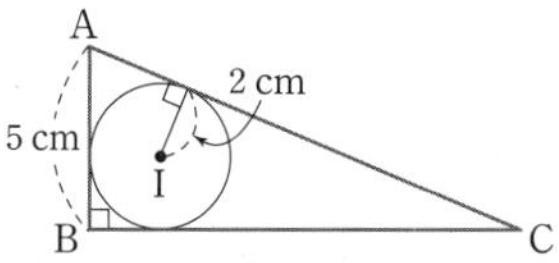

11 오른쪽 그림에서 □ABCD는 원 O에 외접하고 $\overline{AB}+\overline{CD}=18$ cm일 때, $\overline{AD}+\overline{BC}$의 길이를 구하시오.

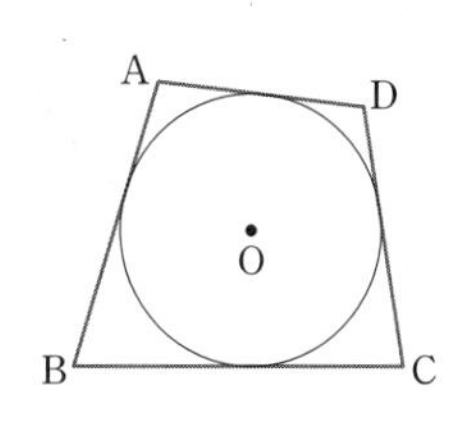

12 오른쪽 그림과 같이 대각선의 길이가 8 cm인 정사각형에 내접하는 원의 넓이는?

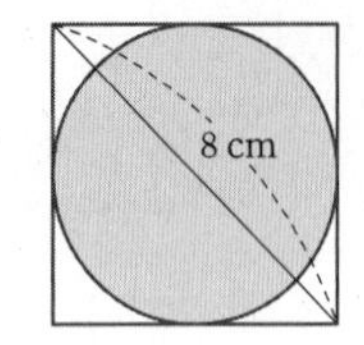

① 4π cm^2 ② 6π cm^2 ③ 8π cm^2 ④ 10π cm^2 ⑤ 12π cm^2

13 오른쪽 그림과 같이 나무의 단면이 지름이 50 cm인 원이고, 이 나무를 정사각형으로 잘라 한옥의 기둥으로 쓰려고 한다. 버려지는 부분이 최소가 되도록 할 때, 이 기둥의 단면인 정사각형의 한 변의 길이는?

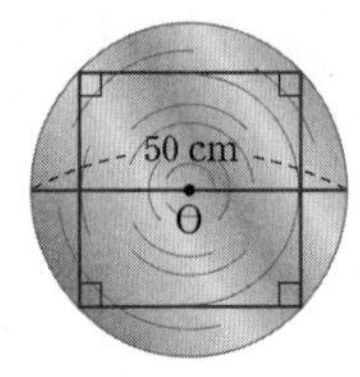

① $20\sqrt{2}$ cm ② 30 cm ③ $25\sqrt{2}$ cm ④ 40 cm ⑤ $50\sqrt{2}$ cm

14 오른쪽 그림과 같이 지름이 10 cm인 반원 O에 내접하는 정사각형 ABCD가 있다. 이 정사각형의 넓이는?

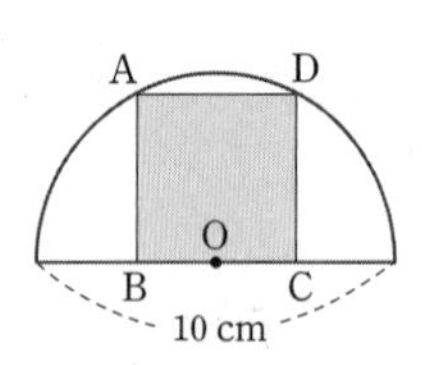

① 15 cm^2 ② 20 cm^2 ③ 25 cm^2 ④ 30 cm^2 ⑤ 35 cm^2

15 오른쪽 그림에서 $\overline{AD}$, $\overline{DC}$, $\overline{BC}$는 각각 세 점 A, E, B를 접점으로 하는 반원 O의 접선이고 $\overline{AD}=2$ cm, $\overline{EC}=6$ cm일 때, □ABCD의 넓이를 구하시오.

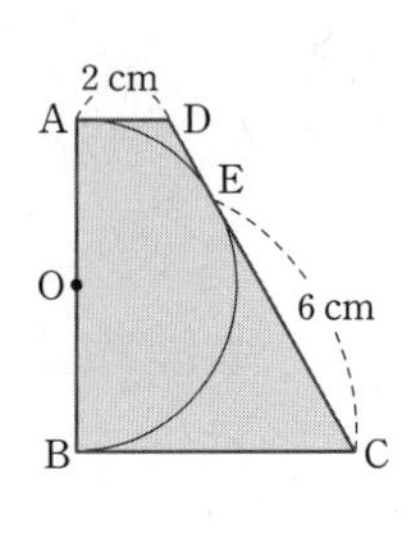

16 오른쪽 그림에서 $\overline{AD}$, $\overline{DC}$, $\overline{BC}$는 각각 세 점 A, P, B를 접점으로 하는 원 O의 접점이고, 원 O의 지름이 12 cm이다. $\overline{AD}=4$ cm, $\overline{BC}=9$ cm일 때, △DOC의 둘레의 길이를 구하시오.

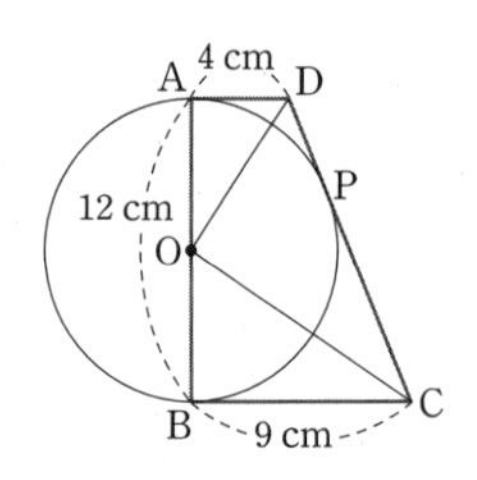

17 오른쪽 그림에서 세 점 D, E, F가 원 O의 접점일 때, $\overline{AD}$의 길이는?

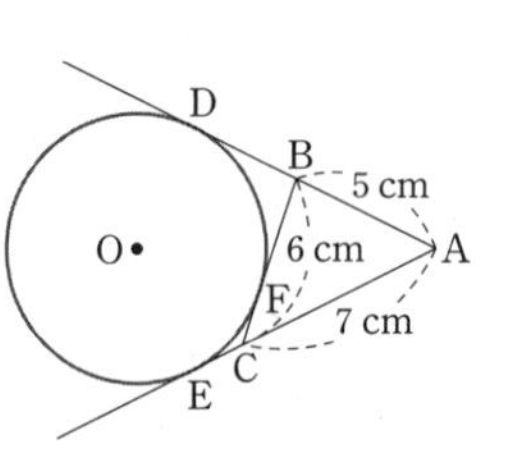

① 7 cm ② 9 cm ③ 11 cm ④ 13 cm ⑤ 15 cm

18 오른쪽 그림과 같이 $\angle A=90^\circ$인 직각삼각형 ABC에서 세 변을 지름으로 하는 반원을 그렸다. 이때 어두운 부분의 넓이는?

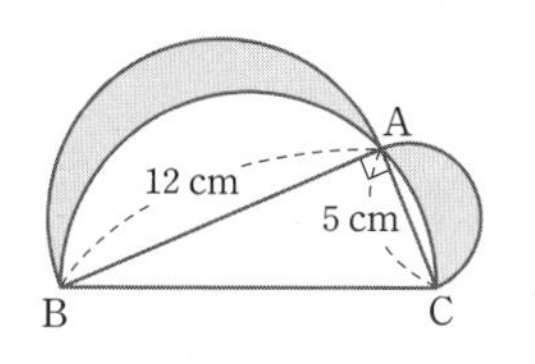

① 30 cm^2 ② 48 cm^2 ③ 60 cm^2
④ $72\pi\text{ cm}^2$ ⑤ $169\pi\text{ cm}^2$

19 오른쪽 그림과 같은 좌표평면에서 4개의 부채꼴 OA′B, OB′C, OC′D, OD′E의 원의 중심인 O로부터 거리가 2인 점을 모두 고르면? (정답 2개)

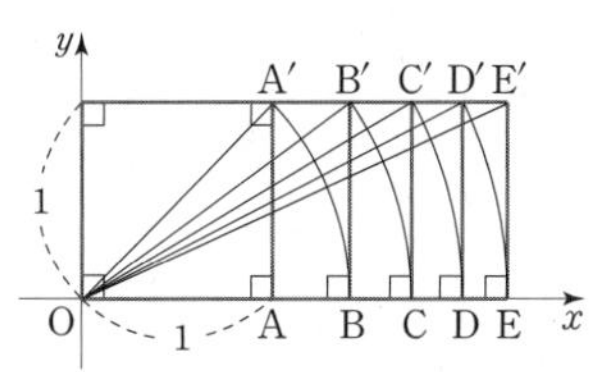

① 점 C′ ② 점 C ③ 점 D′
④ 점 D ⑤ 점 E

20 오른쪽 그림에서 □OAA′P는 정사각형이고 3개의 부채꼴 OA′B, OB′C, OC′D는 모두 점 O를 중심으로 한다. $\overline{OD'}=\sqrt{10}$ cm일 때, □OAA′P의 넓이는?

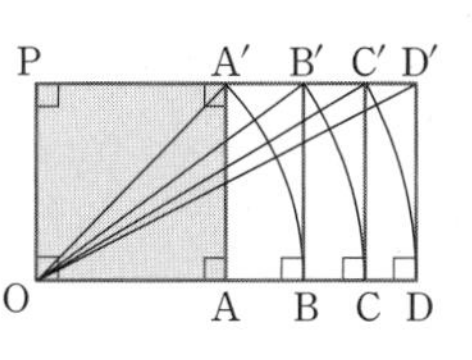

① 1 cm^2 ② 2 cm^2 ③ 3 cm^2
④ 4 cm^2 ⑤ 5 cm^2

21 오른쪽 그림과 같은 반원에서 두 현 AC, BD의 연장선의 교점을 P라 하자. $\angle APB=62^\circ$일 때, $\angle x$의 크기를 구하시오.

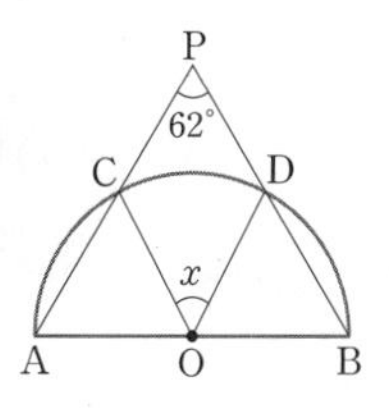

22 오른쪽 그림에서 $\overrightarrow{PT}$는 반지름의 길이가 5 cm인 원 O의 접선이다. $\angle APT=30^\circ$일 때, $\overline{BT}$의 길이를 구하시오.

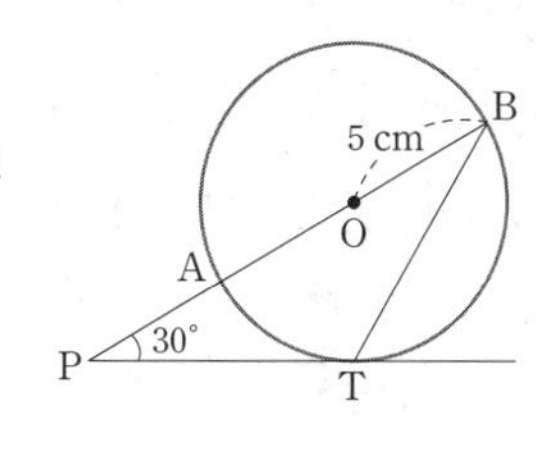

23 오른쪽 그림에서 $\angle AOC=130^\circ$, $\angle BCO=60^\circ$일 때, $\angle x$의 크기는?

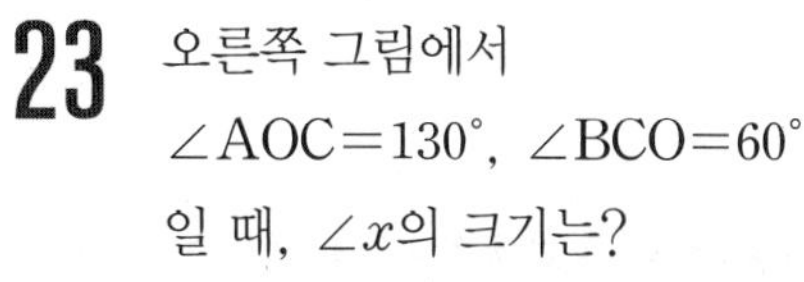

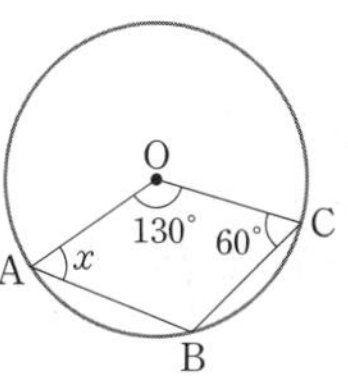

① 40° ② 45°
③ 50° ④ 55°
⑤ 60°

24 다음 그림에서 두 점 P, Q는 두 원 O, O′의 교점이고 ∠ACE=112° ∠COP=170°일 때, ∠y−∠x의 크기를 구하시오.

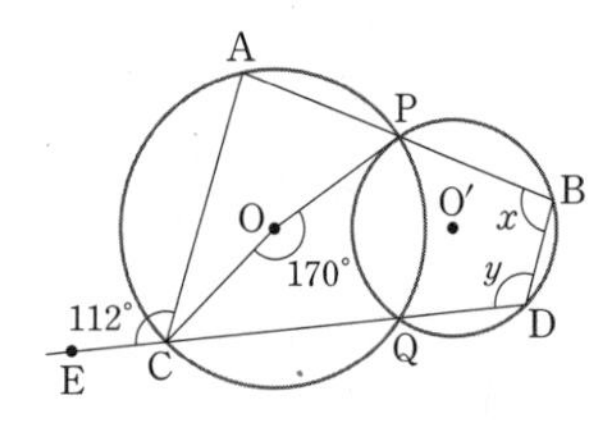

25 오른쪽 그림과 같이 오각형 ABCDE가 원 O에 내접하고 ∠B=135°, ∠D=84°일 때, ∠x의 크기는?

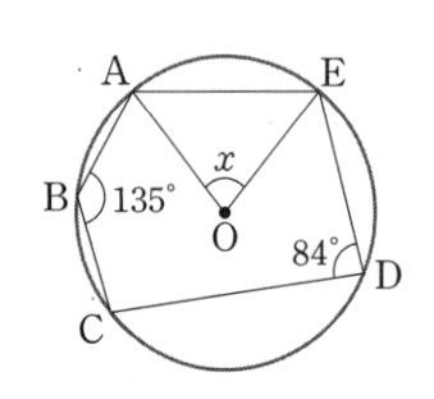

① 39° ② 45° ③ 54°
④ 69° ⑤ 78°

26 다음 중 □ABCD가 원에 내접하지 않는 것을 모두 고르면? (정답 2개)

①
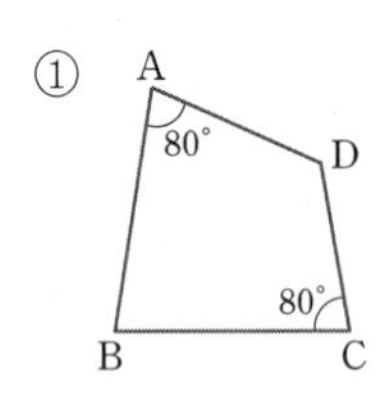

②
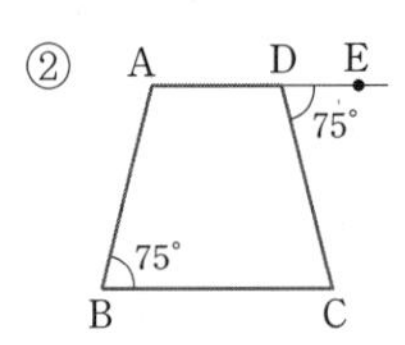

③
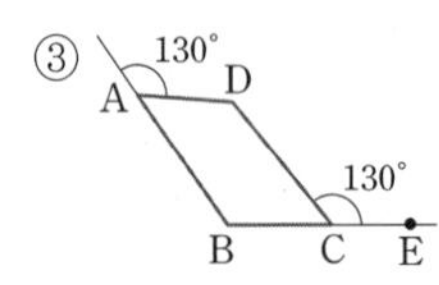

④
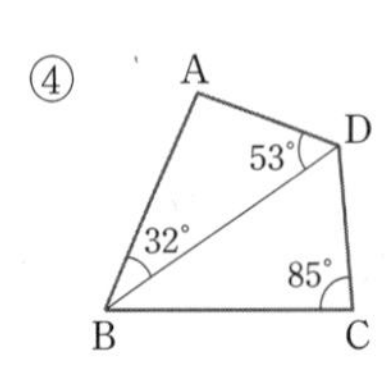

⑤
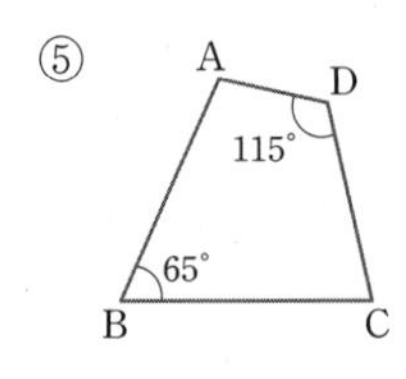

27 오른쪽 그림과 같이 반지름의 길이가 3 cm인 구에 내접하는 정육면체의 부피는?

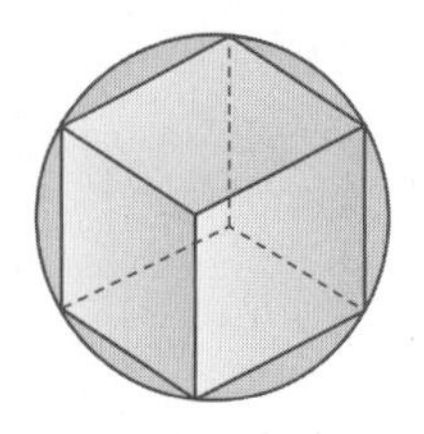

① $3\sqrt{3}\text{ cm}^3$ ② $8\sqrt{3}\text{ cm}^3$
③ $12\sqrt{3}\text{ cm}^3$ ④ $18\sqrt{3}\text{ cm}^3$
⑤ $24\sqrt{3}\text{ cm}^3$

28 오른쪽 그림과 같은 전개도로 원뿔을 만들면 원뿔의 높이는 x cm, 부피는 $y\text{ cm}^3$가 된다. 이때 xy의 값은?

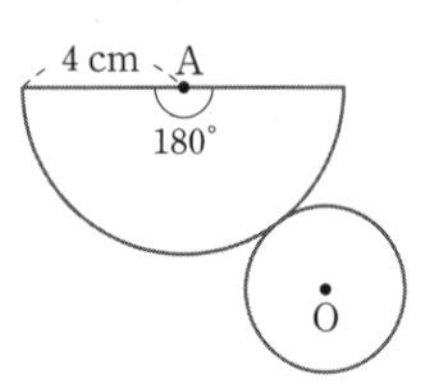

① $2\sqrt{3}\pi$ ② $\frac{8\sqrt{3}}{3}\pi$ ③ 8π
④ $\frac{14\sqrt{3}}{3}\pi$ ⑤ 16π

29 오른쪽 그림과 같은 전개도로 원뿔을 만들 때, 이 원뿔의 높이는?

① $2\sqrt{3}$ cm
② $2\sqrt{5}$ cm
③ $4\sqrt{3}$ cm
④ $2\sqrt{13}$ cm
⑤ $4\sqrt{5}$ cm

III 통계

1. 대푯값과 산포도

2. 상관관계

1 대푯값과 산포도

1 대푯값

(1) **대푯값** : 자료 전체의 특징을 대표적으로 나타내는 값

(2) **대푯값의 종류**

① 평균(mean) : 전체 변량의 총합을 변량의 개수로 나눈 값, 즉

$$(\text{평균})=\frac{(\text{변량})\text{의 총합}}{(\text{변량})\text{의 개수}}$$

② 중앙값(median) : 각 변량을 크기순으로 나열할 때, 중앙에 오는 값

③ 최빈값(mode) : 각 변량 중에서 도수가 가장 큰 값

+ 자료의 개수가 짝수 개인 경우의 중앙값은 중앙에 있는 두 값의 평균이다.

2 산포도

(1) **산포도** : 자료들이 대푯값 주위에 흩어져 있는 정도를 하나의 수로 나타낸 값

① 자료들이 대푯값으로부터 멀리 흩어져 있으면 산포도가 크고, 대푯값 주위에 밀집되어 있으면 산포도가 작다.

② 산포도로는 분산과 표준편차가 가장 많이 쓰인다.

(2) **편차** : 어떤 자료의 각 변량에서 평균을 뺀 값, 즉

$(\text{편차})=(\text{변량})-(\text{평균})$

+ • 편차의 총합은 항상 0이다.
• 편차의 절댓값이 클수록 변량은 평균에서 멀리 떨어져 있다.

(3) **분산과 표준편차**

① $(\text{분산})=\frac{\{(\text{변량})-(\text{평균})\}^2\text{의 총합}}{(\text{변량})\text{의 개수}}=\frac{(\text{편차})^2\text{의 총합}}{(\text{변량})\text{의 개수}}$

② $(\text{표준편차})=\sqrt{(\text{분산})}$

③ 표준편차가 작을수록 자료가 평균 가까이에 밀집되어 있는 것이므로 자료의 분포 상태가 고르다고 할 수 있다.

개념+ 표준편차는 분산의 양의 제곱근이다.

+ **분산을 구하는 순서**
① 평균을 구한다.
② 평균을 이용하여 편차를 구한다.
③ $(\text{편차})^2$을 구한다.
④ $(\text{편차})^2$의 총합을 구하여 변량의 개수로 나눈다.

3 도수분포표에서의 평균, 분산, 표준편차

(1) $(\text{평균})=\frac{\{(\text{계급값})\times(\text{도수})\}\text{의 총합}}{(\text{도수})\text{의 총합}}$

(2) $(\text{분산})=\frac{[\{(\text{계급값})-(\text{평균})\}^2\times(\text{도수})]\text{의 총합}}{(\text{도수})\text{의 총합}}$

$=\frac{\{(\text{편차})^2\times(\text{도수})\}\text{의 총합}}{(\text{도수})\text{의 총합}}$

(3) $(\text{표준편차})=\sqrt{(\text{분산})}$

개념+ 각 계급의 가운데 값을 계급값이라 한다.

+ • $\{(\text{계급값})\times(\text{도수})\}$의 총합을 모든 변량의 총합과 같다고 본다.
• $(\text{편차})=(\text{계급값})-(\text{평균})$

+ 단위가 있는 자료의 평균, 편차, 표준편차에는 단위를 붙이고, 분산에는 단위를 붙이지 않는다.

주제별 실력다지기

정답과 풀이 41쪽

1 대표값 – 평균

01 오른쪽은 A, B 두 반의 80 m 달리기 평균 기록을 조사하여 나타낸 표이다. 이때 A, B 두 반 전체 학생 30명의 평균 기록은?

	학생 수(명)	평균 기록(초)
A반	10	15
B반	20	14.4

① 14.5초 ② 14.6초 ③ 14.7초
④ 14.8초 ⑤ 14.9초

먼저 A반, B반의 기록의 총합을 각각 구한다.

02 중간고사에서 길동이네 반의 평균 점수는 58점, 이슬이네 반의 평균 점수는 62점이었다. 두 반을 합한 전체 평균 점수가 59점일 때, 길동이네 반과 이슬이네 반의 학생 수의 비를 가장 간단한 자연수의 비로 나타내시오.

두 반의 학생 수를 각각 x명, y명으로 놓고 전체 평균 점수에 관한 식을 세운다.

03 6개의 변량 a, b, c, d, e, f의 평균이 12일 때, 6개의 변량 $-2a+1$, $-2b+1$, $-2c+1$, $-2d+1$, $-2e+1$, $-2f+1$에 대하여 다음 물음에 답하시오.

(1) $a+b+c+d+e+f$의 값을 구하시오.
(2) $(-2a+1)+(-2b+1)+(-2c+1)+(-2d+1)+(-2e+1)+(-2f+1)$의 값을 구하시오.
(3) 6개의 변량 $-2a+1$, $-2b+1$, $-2c+1$, $-2d+1$, $-2e+1$, $-2f+1$의 평균을 구하시오.

04 4개의 변량 a, b, c, d의 평균이 13일 때, 4개의 변량 $2a$, $2b$, $2c$, $2d$의 평균은?

① 13 ② 26 ③ 27
④ 39 ⑤ 40

05

중찬이가 4회에 걸쳐 치른 수학 시험의 평균 점수는 88점이었다. 수학 시험을 한 번 더 치른 후 5회까지의 평균 점수가 90점 이상이 되도록 할 때, 5회째의 수학 시험에서 중찬이는 최소한 몇 점을 받아야 하는지 구하시오.

5회째의 수학 점수를 x점이라 놓고 5회까지의 평균 점수에 관한 식을 세운다.

06

지선이가 3회에 걸쳐 측정한 100 m 달리기의 평균 기록은 17.2초였다. 100 m를 한 번 더 달린 후 4회까지의 평균 기록이 17초 이하가 되게 하려고 할 때, 4회째의 100 m 달리기에서 지선이는 몇 초 이내로 달려야 하는가?

① 16.2초 ② 16.4초 ③ 16.6초
④ 16.8초 ⑤ 17초

07

일경, 목련, 주현 세 사람이 수학 시험을 본 결과 일경이와 목련이의 평균 점수가 85점, 목련이와 주현이의 평균 점수가 79점, 일경이와 주현이의 평균 점수가 70점이었을 때, 세 사람의 평균 점수는?

① 78점 ② 79점 ③ 80점
④ 81점 ⑤ 82점

세 사람의 수학 점수를 각각 x점, y점, z점이라 놓고 평균 점수에 관한 식을 세운다.

08

A중학교 선생님 10명의 나이를 조사하였더니 나이가 가장 적은 선생님을 제외한 9명의 평균 나이는 31세, 나이가 가장 많은 선생님을 제외한 9명의 평균 나이는 26세였다. 나이가 가장 적은 선생님과 나이가 가장 많은 선생님의 나이의 합이 67세일 때, A중학교 선생님 10명의 평균 나이를 구하시오.

2 대표값 – 중앙값과 최빈값

09 다음 설명 중 옳지 않은 것은?

① 최빈값은 자료에 따라 2개 이상일 수도 있고 없을 수도 있다.
② 짝수 개의 자료의 중앙값은 자료를 크기순으로 나열할 때, 중앙에 있는 두 값의 평균이다.
③ 평균, 중앙값, 최빈값이 모두 같을 수도 있다.
④ 자료 전체의 특징을 대표적인 수로 나타낼 때, 그 값을 평균이라 한다.
⑤ 자료에 매우 크거나 매우 작은 값이 있는 경우에는 중앙값이 평균보다 자료 전체의 특징을 더 잘 대표할 수 있다.

- 평균 : 전체 변량의 총합을 변량의 개수로 나눈 값
- 중앙값 : 각 변량을 크기순으로 나열할 때, 중앙에 오는 값
- 최빈값 : 각 변량 중에서 도수가 가장 큰 값

10 다음은 현정이네 반 학생 5명의 몸무게를 조사하여 나타낸 것이다. 옳지 않은 것을 모두 고르면? (정답 2개)

(단위 : kg)

49, 46, 45, 46, 44

① 중앙값은 46 kg이다.
② 최빈값은 46 kg이다.
③ 평균은 45 kg이다.
④ (평균) < (최빈값) < (중앙값)
⑤ 평균, 중앙값, 최빈값의 평균은 46 kg이다.

11 다음 자료의 중앙값과 최빈값을 각각 구하시오.

13, 6, 21, 30, 17, 13, 21, 13

먼저 주어진 자료를 크기순으로 나열한다.

12 다음 자료의 최빈값이 4, 중앙값이 5일 때, 두 자연수 a, b의 값을 각각 구하시오. (단, $a>b$)

a, 4, 8, b, 4, 6, 6

13

다음은 영주네 반 학생 6명의 쪽지시험 점수를 조사하여 나타낸 것이다. 이 자료의 최빈값이 9점이고 $a+b=14$일 때, 중앙값은? (단, $a>b$)

(단위 : 점)

10, 8, a, 6, 9, b

① 7점　② 7.5점　③ 8점
④ 8.5점　⑤ 9점

3 산포도 – 편차, 분산, 표준편차

14

다음은 현정이네 반 학생 6명의 일주일 동안의 독서 시간의 편차를 조사하여 나타낸 표이다. 현정이의 독서 시간이 3시간일 때, 전체 6명의 독서 시간의 평균과 독서 시간이 가장 긴 학생의 독서 시간을 차례로 구하시오.

학생	현정	은정	주연	화영	구름	지수
편차(시간)		3	−2	1	4	−3

• 편차의 총합은 항상 0이다.
• (편차)=(변량)−(평균)에서
(평균)=(변량)−(편차)
(변량)=(편차)+(평균)

최상위 Q&A 005

a, b, c의 평균이 5, 표준편차가 $\sqrt{2}$일 때 $a+1$, $b+1$, $c+1$의 평균과 분산, 표준편차는?

a, b, c에서 변량이 모두 1씩 커졌다면 평균 역시 1만큼 커진다. 하지만 변량 사이의 간격이 변함없으므로 표준편차는 변하지 않는다.

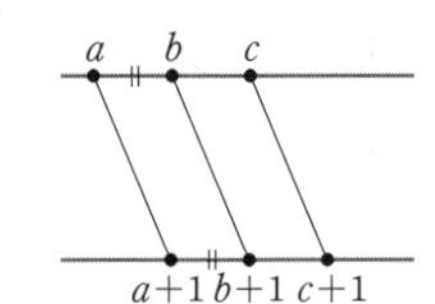

따라서 평균은 $5+1=6$, 표준편차는 $\sqrt{2}$이다.

15

다음은 강식이네 반 학생 4명의 몸무게의 편차를 조사하여 나타낸 표이다. 승우의 몸무게가 68 kg일 때, 강식이의 몸무게는?

학생	강식	승우	기훈	송이
편차(kg)	4		7	−14

① 61 kg　② 64 kg　③ 66 kg
④ 68 kg　⑤ 69 kg

16

오른쪽은 현지네 모둠 학생 4명의 수행평가 점수와 편차를 조사하여 나타낸 표이다. 다음 물음에 답하시오.

학생	현지	소율	지혜	유린
점수(점)	18	x	19	y
편차(점)	a	−3	b	4

(1) 수행평가 점수의 평균을 구하시오.
(2) x, y의 값을 각각 구하시오.

(지혜의 점수)−(현지의 점수)
=(지혜의 편차)−(현지의 편차)

17

다음은 6명의 학생이 여름 방학 동안에 한 봉사활동 시간의 편차를 조사하여 나타낸 것이다. 봉사활동 시간의 분산은?

(단위 : 시간)

-1, -3, 3, a, 2, 2

① 6　② 7　③ 8
④ 9　⑤ 10

(분산)
$=\dfrac{(\text{편차})^2\text{의 총합}}{(\text{변량})\text{의 총 개수}}$
$=\dfrac{\{(\text{변량})-(\text{평균})\}^2\text{의 총합}}{(\text{변량})\text{의 총 개수}}$

18

다음은 은정이의 5회에 걸친 쪽지시험 점수를 조사하여 나타낸 것이다. 은정이의 쪽지시험 점수의 분산은?

(단위 : 점)

33, 38, 26, 26, 32

① 19.2　② 20.8　③ 21
④ 31　⑤ 104

평균을 먼저 구한 후, 편차와 분산을 구한다.

19

다음은 5개 회사의 스마트폰을 대상으로 진동 모드에서 1분 동안 울리는 진동 횟수를 조사하여 나타낸 표이다. 이때 1분 동안 울리는 진동 횟수의 분산은?

스마트 폰	A	B	C	D	E
진동 횟수(회)	28	27	28	22	30

① 6　② 6.5　③ 7
④ 7.2　⑤ 7.5

20

다음은 표준편차를 구하는 과정이다. 순서대로 나열하시오.

ㄱ. 편차의 제곱을 구한다.
ㄴ. 분산의 양의 제곱근을 구한다.
ㄷ. $(\text{편차})^2$의 총합을 변량의 개수로 나눈다.
ㄹ. 평균을 구한다.
ㅁ. (변량)$-$(평균)을 구한다.

21

다음은 학생 8명의 일주일 동안의 학습 시간의 편차를 조사하여 나타낸 것이다. 이때 학습 시간의 표준편차는?

(단위 : 시간)

$-4,\ x,\ 8,\ -2,\ 1,\ 3,\ 1,\ 0$

① 3시간　② $3\sqrt{2}$시간　③ $2\sqrt{5}$시간
④ $2\sqrt{6}$시간　⑤ $4\sqrt{2}$시간

(표준편차)$=\sqrt{(\text{분산})}$

22

다음 10개의 자료의 평균이 25일 때, 물음에 답하시오.

$22,\ 22,\ 23,\ 24,\ 24,\ a,\ 25,\ 26,\ 28,\ 31$

(1) a의 값을 구하시오.
(2) 분산을 구하시오.
(3) 표준편차를 구하시오.

23

6개의 변량 x, 28, 24, 22, 19, 24의 평균이 24일 때, x의 값과 표준편차를 차례로 구하면?

① 24, $\sqrt{3}$　② 24, 9　③ 27, $\sqrt{3}$
④ 27, 3　⑤ 29, 9

4 산포도를 이용한 자료의 해석

24

다음 설명 중 옳지 않은 것을 모두 고르면? (정답 2개)

① 편차의 절댓값이 클수록 변량은 평균에 가까이 있다.
② 분산과 표준편차는 평균을 대푯값으로 이용하는 산포도이다.
③ 각 변량의 편차의 절댓값이 클수록 분산은 크다.
④ 산포도로 자료의 흩어진 정도를 알 수 있다.
⑤ 자료들의 분포가 고를수록 표준편차가 크다.

산포도는 자료들이 대푯값의 주위에 밀집되어 있을수록 작고, 대푯값으로부터 멀리 떨어져 있을수록 크다.

25

다음은 주영, 소율, 유린 세 학생의 3일 동안의 음악 감상 시간을 조사하여 나타낸 표이다. 이때 음악 감상 시간이 고른 학생부터 순서대로 쓰시오.

	주영	소율	유린
첫째 날	4시간	3시간	1시간
둘째 날	1시간	1시간	3시간
셋째 날	1시간	2시간	5시간

세 학생의 음악 감상 시간의 평균을 각각 구한 후, 분산을 구하면 음악 감상 시간이 고른 학생을 알 수 있다.

26

다음은 현지, 지혜, 규리의 중간고사 수학 성적과 전과목 성적의 평균, 분산을 조사하여 나타낸 표이다. 성적이 가장 우수한 학생은 (가)이고, 상대적으로 다른 과목보다 수학 성적이 우수한 학생은 (나)이며, 전과목의 성적이 가장 고른 학생은 (다)이다. 이때 (가), (나), (다)에 알맞은 학생을 차례로 구하면?

	현지	지혜	규리
수학 성적(점)	88	93	90
전과목 평균(점)	89	90	85
전과목 분산	9	11	10

① 지혜, 지혜, 현지 ② 현지, 현지, 규리 ③ 지혜, 규리, 현지
④ 현지, 지혜, 규리 ⑤ 지혜, 규리, 지혜

27

오른쪽은 현지와 영민이의 육상 10종 경기에 대한 종합점수의 평균과 표준편차를 조사하여 나타낸 표이다. 다음 설명 중 옳은 것은?

	현지	영민
평균(점)	802.6	780.8
표준편차(점)	17.1	15.5

① 최소한 5종목 이상에서 현지의 점수가 영민이의 점수보다 높음을 알 수 있다.
② 영민이는 최소한 1종목 이상에서 현지를 이겼음을 알 수 있다.
③ 영민이가 현지보다 육상 10종 경기를 더 잘함을 알 수 있다.
④ 영민이의 각 종목에 대한 점수가 현지의 각 종목에 대한 점수보다 더 고름을 알 수 있다.
⑤ 현지가 영민이보다 더 많이 연습했음을 알 수 있다.

28

오른쪽 세 자료 A, B, C를 분포가 고른 것부터 순서대로 나열하시오.

A : 1, 2, 3, 4, 5, 5, 4, 3, 2, 1
B : 2, 2, 4, 2, 2, 4, 2, 2, 4, 6
C : 1, 3, 5, 1, 3, 5, 1, 3, 5, 3

(평균) → (편차) → (분산)의 순서로 세 자료의 분산을 구한다.

29 3개의 변량 a, b, c의 평균이 7이고, 분산이 13일 때, 물음에 답하시오.

(1) $a+b+c$의 값을 구하시오.

(2) $a^2+b^2+c^2$의 값을 구하시오.

(3) a^2, b^2, c^2의 평균을 구하시오.

주어진 조건을 이용하여 식을 세운 후 변형시켜 구하려고 하는 식이 나오도록 한다.
예를 들어 변량 x_1, x_2, $\cdots$, x_n의 평균이 m이라 하면
$\frac{x_1+x_2+\cdots+x_n}{n}=m$에서
$x_1+x_2+\cdots+x_n=mn$이라는 식을 세울 수 있다.

30 3개의 변량 a, b, c의 평균이 3이고, 분산이 9일 때, 물음에 답하시오.

(1) $3a-1$, $3b-1$, $3c-1$의 평균을 구하시오.

(2) $3a-1$, $3b-1$, $3c-1$의 분산을 구하시오.

31 4개의 변량 9, 7, a, b의 평균이 5이고, 분산이 10일 때, ab의 값을 구하시오.

32 3개의 변량 x, y, z의 평균이 4이고, 표준편차가 3일 때, $2x^2$, $2y^2$, $2z^2$의 평균을 구하시오.

표준편차를 이용하여 분산을 구해 분산에 관한 식을 세운다.

33 3개의 변량 a_1, a_2, a_3의 평균은 5이고, 표준편차는 3이다. 이때 a_4를 포함한 4개의 변량 a_1, a_2, a_3, a_4에 대하여 물음에 답하시오. (단, $a_4=9$)

(1) a_1, a_2, a_3, a_4의 평균을 구하시오.
(2) a_1, a_2, a_3, a_4의 분산을 구하시오.

34 4개의 변량 x_1, x_2, x_3, 8의 평균은 5이고, 표준편차는 2이다. 이때 3개의 변량 x_1, x_2, x_3의 평균과 표준편차를 각각 구하시오.

35 동진이가 연필 3자루의 길이를 측정했더니 평균이 10 cm이고 분산이 5였다. 그런데 실수로 실제 길이가 13 cm인 한 연필의 길이를 10 cm로 잘못 측정한 것을 알았을 때, 물음에 답하시오.

(1) 세 연필의 실제 길이의 평균을 구하시오.
(2) 세 연필의 실제 길이의 표준편차를 구하시오.

바르게 측정한 두 연필의 길이를 x cm, y cm로 놓고 잘못 측정한 길이로 식을 세운다.

6 도수분포표에서의 평균, 분산, 표준편차

36 다음 도수분포표를 보고 물음에 답하시오.

계급	계급값	도수	(계급값)×(도수)	편차	(편차)^2×(도수)
10이상 ~ 20미만		2			
20 ~ 30		6			
30 ~ 40		9			
40 ~ 50		2			
50 ~ 60		1			
합계		20			

(1) 빈칸을 채워 위의 표를 완성하시오.
(2) 분산을 구하시오.
(3) 표준편차를 구하시오.

도수분포표에서
- (평균) $=\dfrac{\{(\text{계급값})\times(\text{도수})\}\text{의 총합}}{(\text{도수})\text{의 총 개수}}$
- (분산) $=\dfrac{\{(\text{편차})^2\times(\text{도수})\}\text{의 총합}}{(\text{도수})\text{의 총 개수}}$
- (표준편차) $=\sqrt{(\text{분산})}$

37

오른쪽은 어느 회사원 30명이 출근하는 데 걸리는 시간을 조사하여 나타낸 도수분포표이다. 물음에 답하시오.

(1) 평균을 구하시오.
(2) 분산을 구하시오.
(3) 표준편차를 구하시오.

시간(분)	도수(명)
25이상 ~ 35미만	2
35 ~ 45	6
45 ~ 55	12
55 ~ 65	7
65 ~ 75	3
합계	30

38

오른쪽은 어느 반 남학생 20명의 1분 동안의 윗몸 일으키기 횟수를 조사하여 나타낸 도수분포표이다. 물음에 답하시오.

(1) 평균을 구하시오.
(2) 분산을 구하시오.
(3) 표준편차를 구하시오.

횟수(회)	도수(명)
10이상 ~ 20미만	1
20 ~ 30	4
30 ~ 40	x
40 ~ 50	6
50 ~ 60	5
합계	20

39

오른쪽 표는 선영이네 반 학생 20명의 지난 5일 동안의 인터넷 사용 시간을 조사하여 나타낸 도수분포표이다. 인터넷 사용 시간의 평균과 분산을 각각 구하시오.

사용 시간(시간)	도수(명)
0이상 ~ 4미만	1
4 ~ 8	x
8 ~ 12	$3x$
12 ~ 16	8
16 ~ 20	3
합계	20

각 계급의 도수를 먼저 구한다.

40

다음은 현정이네 반 학생들의 키를 조사하여 나타낸 도수분포표이다. 키의 평균이 170 cm일 때, 물음에 답하시오.

키(cm)	도수(명)	계급값(cm)	(계급값)×(도수)	편차(cm)	(편차)^2×(도수)
145^{이상} ~ 155^{미만}	2				
155 ~ 165	9				
165 ~ 175	17				
175 ~ 185	x				
185 ~ 195	1				
합계					

(1) x를 사용하여 빈칸을 채워 위의 표를 완성하시오.

(2) x의 값을 구하시오.

(3) 표준편차를 구하시오.

41

오른쪽은 은정이네 반 학생 20명의 수행평가 점수를 조사하여 나타낸 도수분포표이다. 수행평가 점수의 평균이 7.5점일 때, 표준편차를 구하시오.

점수(점)	도수(명)
5^{이상} ~ 6^{미만}	2
6 ~ 7	x
7 ~ 8	8
8 ~ 9	4
9 ~ 10	y
합계	20

도수의 총합에 관한 식과 평균에 관한 식을 이용하여 연립방정식을 세운 후, x, y의 값을 각각 구한다.

42

오른쪽 히스토그램은 학생 10명의 수행평가 점수를 조사하여 나타낸 것이다. 이때 수행평가 점수의 표준편차는?

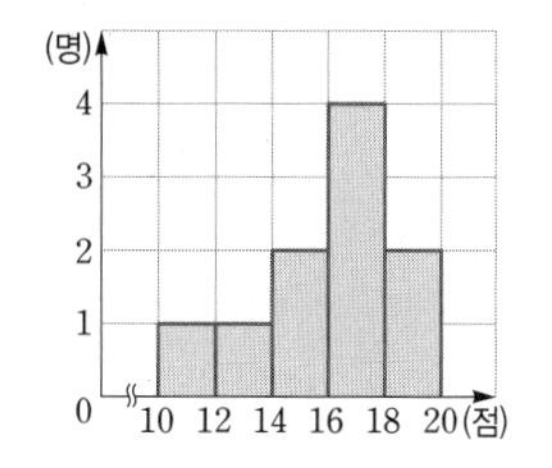

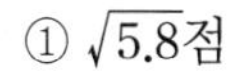

① $\sqrt{5.8}$점　② $\sqrt{6.2}$점　③ $\sqrt{6.6}$점　④ $\sqrt{7.2}$점　⑤ $\sqrt{7.4}$점

43

오른쪽 히스토그램은 민주네 반 학생 20명의 일주일 동안의 운동 시간을 조사하여 나타낸 것이다. 운동 시간의 표준편차를 구하시오.

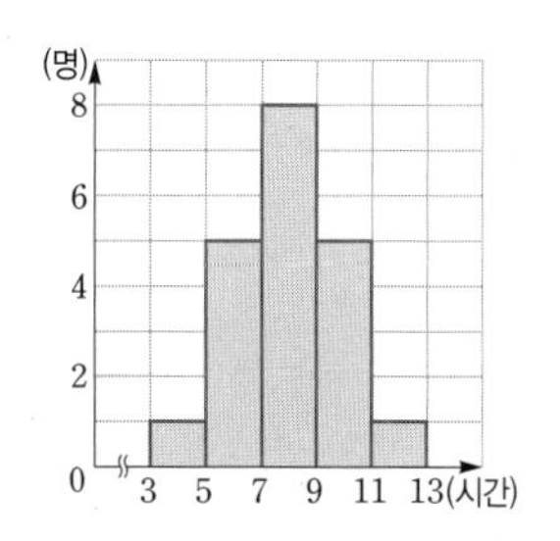

2 상관관계

1 산점도

두 변량 x, y 사이의 관계를 알아보기 위해서 오른쪽 그림과 같이 두 변량 x, y를 순서쌍으로 하는 점 (x, y)를 좌표평면 위에 나타낸 그림을 산점도라 한다.

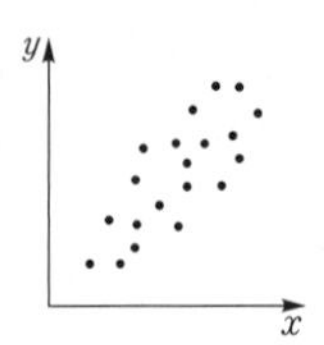

2 상관관계

(1) **상관관계** : 두 변량 사이에 어떤 관계가 있을 때, 이 관계를 상관관계라 한다.

(2) **상관관계의 종류** : 두 변량 x, y에 대하여

① 양의 상관관계 : x의 값이 증가함에 따라 y의 값도 대체로 증가하는 관계

예 키와 몸무게, 자동차 수와 공기오염도, 인구 수와 교통량

② 음의 상관관계 : x의 값이 증가함에 따라 y의 값은 대체로 감소하는 관계

예 겨울철 기온과 난방비, 산의 높이와 기온

③ 상관관계가 없다. : x의 값이 증가함에 따라 y의 값이 증가하는지 감소하는지 분명하지 않은 경우 상관관계가 없다고 한다.

예 몸무게와 지능지수, 저축액과 독서량, 자동차의 속력과 운전자의 키

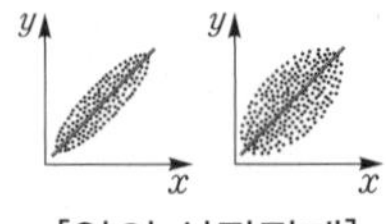

[양의 상관관계]

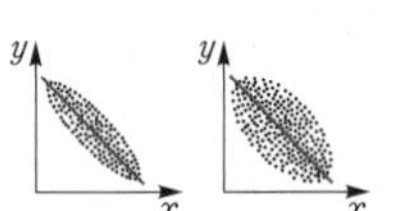
[음의 상관관계]

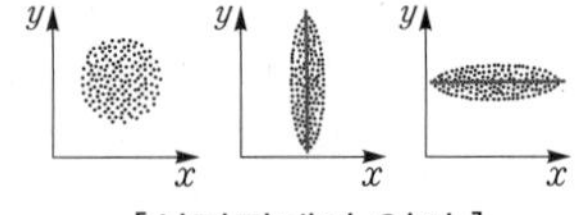
[상관관계가 없다.]

+ 산점도에서 점들이 한 직선 주위에 몰려 있을수록 '상관관계는 강하다.'고 하고, 흩어져 있을수록 '상관관계는 약하다.'고 한다.

3 상관표

(1) **상관표** : 두 변량 사이의 상관관계를 알아보기 위하여 두 변량의 도수분포를 함께 나타낸 표

(2) **상관표를 만드는 방법**

① 두 변량의 계급의 크기를 정한다.

② 가로줄은 왼쪽에서 오른쪽으로, 세로 줄은 아래쪽으로 위쪽으로 갈수록 변량의 값이 커지도록 표시한다.

③ 가로, 세로의 계급에 동시에 속하는 도수를 두 계급이 만나는 칸에 써넣는다.

	소	→		대	합계
대				↓	
↑					
	→		도수		
소					
합계				합계	

④ 각각의 가로줄과 세로줄의 합계를 계산하여 그 줄의 합계에 써넣는다.

+ **상관표를 만드는 이유**
자료의 수가 많아지면 산점도에서 점들이 겹치게 되어 정확한 분포상태를 파악하기 힘들다. 이때 상관표를 사용하면 정확하게 자료의 수를 표현할 수 있다.

주제별 실력다지기

정답과 풀이 48쪽

1 산점도

01 오른쪽 그림은 선영이네 반 학생 24명의 중간고사 성적과 기말고사 성적에 대한 산점도이다. 물음에 답하시오.

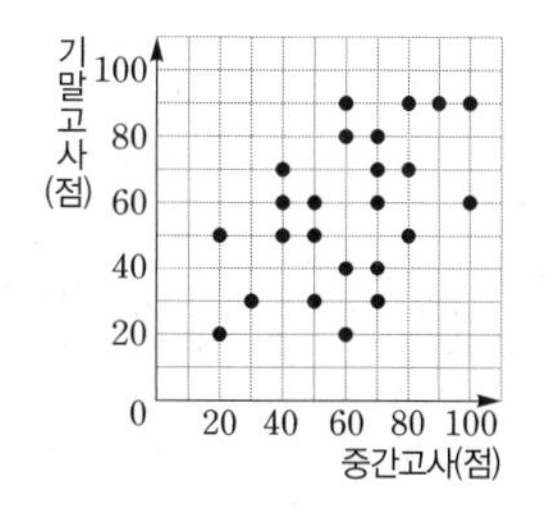

(1) 중간고사 성적과 기말고사 성적이 같은 학생 수를 구하시오.

(2) 중간고사 성적이 70점 이상인 학생 수를 구하시오.

(3) 기말고사 성적이 중간고사 성적보다 향상된 학생은 전체의 몇 %인지 구하시오.

(4) 중간고사 성적과 기말고사 성적의 차가 20점 이상인 학생 수를 구하시오.

02 오른쪽 그림은 동계올림픽 피겨스케이팅 여자 싱글 부분에 출전한 선수 20명의 쇼트프로그램과 프리스케이팅 점수에 대한 산점도이다. 물음에답하시오.

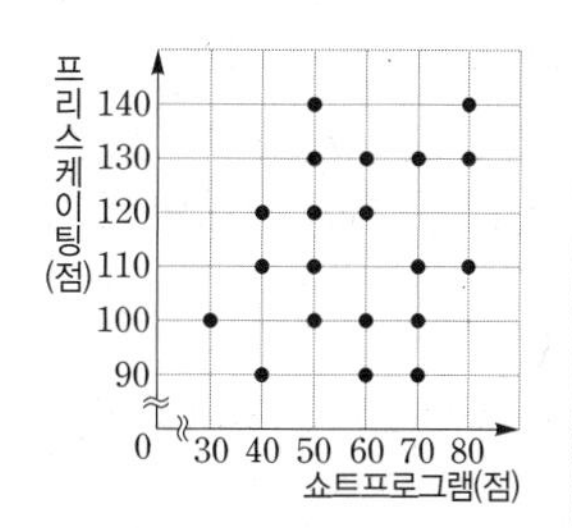

(1) 쇼트프로그램 점수가 60점 이상인 선수 중 프리스케이팅 점수가 110점 이상인 선수의 수를 구하시오.

(2) 두 종목의 점수의 합이 180점 이상인 선수는 전체의 몇 %인지 구하시오.

(3) 동계올림픽에서 메달을 따려면 두 종목의 점수 합계가 몇 점 이상이어야 하는지 구하시오.

03 오른쪽 그림은 희영이네 반 학생 25명의 음악 실기 점수와 필기 점수에 대한 산점도이다. 물음에 답하시오.

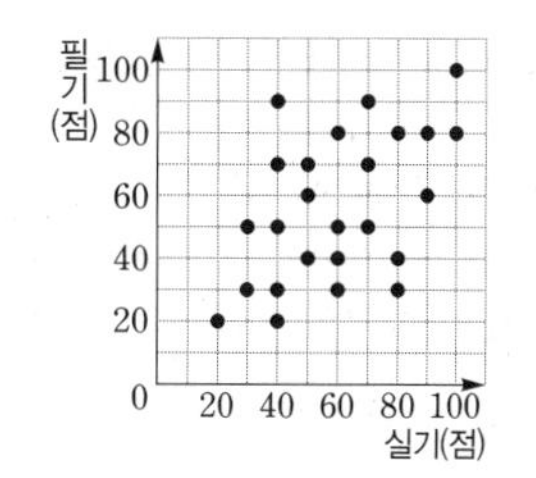

(1) 실기 점수와 필기 점수의 평균이 50점 이하인 학생은 전체의 몇 %인지 구하시오.

(2) 실기 점수와 필기 점수의 차가 20점 이상인 학생 수를 구하시오.

(3) 실기 점수와 필기 점수의 평균으로 중간고사 음악 성적을 낼 때, 음악 과목에서 상위 24 % 이내에 들려면 실기 점수와 필기 점수의 합이 최소한 몇 점 이상이 되어야 하는지 구하시오.

2 산점도에서 평균 구하기

04 오른쪽 그림은 준표네 반 학생 20명의 음악 점수와 미술 점수에 대한 산점도이다. 음악 점수와 미술 점수가 모두 80점 이상인 학생들의 음악 점수의 평균을 구하시오.

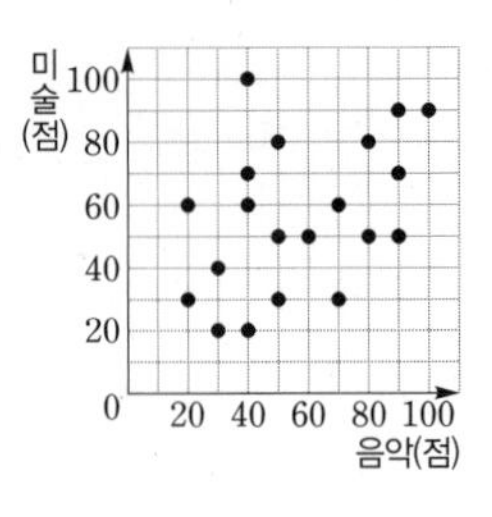

05 오른쪽 그림은 현정이네 반 학생 15명의 영어와 국어 성적의 산점도이다. 두 과목 중 적어도 한 과목에서 80점 이상을 받은 학생들의 영어 성적의 평균을 구하시오.

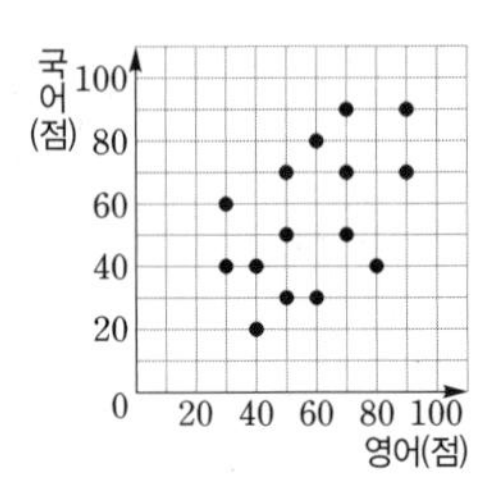

06 오른쪽 그림은 선영이네 반 학생 20명의 미술 실기 점수와 필기 점수에 대한 산점도이다. 필기보다 실기에서 더 높은 점수를 받은 학생들의 실기 점수의 평균을 구하시오.

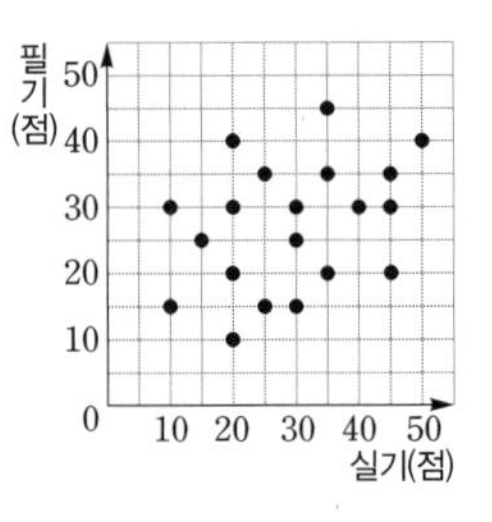

07 오른쪽 그림은 나연이네 중학교 야구부 타자 20명의 실전 경기와 연습 경기에서의 안타 개수를 조사하여 나타낸 산점도이다. 연습 경기보다 실전 경기에서 안타 개수가 더 많은 학생들은 연습 경기보다 실전 경기에서 평균 몇 개의 안타를 더 치는지 구하시오.

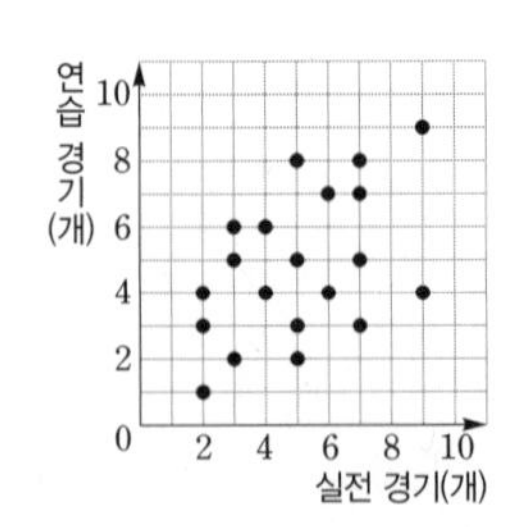

08

오른쪽 그림은 20대 남성 20명의 하루 평균 운동량과 일년 평균 질병 발생 횟수에 대한 산점도이다. 하루 평균 3시간 이상 운동하는 사람들의 질병 발생 횟수의 평균을 구하시오.

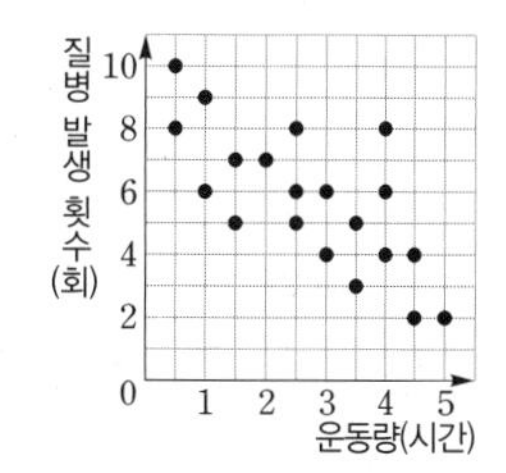

09

오른쪽 그림은 선영이네 반 학생 25명의 국어 점수와 영어 점수에 대한 산점도이다. 두 과목의 점수를 합하여 상위 6등인 학생보다 영어 성적이 높은 학생들의 국어 성적의 평균을 구하시오.

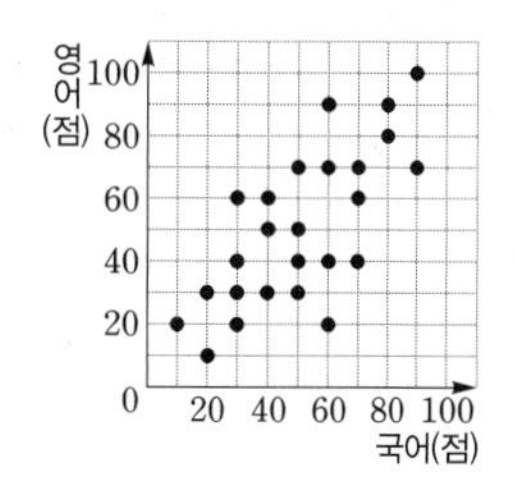

10

오른쪽 그림은 은정이네 반 학생 25명의 중학교 1학년과 2학년 때의 평균 성적을 조사하여 나타낸 산점도이다. 1학년과 2학년 2년 동안 평균 상위 32 % 이내인 학생들의 2학년 성적의 평균을 구하시오.

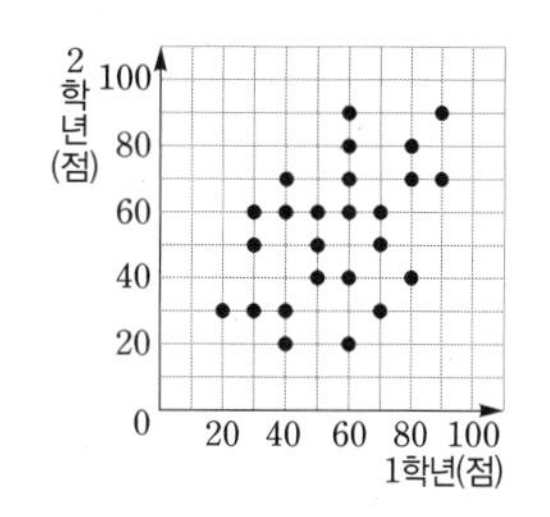

3 상관관계

11

다음 **보기**의 산점도를 보고 물음에 답하시오.

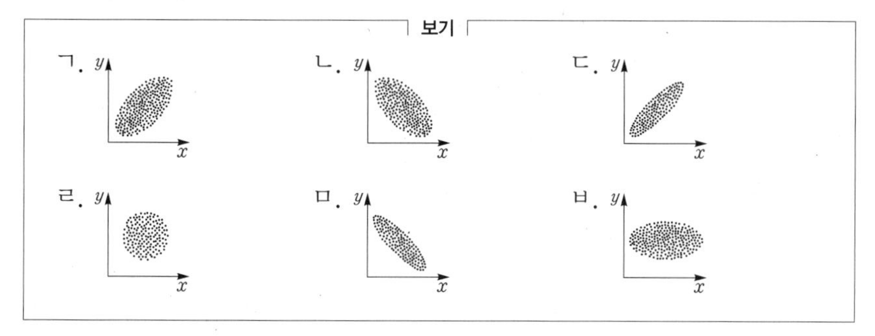

(1) 양의 상관관계를 나타내는 것을 모두 고르시오.

(2) 음의 상관관계를 나타내는 것을 모두 고르시오.

(3) 상관관계가 없는 것을 모두 고르시오.

12

다음 **보기**에서 두 변량을 산점도로 나타내었을 때, 오른쪽 그림과 같은 것을 모두 고르시오.

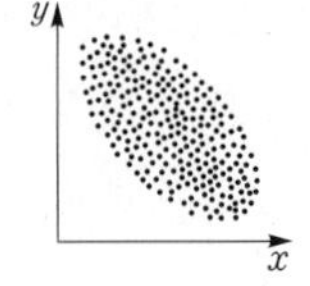

보기

ㄱ. 산의 높이와 기온
ㄴ. 교통량과 대기오염도
ㄷ. 여름철 기온과 전력 사용량
ㄹ. 중고자동차의 사용 기간과 가격

13

다음 중 두 변량 사이의 상관관계가 나머지 넷과 <u>다른</u> 하나는?

① 산업화와 국민소득
② 흡연량과 폐암 발생률
③ 운동량과 칼로리 소모량
④ 전교 학생 수와 학교 매점의 음료 판매량
⑤ 하루 중 낮의 길이와 밤의 길이

14

오른쪽 그림은 승호네 반 학생들의 발 크기와 키를 나타낸 산점도이다. 다음 설명 중 옳지 <u>않은</u> 것을 모두 고르면? (정답 2개)

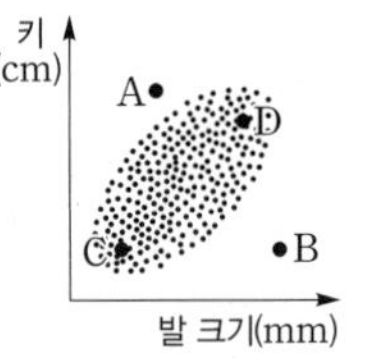

① 발 크기가 클수록 키도 크다.
② 발 크기와 키 사이에는 양의 상관관계가 있다.
③ A는 키에 비해 발 크기가 큰 편이다.
④ A, B, C, D 중 발이 가장 큰 학생은 B이다.
⑤ A, B, C, D 중 키에 비해 발이 큰 학생은 C와 D이다.

15

오른쪽 그림은 가공하여 보석을 만드는 원석의 크기와 가격에 대한 산점도이다. 다음 설명 중 옳은 것은?

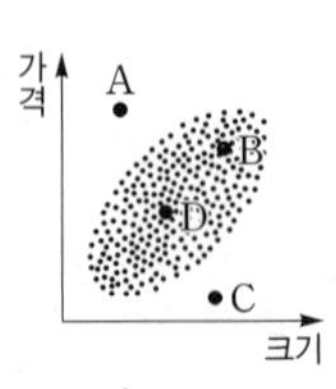

① A는 원석의 크기에 비해 가격이 싼 편이다.
② B는 C에 비해 원석의 크기가 작다.
③ D는 A보다 크기는 작지만 가격은 높다.
④ C는 가격에 비해 원석의 크기가 크다.
⑤ 원석의 크기와 가격 사이에는 음의 상관관계가 있다.

16

오른쪽 그림은 지영이네 반 학생들의 모의고사 점수와 수학경시대회 점수에 대한 산점도이다. 다음 설명 중 옳은 것을 모두 고르면? (정답 2개)

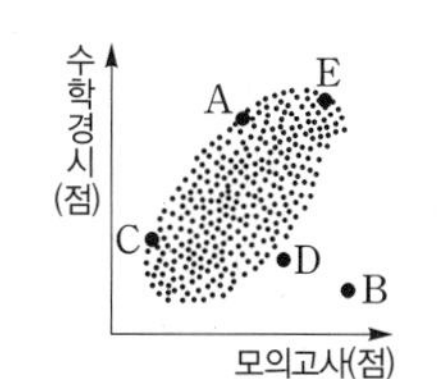

① 두 점수의 차가 가장 큰 학생은 B이다.
② 모의고사에서 가장 높은 점수를 받은 학생은 E이다.
③ 모의고사에서 수학경시대회와 비슷한 점수를 받은 학생은 E이다.
④ 모의고사보다 수학경시대회에서 더 높은 점수를 받은 학생은 B와 D이다.
⑤ 모의고사 점수와 수학경시대회 점수 사이에는 상관관계가 없다.

17

오른쪽 그림은 지희네 반 학생들의 독서량과 국어 성적에 대한 산점도이다. 다음 중 옳지 않은 것을 모두 고르시오.

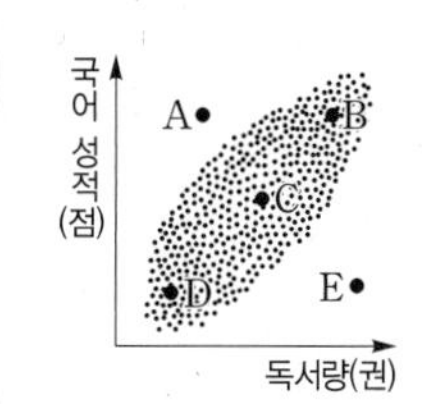

보기

ㄱ. A는 책을 별로 읽지 않는 것에 비해 국어 성적은 좋은 편이다.
ㄴ. B는 독서량도 많고 국어 성적도 좋다.
ㄷ. C는 E에 비해 독서량도 적고 국어 성적도 좋지 않다.
ㄹ. D는 독서를 많이 하는데도 국어 성적이 좋지 않다.
ㅁ. E는 D에 비해 독서량은 많으나 국어 성적은 큰 차이가 없다.

4 상관표

18

다음은 현정이네 반 학생 20명의 수학 점수와 과학 점수에 대한 상관표이다. 물음에 답하시오.

과학(점) \ 수학(점)	60	70	80	90	100	합계
100					1	1
90			1	2	1	4
80		2	4	3		9
70		3	2			5
60	1					1
합계	1	5	7	5	2	20

(1) 수학 점수와 과학 점수 사이에는 어떤 상관관계가 있는지 말하시오.
(2) 수학 점수와 과학 점수가 같은 학생 수를 구하시오.
(3) 과학 점수보다 수학 점수가 더 좋은 학생 수를 구하시오.

19

다음은 민선이네 반 학생 30명의 하루 평균 TV 시청 시간과 학습 시간에 대한 상관표이다. 물음에 답하시오.

학습 시간(시간) \ TV 시청 시간(시간)	0이상 ~1미만	1~2	2~3	3~4	4~5	합계
4이상 ~5미만	1					1
3 ~4	2	3				5
2 ~3		5	4	1		10
1 ~2		1	6	4		11
0 ~1				2	1	3
합계	3	9	10	7	1	30

(1) TV 시청 시간이 3시간 이상인 학생 수는?

① 7명 ② 8명 ③ 10명
④ 17명 ⑤ 18명

(2) TV 시청 시간이 3시간 미만이고, 학습 시간이 2시간 이상인 학생은 전체의 몇 %인가?

① 30 % ② 35 % ③ 40 %
④ 45 % ⑤ 50 %

20

다음 표는 승우네 반 학생 35명의 수학, 과학 쪽지 시험 결과에 대한 상관표이다. 각 과목당 객관식(1점), 주관식 단답형(2점), 서술형(3점)을 한 문제씩 출제하여 6점 만점으로 채점하였다. 각 과목에서 한 문제만 맞힌 학생이 수학에서 16명, 과학에서 9명이었다고 할 때, 물음에 답하시오.

과학(점) \ 수학(점)	1	2	3	4	5	6	합계
6			1	3	2	1	7
5			2	4	3		9
4		2	2	2	1		7
3		3	4	1			8
2		1	1				2
1	2						2
합계	2	6	10	10	6	1	35

(1) 수학에서 두 문제를 맞힌 학생 수와 과학에서 두 문제를 맞힌 학생 수를 각각 구하시오.

(2) 수학과 과학 두 과목에서 서술형 문제를 맞힌 학생 수를 각각 구하시오.

5 상관표에서 평균 구하기

21 다음은 준표네 반 학생 25명의 중간고사 성적과 기말고사 성적에 대한 상관표이다. 물음에 답하시오.

기말고사(점) \ 중간고사(점)	60	70	80	90	100	합계
100					1	1
90			1	2	2	5
80		2	5	3		10
70	1	3	2	1		7
60	1	1				2
합계	2	6	8	6	3	25

(1) 중간고사와 기말고사 성적을 합하여 하위 40 % 이내인 학생 수를 구하시오.
(2) 중간고사와 기말고사 성적을 합하여 하위 40 % 이내인 학생들의 중간고사 성적을 도수분포표로 나타내어라.
(3) (2)에서 구한 학생들의 중간고사 성적의 평균을 구하시오.

22 다음은 민준이네 반 학생 20명의 국사 점수와 도덕 점수에 대한 상관표이다. 물음에 답하시오.

도덕(점) \ 국사(점)	60	70	80	90	100	합계
100					1	1
90			1	2	1	4
80		1	4	1		6
70		3	2	1		6
60	2	1				3
합계	2	5	7	4	2	20

(1) 국사 점수가 80점 이하이고, 도덕 점수가 70점 이하인 학생들의 국사 점수의 평균을 구하시오.
(2) 두 과목의 평균이 80점 미만인 학생들의 국사 점수의 평균을 구하시오.
(3) 두 과목의 점수의 차가 10점 이상인 학생들의 도덕 점수의 평균을 구하시오.

6 일부 자료를 모르는 상관표

23 다음은 상범이네 반 학생 32명의 1차, 2차, 1분간 윗몸일으키기 기록을 조사하여 나타낸 상관표이다. 물음에 답하시오.

2차(개) \ 1차(개)	10이상 ~ 20미만	20 ~ 30	30 ~ 40	40 ~ 50	50 ~ 60	합계
50이상 ~ 60미만					2	2
40 ~ 50			1	A	2	5
30 ~ 40		1	B	3	1	C
20 ~ 30	2	5	3	1		11
10 ~ 20	3	2				5
합계	5	8	8	D	5	32

(1) $A-B+C-D$의 값을 구하시오.

(2) 1차, 2차 기록 중 적어도 한 번은 30개 이상을 한 학생은 전체의 몇 %인가?

① 43.75 % ② 50 % ③ 56.25 % ④ 62.5 % ⑤ 68.75 %

(3) 1차 기록이 30개 이상이고, 2차 기록이 40개 미만인 학생은 전체의 몇 %인가?

① 31.25 % ② 37.5 % ③ 43.75 % ④ 50 % ⑤ 56.25 %

24 다음은 송이네 반 학생 25명의 수학과 과학 성적에 대한 상관표이다. 물음에 답하시오.

과학(점) \ 수학(점)	60	70	80	90	100	합계
100					2	2
90			1	A	1	5
80		2	B	2		9
70	1	4	C	1		D
60	1					1
합계	2	6	8	6	3	25

(1) A, B, C, D의 값을 각각 구하시오.

(2) 두 과목의 평균이 80점 이상인 학생의 수학 성적의 평균을 구하시오.

25 다음은 헌주네 반 학생 40명의 사회 성적과 국사 성적에 대한 상관표이다. 물음에 답하시오.

국사(점) \ 사회(점)	50	60	70	80	90	100	합계
100					1	1	2
90				A	B	1	7
80		1	C	5	2		E
70		3	7	D	1		14
60	2	1	1				4
합계	2	5	13	12	6	2	40

(1) $A+B+C+D+E$의 값을 구하시오.

(2) 국사 성적보다 사회 성적이 10점 이상 더 높은 학생들의 사회 성적의 평균을 구하시오.

(3) (2)에서 구한 학생들의 국사 성적의 평균을 구하시오.

(4) 국사 성적보다 사회 성적이 10점 이상 더 높은 학생들의 사회 성적과 국사 성적의 평균의 차를 구하시오.

26 다음은 은호네 반 학생 25명의 국어 점수와 영어 점수에 대한 상관표이다. 아래 설명 중 옳지 않은 것은?

영어(점) \ 국어(점)	50	60	70	80	90	100	합계
100						1	1
90				1	1		2
80		1	A	3	2	1	8
70		2	4	B	1		C
60	1	2	1	1			5
50	1						1
합계	2	5	D	6	4	2	E

① $A-B+C-D+E=27$

② 국어와 영어 점수 사이에는 양의 상관관계가 있다.

③ 국어와 영어 점수의 차가 20점 이상인 학생은 모두 2명이다.

④ 두 과목의 평균이 70점 이하인 학생은 52 %이다.

⑤ 영어 점수가 80점 이상 90점 이하인 학생들의 국어 점수의 평균은 82점이다.

7 일부가 훼손된 상관표

27 다음 표는 아란이네 반 학생 25명의 영어 점수와 수학 점수에 대한 상관표인데 잉크를 쏟아 일부가 보이지 않는다. 물음에 답하시오.

수학(점) \ 영어(점)	50	60	70	80	90	100	합계
100					1	1	2
90				2	1		3
80		1	1	A	2		
70		2	B	C			7
60		1	D				2
50	1	2					3
합계	1	6			4	1	25

(1) 영어 점수가 80점 이상인 학생이 70점 이하인 학생보다 1명 더 많을 때, A, B, C, D의 값을 각각 구하시오.

(2) 영어 점수와 수학 점수가 같은 학생은 전체의 몇 %인지 구하시오.

28 다음은 연호네 반 학생 20명의 수영 실기 점수와 농구 실기 점수를 나타낸 상관표인데 일부가 찢어져 보이지 않는다. 물음에 답하시오.

농구(점) \ 수영(점)	10	20	30	40	50	합계
50				1	1	2
40			A	B	1	
30			C	2		5
20	1	2	2	1		6
10	1	1				2
합계	2	3				20

(1) 수영과 농구 실기 점수가 모두 40점 이상인 학생이 전체 학생의 25 %일 때, $A-B+C$의 값을 구하시오.

(2) 두 종목의 평균 점수가 30점 이하인 학생은 전체 학생의 몇 %인지 구하시오.

단원 종합 문제

01 다음 설명 중 옳지 않은 것을 모두 고르면? (정답 2개)

① 대푯값에는 평균, 중앙값, 최빈값 등이 있다.
② 편차의 제곱의 평균은 분산이다.
③ (편차)=(평균)−(변량)
④ 편차의 절댓값이 작을수록 변량은 평균에 가깝다.
⑤ 표준편차는 대푯값의 일종이다.

02 다음 자료의 10개의 변량의 평균을 a, 중앙값을 b, 최빈값을 c라 할 때, $a+b+c$의 값은?

8, 1, 9, 9, 5, 8, 1, 8, 5, 6

① 19 ② 20 ③ 21
④ 22 ⑤ 23

03 오른쪽은 지영이가 6번에 걸쳐 줄넘기를 한 횟수를 조사하여 줄기와 잎 그림으로 나타낸 것이다. 줄넘기 횟수의 평균을 구하시오.

(1|5는 15회)

줄기	잎
1	5
2	0 4 9
3	0 2

04 A, B 두 반 학생들의 미술 실기 시험 점수의 평균이 오른쪽표와 같을 때, A, B 두 반 전체의 미술 실기 시험 점수의 평균은?

	학생 수(명)	평균(점)
A반	8	38
B반	12	43

① 39점 ② 39.5점 ③ 40점
④ 40.5점 ⑤ 41점

05 선지가 중간고사에서 받은 전체 10과목의 점수의 평균은 92점이고, 그 중 수학, 국어, 사회, 과학 4과목의 점수의 평균은 95점이다. 이때 선지가 받은 나머지 6과목의 점수의 평균을 구하시오.

06 다음은 선영이가 4회에 걸쳐 측정한 높이뛰기 기록의 편차를 조사하여 나타낸 표이다. 이때 x의 값은?

회	1회	2회	3회	4회
편차(cm)	−1	x	6	−3

① −2 ② −1 ③ 0
④ 1 ⑤ 2

07 지원, 인규, 록훈, 형준 4명의 키의 평균은 173 cm이고, 이 중 지원, 인규, 록훈 3명의 키의 편차는 각각 2 cm, −1 cm, −6 cm이다. 이때 형준이의 키와 4명 전체의 키의 분산을 차례로 구하시오.

08 연속하는 5개의 짝수의 분산은?

① $2\sqrt{2}$ ② 4 ③ $4\sqrt{2}$
④ 6 ⑤ 8

09 4개의 변량 a, b, c, d의 평균이 1이고, 분산이 3일 때, $1-3a$, $1-3b$, $1-3c$, $1-3d$의 표준편차는?

① $\sqrt{3}$ ② 3 ③ $3\sqrt{3}$
④ 6 ⑤ 9

10 5개의 변량 8, 6, x, 10, y의 평균이 8이고, 표준편차가 $\sqrt{2}$일 때, $(x-y)^2$의 값을 구하시오.

11 다음은 각각 4명씩 구성된 A, B 두 팀의 팀원들을 대상으로 1분 동안 퀴즈 맞히기 게임을 하여 얻은 결과를 나타낸 표이다. 이때 A, B 두 팀을 합한 전체 8명이 맞힌 퀴즈 수의 표준편차를 구하시오.

	A팀	B팀
팀원 수(명)	4	4
맞힌 퀴즈 수의 평균	5	5
맞힌 퀴즈 수의 분산	2	4

12 A, B 두 학생의 중간고사 6과목의 점수를 비교해 보니 6과목 점수의 평균은 A가 높았고, 각 과목 점수의 (편차)^{2}의 총합은 서로 같았다. 이때 6과목의 점수가 더 고른 학생은?

① A
② B
③ A와 B가 같다.
④ A가 더 고르거나 A와 B가 같다.
⑤ 알 수 없다.

13 다음은 현정이네 반과 나연이네 반의 남학생들이 1분 동안 한 턱걸이 횟수의 평균과 표준편차를 조사하여 나타낸 표이다. 두 반 중 턱걸이 실력이 더 좋은 반과 턱걸이 실력이 더 고른 반을 차례로 구하면?

	현정이네 반	나연이네 반
평균(회)	5	3
표준편차(회)	4	2

① 현정이네 반, 현정이네 반
② 나연이네 반, 나연이네 반
③ 현정이네 반, 나연이네 반
④ 나연이네 반, 현정이네 반
⑤ 알 수 없다, 나연이네 반

14 다음 도수분포표를 보고 물음에 답하시오.

계급값	도수	(계급값)×(도수)	편차	(편차)^2×(도수)
4	3			
5	6			
6	3			
7	4			
8	4			
합계	20			

(1) 빈칸을 채워 위의 표를 완성하시오.
(2) 분산을 구하시오.
(3) 표준편차를 구하시오.

15 오른쪽은 지영이네 반 학생 10명이 일년 동안 읽은 책의 권수를 조사하여 나타낸 도수분포표이다. 이때 읽은 책의 권수의 분산은?

권수(권)	도수(명)
7이상 ~ 11미만	2
11 ~ 15	2
15 ~ 19	5
19 ~ 23	1
합계	10

① $\sqrt{13.6}$　② 13.6　③ $2\sqrt{34}$
④ $4\sqrt{85}$　⑤ 136

16 오른쪽은 태훈이네 반 학생들을 대상으로 1분 동안의 윗몸일으키기 횟수를 조사하여 나타낸 도수분포표이다. 윗몸일으키기 횟수의 평균이 24회일 때, 물음에 답하시오.

횟수(회)	도수(명)
0이상 ~ 10미만	2
10 ~ 20	3
20 ~ 30	11
30 ~ 40	x
40 ~ 50	1
합계	

(1) 아래 표를 x를 사용하여 완성하시오.

계급값(회)	도수(명)	(계급값)×(도수)	편차(회)	(편차)^2×(도수)
5	2			
15	3			
25	11			
35	x			
45	1			
합계				

(2) x의 값을 구하시오.
(3) 분산을 구하시오.

17 다음 중 차량의 고속도로 운행거리와 통행료 사이의 상관관계를 나타내는 산점도는?

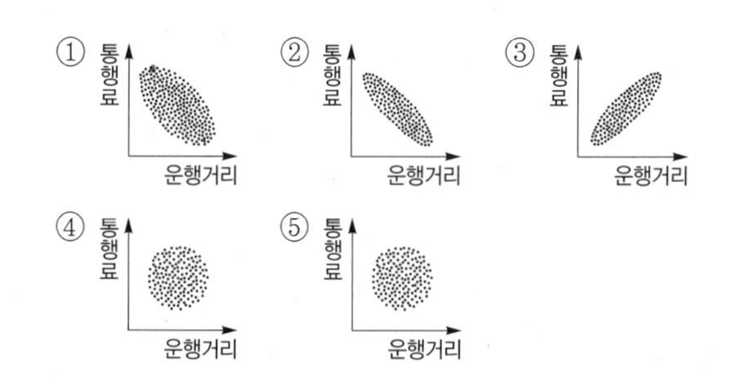

18 다음 설명 중 옳지 않은 것을 모두 고르면? (정답 2개)

① 두 변량의 상관관계를 쉽게 알 수 있도록 두 변량의 도수분포를 함께 나타낸 표를 상관표라 한다.
② 상관표의 분포 상태만으로는 두 변량 사이의 상관관계를 알 수 없다.
③ 두 변량에 대하여 산점도에서의 점의 분포와 상관표에서 도수분포는 비슷한 모양으로 나타난다.
④ 상관표에서 세로축의 변량은 위에서 아래로 갈수록 계급이 점점 커지도록 잡는다.
⑤ 상관표에서 가로축의 변량은 왼쪽에서 오른쪽으로 갈수록 계급이 점점 커지도록 잡는다.

19 오른쪽 그림은 나연이네 반 학생들의 수학 점수와 과학 점수에 대한 산점도이다. 다음 설명 중 옳지 않은 것은? (단, 중복되는 점은 없다.)

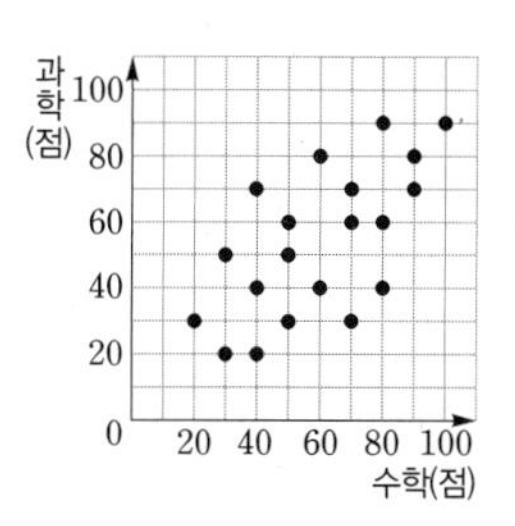

① 나연이네 반 학생은 총 20명이다.
② 수학 점수와 과학 점수가 같은 학생은 3명이다.
③ 과학보다 수학 점수가 더 높은 학생은 6명이다.
④ 수학 점수가 50점 이상인 학생은 전체의 70 %이다.
⑤ 과학 점수가 70점 이상 90점 미만인 학생들의 수학 점수의 평균은 70점이다.

20 오른쪽 그림은 선표네 반 학생 20명의 국어 점수와 영어 점수에 대한 산점도이다. 국어 점수가 60점 이상 80점 미만인 학생들의 영어 점수의 평균을 구하시오.

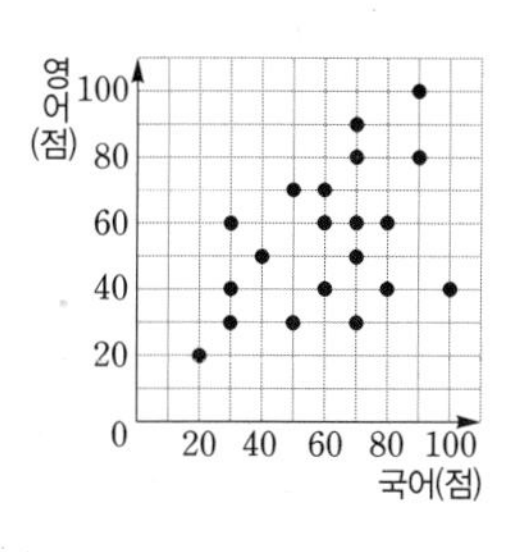

21 오른쪽 그림은 선영이네 중학교 3학년 학생들의 진단평가 성적과 전체 평균에 대한 산점도이다. 다음 설명 중 옳지 않은 것은?

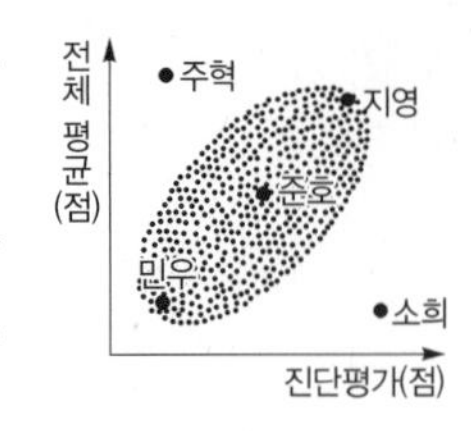

① 전체 평균과 진단평가 성적 사이에는 양의 상관관계가 있다.
② 진단평가 성적에 비해 전체 평균이 높은 학생은 주혁이다.
③ 전체 평균에 비해 진단평가 성적이 높은 학생은 소희이다.
④ 전체 평균과 진단평가 성적이 비슷한 학생은 지영, 준호, 민우이다.
⑤ 다섯 명의 학생 중 진단평가 성적이 가장 높은 학생은 지영이다.

22 오른쪽 그림은 송이네 반 학생 20명의 도덕 점수와 사회 점수를 나타낸 산점도이다. 물음에 답하시오.

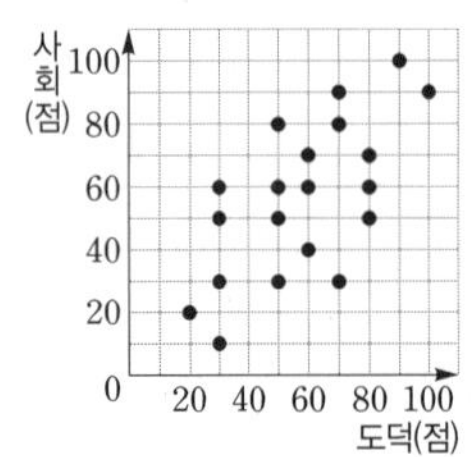

(1) 도덕 점수가 50점 이상 80점 이하이고, 사회 점수가 70점 이상인 학생은 전체의 몇 %인지 구하시오.
(2) 다음 두 조건을 모두 만족하는 학생 수를 구하시오.

> (가) 두 과목 점수의 평균으로 등수를 정할 때, 9등 이내이다.
> (나) 두 과목 점수 차가 20점 이상이다.

23 오른쪽 그림은 시현이네 반 학생 25명의 영어와 국어 수행평가 점수에 대한 산점도이다. 다음 **보기** 중 옳은 것을 모두 고르시오.

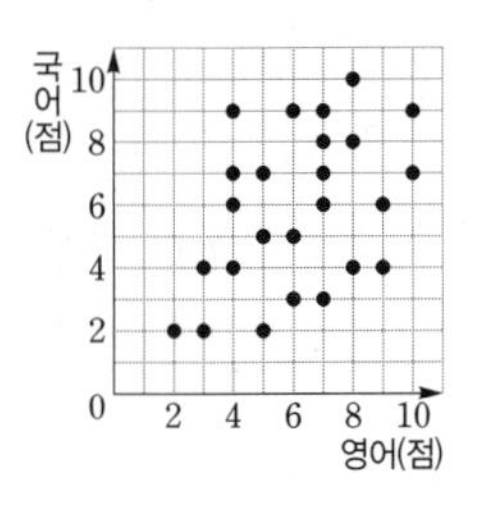

> **보기**
> ㄱ. 두 과목의 점수가 같은 학생은 전체의 20 %이다.
> ㄴ. 두 과목의 점수가 모두 5점 이하인 학생 수는 두 과목의 점수가 모두 8점 이상인 학생 수의 2배이다.
> ㄷ. 두 과목의 평균이 8점 이상인 학생은 4명이다.

24 오른쪽 그림은 민선이네 반 학생 25명의 영어와 수학 성적에 대한 산점도이다. 물음에 답하시오.

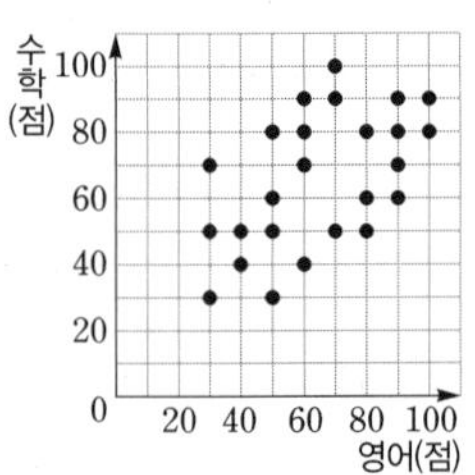

(1) 다음 두 조건을 모두 만족하는 학생 수를 구하시오.

> **보기**
> ㉠ 두 과목의 평균이 상위 40 % 이내이다.
> ㉡ 두 과목의 점수 차가 20점 이상이다.

(2) 위의 (1)의 조건을 만족하는 학생들의 영어 점수의 평균을 구하시오.

25 다음은 건호네 반 학생 20명의 과학 필기 점수와 실험 점수에 대한 상관표이다. 물음에 답하시오.

실험(점) \ 필기(점)	6	7	8	9	10	합계
10					1	1
9		1	1	1	2	5
8		2	A	2		7
7	1	2	1	B		6
6	1					1
합계	2	5	C	5	3	20

(1) 다음 중 위의 상관표와 같은 상관관계가 있는 것을 모두 고르면? (정답 2개)

① 산의 높이와 기온
② 시력과 봉사 활동 시간
③ 인구 수와 학교 수
④ 여름철 기온과 얼음 판매량
⑤ 공중 전화 대수와 휴대 전화 보급률

(2) 위의 상관표에 대한 다음 설명 중 옳지 않은 것은?

① $A=3$, $B=2$, $C=5$이다.
② 필기와 실험 점수가 같은 학생은 8명이다.
③ 필기 점수보다 실험 점수가 더 높은 학생은 전체의 35 %이다.
④ 적어도 한 번은 9점 이상을 받은 학생은 10명이다.
⑤ 필기 점수와 실험 점수의 평균이 8점 이상인 학생은 13명이다.

(3) 필기와 실험 점수 차가 2점 이상인 학생은 전체의 몇 %인가?

① 5 % ② 10 % ③ 15 %
④ 20 % ⑤ 25 %

26 다음은 상범이네 반 학생 20명의 음악 실기 점수와 필기 점수를 조사하여 나타낸 상관표이다. A, B, C, D, E의 값을 각각 구하고, 실기 점수와 필기 점수의 차가 10점 이상인 학생의 필기 점수의 평균을 구하시오.

필기(점) \ 실기(점)	10	20	30	40	50	합계
50					1	1
40			1	A	1	6
30		B	4	C		6
20		D	2	1		5
10	1	1				2
합계	1	4	7	6	2	E

27 다음은 은정이네 반 학생 30명의 1학기 동안의 독서량과 국어 점수에 대한 상관표인데 일부가 얼룩져 보이지 않는다. 물음에 답하시오.

국어 점수(점) \ 독서량(권)	0이상 ~4미만	4~8	8~12	12~16	16~20	합계
100				1	2	
90			3	5	1	
80		2	A	2		
70	1	B	C			6
60	D	1				
합계		6	11	8		30

(1) A, B, C, D의 값을 각각 구하시오.

(2) 책을 8권 이상 읽은 학생 중 국어 점수가 80점 이상인 학생들의 국어 점수의 평균을 구하시오.

삼각비의 표

각 도	사인 (sin)	코사인 (cos)	탄젠트 (tan)
0°	0	1	0
1°	0.0175	0.9998	0.0175
2°	0.0349	0.9994	0.0349
3°	0.0523	0.9986	0.0524
4°	0.0698	0.9976	0.0699
5°	0.0872	0.9962	0.0875
6°	0.1045	0.9945	0.1051
7°	0.1219	0.9925	0.1228
8°	0.1392	0.9903	0.1405
9°	0.1564	0.9877	0.1584
10°	0.1736	0.9848	0.1763
11°	0.1908	0.9816	0.1944
12°	0.2079	0.9781	0.2126
13°	0.2250	0.9744	0.2309
14°	0.2419	0.9703	0.2493
15°	0.2588	0.9659	0.2679
16°	0.2756	0.9613	0.2867
17°	0.2924	0.9563	0.3057
18°	0.3090	0.9511	0.3249
19°	0.3256	0.9455	0.3443
20°	0.3420	0.9397	0.3640
21°	0.3584	0.9336	0.3839
22°	0.3746	0.9272	0.4040
23°	0.3907	0.9205	0.4245
24°	0.4067	0.9135	0.4452
25°	0.4226	0.9063	0.4663
26°	0.4384	0.8988	0.4877
27°	0.4540	0.8910	0.5095
28°	0.4695	0.8829	0.5317
29°	0.4848	0.8746	0.5543
30°	0.5000	0.8660	0.5774
31°	0.5150	0.8572	0.6009
32°	0.5299	0.8480	0.6249
33°	0.5446	0.8387	0.6494
34°	0.5592	0.8290	0.6745
35°	0.5736	0.8192	0.7002
36°	0.5878	0.8090	0.7265
37°	0.6018	0.7986	0.7536
38°	0.6157	0.7880	0.7813
39°	0.6293	0.7771	0.8098
40°	0.6428	0.7660	0.8391
41°	0.6561	0.7547	0.8693
42°	0.6691	0.7431	0.9004
43°	0.6820	0.7314	0.9325
44°	0.6947	0.7193	0.9657
45°	0.7071	0.7071	1.0000

각 도	사인 (sin)	코사인 (cos)	탄젠트 (tan)
46°	0.7193	0.6947	1.0355
47°	0.7314	0.6820	1.0724
48°	0.7431	0.6691	1.1106
49°	0.7547	0.6561	1.1504
50°	0.7660	0.6428	1.1918
51°	0.7771	0.6293	1.2349
52°	0.7880	0.6157	1.2799
53°	0.7986	0.6018	1.3270
54°	0.8090	0.5878	1.3764
55°	0.8192	0.5736	1.4281
56°	0.8290	0.5592	1.4826
57°	0.8387	0.5446	1.5399
58°	0.8480	0.5299	1.6003
59°	0.8572	0.5150	1.6643
60°	0.8660	0.5000	1.7321
61°	0.8746	0.4848	1.8040
62°	0.8829	0.4695	1.8807
63°	0.8910	0.4540	1.9626
64°	0.8988	0.4384	2.0503
65°	0.9063	0.4226	2.1445
66°	0.9135	0.4067	2.2460
67°	0.9205	0.3907	2.3559
68°	0.9272	0.3746	2.4751
69°	0.9336	0.3584	2.6051
70°	0.9397	0.3420	2.7475
71°	0.9455	0.3256	2.9042
72°	0.9511	0.3090	3.0777
73°	0.9563	0.2924	3.2709
74°	0.9613	0.2756	3.4874
75°	0.9659	0.2588	3.7321
76°	0.9703	0.2419	4.0108
77°	0.9744	0.2250	4.3315
78°	0.9781	0.2079	4.7046
79°	0.9816	0.1908	5.1446
80°	0.9848	0.1736	5.6713
81°	0.9877	0.1564	6.3138
82°	0.9903	0.1392	7.1154
83°	0.9925	0.1219	8.1443
84°	0.9945	0.1045	9.5144
85°	0.9962	0.0872	11.4301
86°	0.9976	0.0698	14.3007
87°	0.9986	0.0523	19.0811
88°	0.9994	0.0349	28.6363
89°	0.9998	0.0175	57.2900
90°	1.0000	0.0000	

수학은 개념이다!

디딤돌의 중학 수학 시리즈는
여러분의 수학 자신감을 높여 줍니다.

개념 이해
디딤돌수학 개념연산

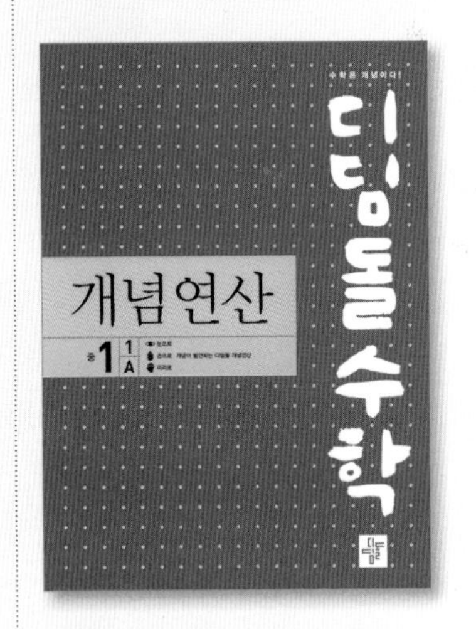

다양한 이미지와 단계별 접근을 통해
개념이 쉽게 이해되는 교재

개념 적용
디딤돌수학 개념기본

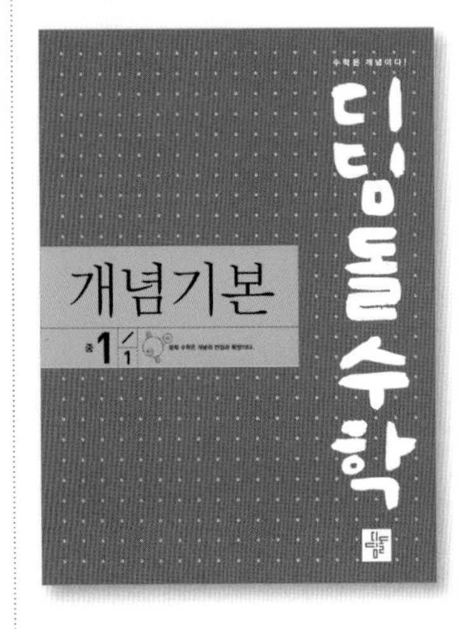

개념 이해, 개념 적용, 개념 완성으로
개념에 강해질 수 있는 교재

개념 응용
최상위수학 라이트

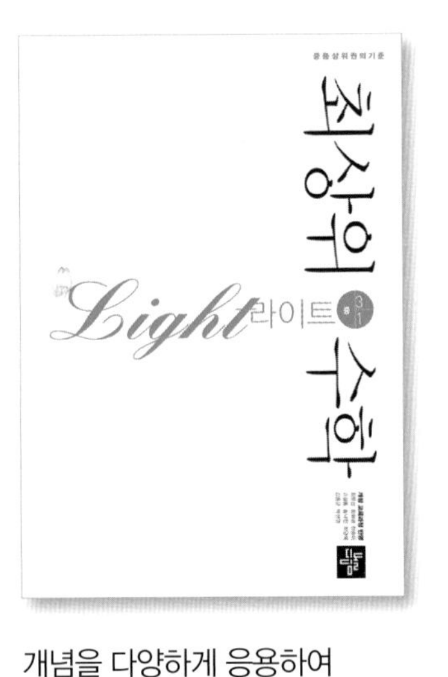

개념을 다양하게 응용하여
문제해결력을 키워주는 교재

개념 완성

디딤돌수학 개념연산과 개념기본은 동일한 학습 흐름으로 구성되어 있습니다.
연계 학습이 가능한 개념연산과 개념기본을 통해
중학 수학 개념을 완성할 수 있습니다.

최상위 수학

정답과 풀이

Light 라이트

최상위 수학

Light 라이트

정답과 풀이

1 삼각비

주제별 실력다지기

본문 8~22쪽

01 ④ 02 ⑤ 03 $\frac{3+\sqrt{5}}{2}$ 04 ①, ④ 05 ③ 06 $\frac{12}{5}$ 07 ③ 08 ①

09 1 10 $\frac{\sqrt{6}}{3}$ 11 $\frac{\sqrt{6}}{3}$ 12 ② 13 $\frac{23}{17}$ 14 ⑤ 15 ③ 16 ②

17 ⑤ 18 ③ 19 $5\sqrt{2}$ 20 ③ 21 $\frac{25\sqrt{3}}{2}$ cm² 22 ② 23 ②

24 ②, ④ 25 (1) 0 (2) 1 (3) 0 (4) −1 26 ② 27 ④ 28 $\frac{13}{4}$ 29 (1) 1 (2) 4 30 ④

31 ③ 32 $\frac{\sqrt{2}}{2}$ 33 $\frac{\sqrt{3}}{2}$ 34 1 35 ③ 36 $6+2\sqrt{3}$ 37 $2\sqrt{6}$ 38 ②

39 $(6\sqrt{3}-6)$ cm 40 ③ 41 $6\sqrt{3}$ cm 42 $(8+4\sqrt{6})$ cm 43 ② 44 $2-\sqrt{3}$

45 $\frac{\sqrt{6}}{4}$ 46 ③ 47 ⑤ 48 ④ 49 ④ 50 ③ 51 ⑤ 52 1.397

53 ③ 54 ③ 55 ②, ⑤ 56 ②, ④ 57 ④, ⑤ 58 ① 59 ② 60 ②

61 0 62 $\tan A-\cos A$ 63 ③ 64 25° 65 0.4384 66 1.7315 67 113°

68 ③ 69 6.691 70 10.136 71 $y=\sqrt{3}x+2\sqrt{3}$ 72 $y=\frac{\sqrt{3}}{3}x+\sqrt{3}$ 73 $\frac{4}{5}$

74 $\frac{1}{2}$ 75 ⑤

01 ① $\cos A=\frac{b}{c}$ ② $\tan A=\frac{a}{b}$ ③ $\sin B=\frac{b}{c}$

④ $\cos B=\frac{a}{c}$ ⑤ $\tan B=\frac{b}{a}$

따라서 $\sin A=\frac{a}{c}$이므로 값이 같은 것은 ④이다.

02 △ABC에서 피타고라스 정리에 의해

$\overline{AC}=\sqrt{6^2-(2\sqrt{6})^2}=2\sqrt{3}$(cm)

① $\sin A=\frac{2\sqrt{6}}{6}=\frac{\sqrt{6}}{3}$

② $\sin B=\frac{2\sqrt{3}}{6}=\frac{\sqrt{3}}{3}$

③ $\cos A=\frac{2\sqrt{3}}{6}=\frac{\sqrt{3}}{3}$

④ $\cos B=\frac{2\sqrt{6}}{6}=\frac{\sqrt{6}}{3}$

⑤ $\tan B=\frac{2\sqrt{3}}{2\sqrt{6}}=\frac{1}{\sqrt{2}}=\frac{\sqrt{2}}{2}$

따라서 옳지 않은 것은 ⑤이다.

03 점 A가 점 C에 오도록 종이를 접었으므로

$\overline{CE}=\overline{AE}=3$ cm,

$\angle AEF=\angle CEF$

$=x$(접은 각)

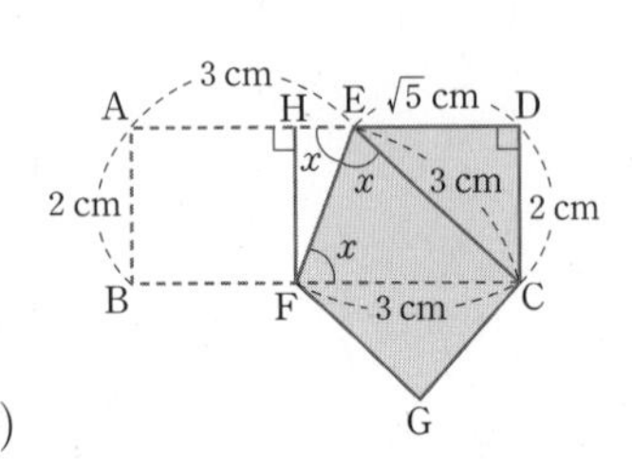

$\angle EFC=\angle AEF=x$(엇각)

즉, △CEF는 $\overline{CE}=\overline{CF}$인 이등변삼각형이다.

△CDE에서 $\overline{DE}=\sqrt{3^2-2^2}=\sqrt{5}$(cm)이고

점 F에서 $\overline{AD}$에 내린 수선의 발을 H라 하면

$\overline{DH}=\overline{CF}=3$ cm이므로

$\overline{EH}=\overline{DH}-\overline{DE}=3-\sqrt{5}$(cm)

따라서 △EHF에서

$\tan x=\frac{\overline{FH}}{\overline{EH}}=\frac{2}{3-\sqrt{5}}=\frac{3+\sqrt{5}}{2}$

04 △ABC와 △HBA에서

∠B는 공통, ∠BAC=∠BHA=90°

이므로 △ABC∽△HBA(AA 닮음)

∴ ∠BCA=∠BAH=x

△ABC에서 $\cos x=\frac{\overline{AC}}{\overline{BC}}$

△ABH에서 $\cos x=\frac{\overline{AH}}{\overline{AB}}$

따라서 $\cos x$와 값이 같은 것은 ①, ④이다.

05 △ABC에서 피타고라스 정리에 의해

$\overline{BC}=\sqrt{8^2+6^2}=10$

∠BCA=90°−∠ABC=∠BAH=x,

∠CBA=90°−∠ACB=∠CAH=y이므로

$\sin x+\sin y=\sin C+\sin B$

$=\frac{\overline{AB}}{\overline{BC}}+\frac{\overline{AC}}{\overline{BC}}$

$=\frac{8}{10}+\frac{6}{10}=\frac{7}{5}$

06 $\triangle ABC$에서 피타고라스 정리에 의해

$\overline{AC}=\sqrt{13^2-5^2}=12(cm)$

$\angle ABC=90°-\angle BAC=\angle ACD=x$이므로

$\tan x=\tan B=\frac{\overline{AC}}{\overline{BC}}=\frac{12}{5}$

07 $\triangle ABC$에서 피타고라스 정리에 의해

$\overline{AC}=\sqrt{9^2-3^2}=6\sqrt{2}$

$\triangle CDE \backsim \triangle CAB$(AA 닮음)이므로

$\angle B=\angle CED=x$

$\sin x=\sin B=\frac{\overline{AC}}{\overline{BC}}=\frac{6\sqrt{2}}{9}=\frac{2\sqrt{2}}{3}$

$\cos x=\cos B=\frac{\overline{AB}}{\overline{BC}}=\frac{3}{9}=\frac{1}{3}$

$\therefore \sqrt{2}\sin x+\cos x=\sqrt{2}\times\frac{2\sqrt{2}}{3}+\frac{1}{3}$

$=\frac{4}{3}+\frac{1}{3}=\frac{5}{3}$

08 $\triangle ABC$에서 $\angle B=90°$이므로 피타고라스 정리에 의해 $\overline{AC}=\sqrt{4^2+8^2}=4\sqrt{5}$

$\angle CAB=90°-\angle ACB=\angle CBE=x$이므로

$\sin x=\sin A=\frac{\overline{BC}}{\overline{AC}}=\frac{8}{4\sqrt{5}}=\frac{2\sqrt{5}}{5}$

$\cos x=\cos A=\frac{\overline{AB}}{\overline{AC}}=\frac{4}{4\sqrt{5}}=\frac{\sqrt{5}}{5}$

$\therefore \sin x-\cos x=\frac{2\sqrt{5}}{5}-\frac{\sqrt{5}}{5}=\frac{\sqrt{5}}{5}$

09 $x+y=90°$이므로

$\angle BDE=\angle EAD=x$,

$\angle EBD=\angle ADE$

$=\angle CAD=y$

이때 $\triangle ABD \backsim \triangle ADE$(AA 닮음)이므로

$\overline{AB}:\overline{AD}=\overline{AD}:\overline{AE}$, $8:\overline{AD}=\overline{AD}:2$

$\overline{AD}^2=16 \quad \therefore \overline{AD}=4$ cm ($\because \overline{AD}>0$)

$\triangle ABD$에서

$\sin y=\frac{\overline{AD}}{\overline{AB}}=\frac{4}{8}=\frac{1}{2}$, $\cos x=\frac{\overline{AD}}{\overline{AB}}=\frac{4}{8}=\frac{1}{2}$

$\therefore \sin y+\cos x=\frac{1}{2}+\frac{1}{2}=1$

다른 풀이 $\angle ADE=90°-x=y$

$\triangle ABD$에서 $\overline{AD}^2=\overline{AE}\times\overline{AB}$이므로

$\overline{AD}^2=2\times8=16 \quad \therefore \overline{AD}=4$ cm ($\because \overline{AD}>0$)

$\triangle ADE$에서

$\sin y=\frac{\overline{AE}}{\overline{AD}}=\frac{2}{4}=\frac{1}{2}$

$\cos x=\frac{\overline{AE}}{\overline{AD}}=\frac{2}{4}=\frac{1}{2}$

$\therefore \sin y+\cos x=\frac{1}{2}+\frac{1}{2}=1$

10 $\triangle CEG$에서

$\angle G=90°$, $\overline{CG}=10$이고,

$\triangle EFG$에서 피타고라스 정리에 의해

$\overline{EG}=\sqrt{10^2+10^2}=10\sqrt{2}$

$\overline{EC}$는 정육면체의 대각선이므로

$\overline{EC}=\sqrt{10^2+10^2+10^2}=10\sqrt{3}$

$\therefore \cos x=\frac{\overline{EG}}{\overline{EC}}=\frac{10\sqrt{2}}{10\sqrt{3}}=\frac{\sqrt{6}}{3}$

11 $\triangle BCD$에서 피타고라스 정리에 의해

$\overline{BD}=\sqrt{6^2+6^2}=6\sqrt{2}(cm)$

$\overline{DF}$는 정육면체의 대각선이므로

$\overline{DF}=\sqrt{6^2+6^2+6^2}=6\sqrt{3}(cm)$

또, $\angle DBF=90°$이므로

$\angle DFB=90°-\angle FBI$

$=\angle DBI=x$

따라서 $\triangle BFD$에서

$\sin x=\frac{\overline{BD}}{\overline{DF}}=\frac{6\sqrt{2}}{6\sqrt{3}}=\frac{\sqrt{6}}{3}$

12 $\triangle HFG$에서 피타고라스 정리에 의해

$\overline{HF}=\sqrt{4^2+3^2}=5(cm)$

$\triangle BFH$에서 $\overline{BF}=5$ cm이고

$\angle BFH=90°$이므로 피타고라스 정리에 의해

$\overline{BH}=\sqrt{5^2+5^2}=5\sqrt{2}(cm)$

따라서 $\triangle BFH$에서

$\tan x=\frac{\overline{BF}}{\overline{HF}}=\frac{5}{5}=1$

$\sin x=\frac{\overline{BF}}{\overline{BH}}=\frac{5}{5\sqrt{2}}=\frac{\sqrt{2}}{2}$

$\therefore \frac{\sin x}{\tan x}=\frac{\frac{\sqrt{2}}{2}}{1}=\frac{\sqrt{2}}{2}$

13 $\angle A=90^\circ$, $\tan B=\dfrac{15}{8}$이므로 오른쪽 그림과 같이 $\overline{AB}=8$, $\overline{AC}=15$인 직각삼각형 ABC를 생각할 수 있다.

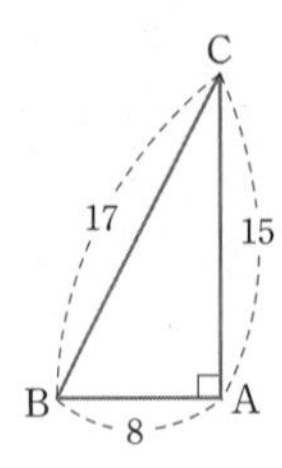

$\triangle$ABC에서 피타고라스 정리에 의해

$\overline{BC}=\sqrt{8^2+15^2}=17$

$\therefore \sin B+\cos B=\dfrac{15}{17}+\dfrac{8}{17}=\dfrac{23}{17}$

14 $5\cos A-4=0$에서 $\cos A=\dfrac{4}{5}$

오른쪽 그림과 같이 $\angle C=90^\circ$이고 $\overline{AB}=5$, $\overline{AC}=4$인 직각삼각형 ABC를 생각할 수 있다.

$\triangle$ABC에서 피타고라스 정리에 의해

$\overline{BC}=\sqrt{5^2-4^2}=3$

따라서 $\sin A=\dfrac{3}{5}$, $\tan B=\dfrac{4}{3}$이므로

$\sin A\times\dfrac{1}{\tan B}=\dfrac{3}{5}\times\dfrac{3}{4}=\dfrac{9}{20}$

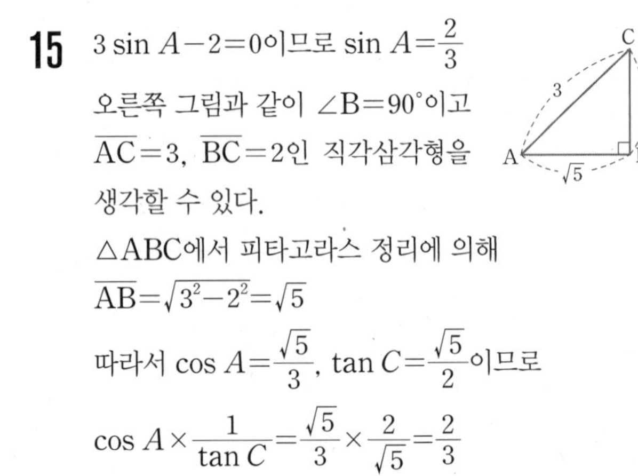

15 $3\sin A-2=0$이므로 $\sin A=\dfrac{2}{3}$

오른쪽 그림과 같이 $\angle B=90^\circ$이고 $\overline{AC}=3$, $\overline{BC}=2$인 직각삼각형을 생각할 수 있다.

$\triangle$ABC에서 피타고라스 정리에 의해

$\overline{AB}=\sqrt{3^2-2^2}=\sqrt{5}$

따라서 $\cos A=\dfrac{\sqrt{5}}{3}$, $\tan C=\dfrac{\sqrt{5}}{2}$이므로

$\cos A\times\dfrac{1}{\tan C}=\dfrac{\sqrt{5}}{3}\times\dfrac{2}{\sqrt{5}}=\dfrac{2}{3}$

16 $\sin A=\dfrac{12}{13}$이므로 오른쪽 그림과 같이 $\angle B=90^\circ$이고 $\overline{AC}=13$, $\overline{BC}=12$인 직각삼각형 ABC를 생각할 수 있다.

$\triangle$ABC에서 피타고라스 정리에 의해

$\overline{AB}=\sqrt{13^2-12^2}=5$

$\therefore \cos A\times\tan A=\dfrac{5}{13}\times\dfrac{12}{5}=\dfrac{12}{13}$

17 $\sin B=\dfrac{\overline{AC}}{\overline{AB}}=\dfrac{2}{\overline{AB}}=\dfrac{1}{5}$이므로

$\overline{AB}=10$ cm

따라서 $\triangle$ABC에서 피타고라스 정리에 의해

$\overline{BC}=\sqrt{10^2-2^2}=4\sqrt{6}$(cm)

18 $\cos C=\dfrac{\overline{BC}}{\overline{AC}}=\dfrac{9}{\overline{AC}}=\dfrac{3}{5}$이므로 $\overline{AC}=15$ cm

$\triangle$ABC에서 피타고라스 정리에 의해

$\overline{AB}=\sqrt{15^2-9^2}=12$(cm)

$\therefore$ ($\triangle$ABC의 둘레의 길이)$=\overline{AB}+\overline{BC}+\overline{CA}$

$=12+9+15$

$=36$(cm)

19 $\tan B=\dfrac{\overline{AC}}{\overline{AB}}=\dfrac{\overline{AC}}{5}=\sqrt{2}$이므로 $\overline{AC}=5\sqrt{2}$

$\triangle$ABC에서 피타고라스 정리에 의해

$\overline{BC}=\sqrt{5^2+(5\sqrt{2})^2}=5\sqrt{3}$

$\therefore \overline{BC}\times\cos C=5\sqrt{3}\times\dfrac{5\sqrt{2}}{5\sqrt{3}}=5\sqrt{2}$

20 $\sin A=\dfrac{\overline{BC}}{\overline{AC}}=\dfrac{\overline{BC}}{26}=\dfrac{5}{13}$이므로 $\overline{BC}=10$ cm

$\triangle$ABC에서 피타고라스 정리에 의해

$\overline{AB}=\sqrt{26^2-10^2}=24$(cm)

$\therefore \triangle ABC=\dfrac{1}{2}\times24\times10=120(\text{cm}^2)$

21 $\cos A=\dfrac{\overline{AC}}{\overline{AB}}=\dfrac{\overline{AC}}{10}=\dfrac{1}{2}$이므로 $\overline{AC}=5$ cm

$\triangle$ABC에서 피타고라스 정리에 의해

$\overline{BC}=\sqrt{10^2-5^2}=5\sqrt{3}$(cm)

$\therefore \triangle ABC=\dfrac{1}{2}\times5\sqrt{3}\times5=\dfrac{25\sqrt{3}}{2}(\text{cm}^2)$

22 $\sin 45^\circ\times\cos 45^\circ-\tan 60^\circ\times\cos 30^\circ$

$=\dfrac{\sqrt{2}}{2}\times\dfrac{\sqrt{2}}{2}-\sqrt{3}\times\dfrac{\sqrt{3}}{2}=\dfrac{1}{2}-\dfrac{3}{2}=-1$

23 $\sqrt{3}\cos 30^\circ-\dfrac{\sqrt{3}\sin 60^\circ\times\tan 45^\circ}{\sqrt{3}\tan 30^\circ}$

$=\sqrt{3}\times\dfrac{\sqrt{3}}{2}-\dfrac{\sqrt{3}\times\dfrac{\sqrt{3}}{2}\times1}{\sqrt{3}\times\dfrac{\sqrt{3}}{3}}=\dfrac{3}{2}-\dfrac{3}{2}=0$

24 ① $\sin 45^\circ\times\cos 45^\circ=\dfrac{\sqrt{2}}{2}\times\dfrac{\sqrt{2}}{2}=\dfrac{1}{2}$

② $\tan 30^\circ\div\cos 60^\circ=\dfrac{\sqrt{3}}{3}\div\dfrac{1}{2}=\dfrac{\sqrt{3}}{3}\times2=\dfrac{2\sqrt{3}}{3}$

③ $\sin 30^\circ\times\tan 60^\circ+\cos 30^\circ=\dfrac{1}{2}\times\sqrt{3}+\dfrac{\sqrt{3}}{2}=\sqrt{3}$

④ $\cos 30^\circ\times\sin 30^\circ-\tan 45^\circ\times\sin 45^\circ$

$=\dfrac{\sqrt{3}}{2}\times\dfrac{1}{2}-1\times\dfrac{\sqrt{2}}{2}=\dfrac{\sqrt{3}}{4}-\dfrac{\sqrt{2}}{2}=\dfrac{\sqrt{3}-2\sqrt{2}}{4}$

⑤ $\cos 60^\circ \div \sin 30^\circ + \tan 60^\circ \times \tan 30^\circ$

$= \frac{1}{2} \div \frac{1}{2} + \sqrt{3} \times \frac{\sqrt{3}}{3} = 1+1=2$

따라서 옳지 않은 것은 ②, ④이다.

25 (1) $\sin 0^\circ + \cos 90^\circ = 0+0=0$

(2) $\cos 0^\circ - \tan 0^\circ = 1-0=1$

(3) $\sin 90^\circ \times \cos 90^\circ = 1 \times 0 = 0$

(4) $(\tan 0^\circ - \cos 0^\circ) \times \sin 90^\circ = (0-1) \times 1 = -1$

26 ① $\sin 45^\circ - \sin 90^\circ \times \cos 45^\circ = \frac{\sqrt{2}}{2} - 1 \times \frac{\sqrt{2}}{2} = 0$

② $\tan 45^\circ \times \cos 90^\circ + \tan 30^\circ \div \tan 60^\circ$

$= 1 \times 0 + \frac{\sqrt{3}}{3} \div \sqrt{3} = \frac{\sqrt{3}}{3} \times \frac{1}{\sqrt{3}} = \frac{1}{3}$

③ $\sin 30^\circ \times \cos 60^\circ - \sin 45^\circ \times \cos 45^\circ$

$= \frac{1}{2} \times \frac{1}{2} - \frac{\sqrt{2}}{2} \times \frac{\sqrt{2}}{2} = \frac{1}{4} - \frac{2}{4} = -\frac{1}{4}$

④ $\cos 0^\circ \times \sin 90^\circ - \tan 0^\circ \times \sin 90^\circ$

$= 1 \times 1 - 0 \times 1 = 1$

⑤ $\sin 45^\circ \times \tan 45^\circ + \cos 60^\circ \times \tan 60^\circ$

$= \frac{\sqrt{2}}{2} \times 1 + \frac{1}{2} \times \sqrt{3} = \frac{\sqrt{2}+\sqrt{3}}{2}$

따라서 옳지 않은 것은 ②이다.

27 세 내각 중 크기가 가장 작은 각이 $\angle A$이므로

$\angle A = \frac{1}{1+2+3} \times 180^\circ = 30^\circ$

$\therefore \frac{\cos A \times \tan A}{\sin A} = \frac{\cos 30^\circ \times \tan 30^\circ}{\sin 30^\circ}$

$= \frac{\frac{\sqrt{3}}{2} \times \frac{\sqrt{3}}{3}}{\frac{1}{2}} = 1$

28 점 I가 $\triangle ABC$의 내심이므로

$90^\circ + \frac{1}{2}\angle B = 105^\circ$에서 $\angle B = 30^\circ$

이때 $\angle A = 180^\circ - (30^\circ + 90^\circ) = 60^\circ$이므로

$\sin^2 A - \cos A + \tan^2 A$

$= \sin^2 60^\circ - \cos 60^\circ + \tan^2 60^\circ$

$= \left(\frac{\sqrt{3}}{2}\right)^2 - \frac{1}{2} + (\sqrt{3})^2 = \frac{13}{4}$

29 (1) $\triangle ABC$에서 $\angle B = 90^\circ - \angle A$이므로

$\sin A = \frac{a}{c}$, $\sin(90^\circ - A) = \sin B = \frac{b}{c}$

$\therefore \sin^2 A + \sin^2(90^\circ - A)$

$= \left(\frac{a}{c}\right)^2 + \left(\frac{b}{c}\right)^2 = \frac{a^2+b^2}{c^2} = \frac{c^2}{c^2} = 1$

(2) (1)에서 $\sin^2 A + \sin^2(90^\circ - A) = 1$이므로

$\sin^2 10^\circ + \sin^2 20^\circ + \sin^2 30^\circ + \cdots + \sin^2 80^\circ$

$= (\sin^2 10^\circ + \sin^2 80^\circ) + (\sin^2 20^\circ + \sin^2 70^\circ)$

$\quad + (\sin^2 30^\circ + \sin^2 60^\circ) + (\sin^2 40^\circ + \sin^2 50^\circ)$

$= 1+1+1+1 = 4$

30 $\cos 60^\circ = \frac{1}{2}$, $\sin 45^\circ = \frac{\sqrt{2}}{2}$이므로 $x = 60^\circ$, $y = 45^\circ$

$\therefore x+y = 105^\circ$

31 $\sin 60^\circ = \frac{\sqrt{3}}{2}$, $\tan 30^\circ = \frac{\sqrt{3}}{3}$이므로 $x = 60^\circ$, $y = 30^\circ$

$\therefore \cos(x-y) = \cos(60^\circ - 30^\circ) = \cos 30^\circ = \frac{\sqrt{3}}{2}$

32 $\sin 45^\circ = \frac{\sqrt{2}}{2}$이므로

$2x + 15^\circ = 45^\circ$, $2x = 30^\circ$ $\quad \therefore x = 15^\circ$

$\therefore \cos 3x = \cos 45^\circ = \frac{\sqrt{2}}{2}$

33 $\cos 60^\circ = \frac{1}{2}$이므로

$2x + 30^\circ = 60^\circ$, $2x = 30^\circ$ $\quad \therefore x = 15^\circ$

$\therefore \sin 4x = \sin 60^\circ = \frac{\sqrt{3}}{2}$

34 $\cos 30^\circ = \frac{\sqrt{3}}{2}$이므로

$3x - 45^\circ = 30^\circ$, $3x = 75^\circ$ $\quad \therefore x = 25^\circ$

$\therefore \tan(x + 20^\circ) = \tan 45^\circ = 1$

35 $\tan 60^\circ = \sqrt{3}$이므로

$4x - 20^\circ = 60^\circ$, $4x = 80^\circ$ $\quad \therefore x = 20^\circ$

$\therefore \sin 3x - \cos(x + 10^\circ) = \sin 60^\circ - \cos 30^\circ$

$= \frac{\sqrt{3}}{2} - \frac{\sqrt{3}}{2} = 0$

36 $\triangle ABH$에서 $\sin B = \sin 45^\circ$이므로

$\frac{\overline{AH}}{6\sqrt{2}} = \frac{\sqrt{2}}{2}$ $\quad \therefore \overline{AH} = 6$

$\cos B = \cos 45^\circ$이므로

$\frac{\overline{BH}}{6\sqrt{2}} = \frac{\sqrt{2}}{2}$ $\quad \therefore \overline{BH} = 6$

또, $\triangle ACH$에서 $\tan C = \tan 60^\circ$이므로

$\frac{\overline{AH}}{\overline{CH}} = \sqrt{3}$, $\frac{6}{\overline{CH}} = \sqrt{3}$ $\quad \therefore \overline{CH} = \frac{6}{\sqrt{3}} = 2\sqrt{3}$

$\therefore \overline{BC} = \overline{BH} + \overline{CH} = 6 + 2\sqrt{3}$

다른 풀이 $\triangle ABH$에서

$\overline{AH} : \overline{BH} : \overline{AB} = 1 : 1 : \sqrt{2}$

이므로 $\overline{AH} = \overline{BH} = 6$

$\triangle ACH$에서 $\overline{CH} : \overline{AH} = 1 : \sqrt{3}$이므로

$\overline{CH} : 6 = 1 : \sqrt{3}$, $\overline{CH} = \frac{6}{\sqrt{3}} = 2\sqrt{3}$

$\therefore \overline{BC} = \overline{BH} + \overline{CH} = 6 + 2\sqrt{3}$

37 $\triangle ABH$에서 $\sin B = \sin 45°$이므로

$\frac{\overline{AH}}{12} = \frac{\sqrt{2}}{2}$ $\quad \therefore \overline{AH} = 6\sqrt{2}$ cm

$\triangle AHC$에서 $\sin C = \sin 60°$이므로

$\frac{\overline{AH}}{\overline{AC}} = \frac{6\sqrt{2}}{y} = \frac{\sqrt{3}}{2}$ $\quad \therefore y = \frac{12\sqrt{2}}{\sqrt{3}} = 4\sqrt{6}$

$\tan C = \tan 60°$이므로 $\frac{\overline{AH}}{\overline{CH}} = \frac{6\sqrt{2}}{x} = \sqrt{3}$

$\therefore x = \frac{6\sqrt{2}}{\sqrt{3}} = 2\sqrt{6}$

$\therefore y - x = 4\sqrt{6} - 2\sqrt{6} = 2\sqrt{6}$

다른 풀이 $\triangle ABH$에서 $\overline{AH} : 12 = 1 : \sqrt{2}$이므로

$\overline{AH} = \frac{12}{\sqrt{2}} = 6\sqrt{2}$(cm)

$\triangle AHC$에서 $x : 6\sqrt{2} = 1 : \sqrt{3}$이므로

$x = \frac{6\sqrt{2}}{\sqrt{3}} = 2\sqrt{6}$

$y : 2\sqrt{6} = 2 : 1$이므로 $y = 4\sqrt{6}$

$\therefore y - x = 4\sqrt{6} - 2\sqrt{6} = 2\sqrt{6}$

38 $\overline{AD} = x$ cm라 하면 $\triangle ABD$에서

$\tan B = \tan 60°$이므로

$\frac{x}{\overline{BD}} = \sqrt{3}$ $\quad \therefore \overline{BD} = \frac{\sqrt{3}}{3}x$ cm

$\triangle ACD$에서 $\angle CAD = 45°$이므로

$\overline{CD} = \overline{AD} = x$ cm

또, $\overline{BC} = \overline{BD} + \overline{CD}$이므로

$4 = \frac{\sqrt{3}}{3}x + x$, $\frac{3+\sqrt{3}}{3}x = 4$

$\therefore x = \frac{12}{3+\sqrt{3}} = 2(3-\sqrt{3})$

따라서 $\overline{CD}$의 길이는 $2(3-\sqrt{3})$ cm이다.

다른 풀이 $\overline{AD} = \overline{CD} = x$ cm라 하면 $\triangle ABD$에서

$\overline{BD} : x = 1 : \sqrt{3}$이므로 $\overline{BD} = \frac{\sqrt{3}}{3}x$ cm

$4 = \frac{\sqrt{3}}{3}x + x$에서 $x = 2(3-\sqrt{3})$

따라서 $\overline{CD}$의 길이는 $2(3-\sqrt{3})$ cm이다.

39 $\triangle ABC$에서 $\tan B = \tan 30°$이므로

$\frac{6}{\overline{BC}} = \frac{\sqrt{3}}{3}$ $\quad \therefore \overline{BC} = \frac{18}{\sqrt{3}} = 6\sqrt{3}$(cm)

$\triangle ADC$에서 $\tan D = \tan 45°$이므로

$\frac{6}{\overline{DC}} = 1$ $\quad \therefore \overline{DC} = 6$ cm

$\therefore \overline{BD} = \overline{BC} - \overline{DC} = 6\sqrt{3} - 6$(cm)

다른 풀이 $\triangle ABC$에서

$\overline{BC} : 6 = \sqrt{3} : 1$이므로 $\overline{BC} = 6\sqrt{3}$ cm

$\triangle ADC$에서 $\overline{DC} = \overline{AC} = 6$ cm

$\therefore \overline{BD} = \overline{BC} - \overline{DC} = 6\sqrt{3} - 6$(cm)

40 $\triangle ABC$에서 $\sin C = \sin 30°$이므로

$\frac{\overline{AB}}{8} = \frac{1}{2}$ $\quad \therefore \overline{AB} = 4$ cm

또, $\cos C = \cos 30°$이므로

$\frac{\overline{BC}}{8} = \frac{\sqrt{3}}{2}$ $\quad \therefore \overline{BC} = 4\sqrt{3}$ cm

이때 $\overline{BD} = \frac{1}{2}\overline{BC} = \frac{1}{2} \times 4\sqrt{3} = 2\sqrt{3}$(cm)이므로

$\triangle ABD$에서 피타고라스 정리에 의해

$\overline{AD} = \sqrt{4^2 + (2\sqrt{3})^2} = 2\sqrt{7}$(cm)

다른 풀이 $\triangle ABC$에서

$\overline{AC} : \overline{AB} : \overline{BC} = 2 : 1 : \sqrt{3}$이므로

$\overline{AB} = 4$ cm, $\overline{BC} = 4\sqrt{3}$ cm

즉, $\overline{BD} = 2\sqrt{3}$ cm이므로 $\triangle ABD$에서

$\overline{AD} = \sqrt{4^2 + (2\sqrt{3})^2} = 2\sqrt{7}$(cm)

41 $\triangle ABC$에서 $\sin B = \sin 30°$이므로

$\frac{9}{\overline{AB}} = \frac{1}{2}$ $\quad \therefore \overline{AB} = 18$ cm

$\tan B = \tan 30°$이므로

$\frac{9}{\overline{BC}} = \frac{\sqrt{3}}{3}$ $\quad \therefore \overline{BC} = \frac{27}{\sqrt{3}} = 9\sqrt{3}$(cm)

각의 이등분선의 성질에 의해

$\overline{AB} : \overline{AC} = \overline{BD} : \overline{CD}$이므로

$18 : 9 = \overline{BD} : \overline{CD}$ $\quad \therefore \overline{BD} : \overline{CD} = 2 : 1$

$\therefore \overline{BD} = \frac{2}{2+1} \times \overline{BC} = \frac{2}{3} \times 9\sqrt{3} = 6\sqrt{3}$(cm)

다른 풀이 $\triangle ABC$에서 $\angle A = 60°$이고 $\overline{AD}$가 $\angle A$의 이등분선이므로 $\angle DAC = \angle BAD = 30°$

$\triangle ADC$에서 $\cos 30° = \frac{9}{\overline{AD}} = \frac{\sqrt{3}}{2}$이므로

$\overline{AD} = \frac{18}{\sqrt{3}} = 6\sqrt{3}$(cm)

이때 $\triangle ABD$는 $\angle DBA = \angle DAB = 30°$인 이등변삼각형이므로 $\overline{BD} = \overline{AD} = 6\sqrt{3}$ cm

42

△ABC에서 $\cos A=\cos 60^{\circ}$이므로

$\frac{4}{\overline{AC}}=\frac{1}{2}$ ∴ $\overline{AC}=8$ cm

또, $\tan A=\tan 60^{\circ}$이므로

$\frac{\overline{BC}}{4}=\sqrt{3}$ ∴ $\overline{BC}=4\sqrt{3}$ cm

△BCD에서 $\sin D=\sin 45^{\circ}$이므로

$\frac{4\sqrt{3}}{\overline{BD}}=\frac{\sqrt{2}}{2}$ ∴ $\overline{BD}=\frac{8\sqrt{3}}{\sqrt{2}}=4\sqrt{6}$(cm)

∴ $\overline{AC}+\overline{BD}=8+4\sqrt{6}$(cm)

43

△ABC에서 $\cos A=\cos 30^{\circ}$이므로

$\frac{\overline{AB}}{8}=\frac{\sqrt{3}}{2}$ ∴ $\overline{AB}=4\sqrt{3}$ cm

△ABD에서 $\cos A=\cos 30^{\circ}$이므로

$\frac{\overline{AD}}{\overline{AB}}=\frac{\overline{AD}}{4\sqrt{3}}=\frac{\sqrt{3}}{2}$ ∴ $\overline{AD}=$ 6 cm

△AED에서 $\sin A=\sin 30^{\circ}$이므로

$\frac{\overline{DE}}{\overline{AD}}=\frac{\overline{DE}}{6}=\frac{1}{2}$ ∴ $\overline{DE}=3$ cm

44

△ADC에서

$\sin D=\sin 30^{\circ}$

이므로 $\frac{4}{\overline{AD}}=\frac{1}{2}$

∴ $\overline{AD}=8$ cm

$\tan D=\tan 30^{\circ}$이므로 $\frac{4}{\overline{DC}}=\frac{\sqrt{3}}{3}$

∴ $\overline{DC}=\frac{12}{\sqrt{3}}=4\sqrt{3}$(cm)

△ABD는 $\overline{AD}=\overline{BD}=8$ cm인 이등변삼각형이므로

$\angle DAB=\angle DBA=15^{\circ}$

따라서 △ABC에서

$\tan 15^{\circ}=\frac{\overline{AC}}{\overline{BC}}=\frac{4}{8+4\sqrt{3}}=\frac{1}{2+\sqrt{3}}=2-\sqrt{3}$

45

△CFG에서 $\cos 60^{\circ}=\frac{1}{\overline{CF}}=\frac{1}{2}$ ∴ $\overline{CF}=2$

$\tan 60^{\circ}=\frac{\overline{CG}}{1}=\sqrt{3}$ ∴ $\overline{CG}=\sqrt{3}$

△AEF에서 $\overline{AE}=\overline{CG}=\sqrt{3}$

$\tan 45^{\circ}=\frac{\sqrt{3}}{\overline{EF}}=1$ ∴ $\overline{EF}=\sqrt{3}$

$\sin 45^{\circ}=\frac{\sqrt{3}}{\overline{AF}}=\frac{\sqrt{2}}{2}$ ∴ $\overline{AF}=\frac{2\sqrt{3}}{\sqrt{2}}=\sqrt{6}$

또, △ABC에서 $\overline{AB}=\overline{EF}=\sqrt{3}$,

$\overline{BC}=\overline{FG}=1$이므로 $\overline{AC}=\sqrt{1^2+(\sqrt{3})^2}=2$

이때 △AFC는 $\overline{CA}=\overline{CF}=2$인 이등변삼각형이므로 점 C에서 $\overline{AF}$에 내린 수선의 발을 I라 하면

$\overline{IF}=\frac{1}{2}\overline{AF}=\frac{\sqrt{6}}{2}$

따라서 △CIF에서

$\cos x=\frac{\overline{IF}}{\overline{CF}}=\frac{\frac{\sqrt{6}}{2}}{2}=\frac{\sqrt{6}}{4}$

46

① $\sin x=\frac{\overline{AB}}{\overline{OA}}=\frac{\overline{AB}}{1}=\overline{AB}$

② $\cos x=\frac{\overline{OB}}{\overline{OA}}=\frac{\overline{OB}}{1}=\overline{OB}$

③ $\tan x=\frac{\overline{CD}}{\overline{OD}}=\frac{\overline{CD}}{1}=\overline{CD}$

④ $\sin y=\frac{\overline{OB}}{\overline{OA}}=\frac{\overline{OB}}{1}=\overline{OB}$

⑤ $\overline{AB}\,/\!/\,\overline{CD}$에서

$\angle OCD=\angle OAB=y$(동위각)이므로

△COD에서 $\tan y=\frac{\overline{OD}}{\overline{CD}}=\frac{1}{\overline{CD}}$

따라서 $\overline{CD}$의 길이를 나타내는 것은 ③이다.

47

점 A의 좌표는 $(\overline{OB}, \overline{AB})$이고

$\sin a=\frac{\overline{AB}}{\overline{OA}}=\frac{\overline{AB}}{1}=\overline{AB}$,

$\cos a=\frac{\overline{OB}}{\overline{OA}}=\frac{\overline{OB}}{1}=\overline{OB}$

이므로 $A(\cos a, \sin a)$이다.

48

① $\sin x=\frac{\overline{AB}}{\overline{OA}}=\frac{\overline{AB}}{1}=\overline{AB}$

② $\cos x=\frac{\overline{OB}}{\overline{OA}}=\frac{\overline{OB}}{1}=\overline{OB}$

③ $\tan x=\frac{\overline{CD}}{\overline{OD}}=\frac{\overline{CD}}{1}=\overline{CD}$

④ $\cos y=\frac{\overline{AB}}{\overline{OA}}=\frac{\overline{AB}}{1}=\overline{AB}$

⑤ $\sin z=\sin y=\frac{\overline{OB}}{\overline{OA}}=\frac{\overline{OB}}{1}=\overline{OB}$

따라서 옳지 않은 것은 ④이다.

49

△ACD에서 $\cos 40^{\circ}=\frac{\overline{AD}}{\overline{AC}}=\frac{\overline{AD}}{1}=\overline{AD}$

∴ $\overline{DB}=\overline{AB}-\overline{AD}=1-\cos 40^{\circ}$

50 ① $\sin 50^\circ=\frac{\overline{AC}}{\overline{OA}}=\frac{0.77}{1}=0.77$

② $\cos 50^\circ=\frac{\overline{OC}}{\overline{OA}}=\frac{0.64}{1}=0.64$

③ $\tan 50^\circ=\frac{\overline{BD}}{\overline{OD}}=\frac{1.19}{1}=1.19$

④ $\triangle AOC$에서 $\angle OAC=40^\circ$이므로

$\sin 40^\circ=\frac{\overline{OC}}{\overline{OA}}=\frac{0.64}{1}=0.64$

⑤ $\cos 40^\circ=\frac{\overline{AC}}{\overline{OA}}=\frac{0.77}{1}=0.77$

따라서 옳지 않은 것은 ③이다.

51 $\sin 52^\circ=\frac{\overline{AC}}{\overline{OA}}=\frac{0.79}{1}=0.79$

$\cos 52^\circ=\frac{\overline{OC}}{\overline{OA}}=\frac{0.62}{1}=0.62$

$\tan 52^\circ=\frac{\overline{BD}}{\overline{OD}}=\frac{1.28}{1}=1.28$

$\therefore \sin 52^\circ-\cos 52^\circ+\tan 52^\circ=0.79-0.62+1.28$

$=1.45$

52 $\sin 38^\circ=\frac{\overline{AC}}{\overline{OA}}=\frac{0.6157}{1}=0.6157$

$\tan 38^\circ=\frac{\overline{BD}}{\overline{OD}}=\frac{0.7813}{1}=0.7813$

$\therefore \sin 38^\circ+\tan 38^\circ=0.6157+0.7813=1.397$

53 ③ x의 크기가 커지면 $\tan x$의 값도 커진다.

54 $45^\circ<x<90^\circ$일 때,

$\frac{\sqrt{2}}{2}<\sin x<1$, $0<\cos x<\frac{\sqrt{2}}{2}$, $\tan x>1$이므로

$\cos x<\sin x<\tan x$

55 ① $0^\circ\le x\le 90^\circ$일 때, x의 크기가 커질수록 $\sin x$의 값도 커지므로 $\sin 30^\circ<\sin 40^\circ$

② $\sin 0^\circ=\cos 90^\circ=0$

③ $0^\circ\le x\le 90^\circ$일 때, x의 크기가 커질수록 $\cos x$의 값은 작아지므로 $\cos 70^\circ<\cos 30^\circ$

④ $\cos 60^\circ=\frac{1}{2}$, $\sin 60^\circ=\frac{\sqrt{3}}{2}$이므로

$\cos 60^\circ<\sin 60^\circ$

⑤ $\tan 50^\circ>\tan 45^\circ=1$, $0<\sin 80^\circ<1$이므로

$\tan 50^\circ>\sin 80^\circ$

따라서 옳지 않은 것은 ②, ⑤이다.

56 ① $0^\circ\le x\le 90^\circ$일 때, x의 크기가 커질수록 $\cos x$의 값은 작아지므로 $\cos 53^\circ>\cos 82^\circ$

② $45^\circ<x<90^\circ$일 때,

$\frac{\sqrt{2}}{2}<\sin x<1$, $0<\cos x<\frac{\sqrt{2}}{2}$이므로

$\cos 55^\circ<\sin 76^\circ$

③ $0^\circ<x<45^\circ$일 때,

$0<\sin x<\frac{\sqrt{2}}{2}$, $\frac{\sqrt{2}}{2}<\cos x<1$이므로

$\sin 24^\circ<\cos 42^\circ$

④ $\sin 45^\circ=\cos 45^\circ=\frac{\sqrt{2}}{2}$

⑤ $\cos 90^\circ=0$이고, $\tan 32^\circ>0$이므로

$\cos 90^\circ<\tan 32^\circ$

따라서 옳은 것은 ②, ④이다.

57 ③ $0^\circ<x<45^\circ$일 때,

$0<\sin x<\frac{\sqrt{2}}{2}$, $\frac{\sqrt{2}}{2}<\cos x<1$이므로

$\sin 30^\circ<\cos 40^\circ$

④ $0<\cos 85^\circ<1$, $\tan 50^\circ>\tan 45^\circ=1$이므로

$\cos 85^\circ<\tan 50^\circ$

⑤ $\sin 90^\circ=1$이고, $\tan 90^\circ$의 값은 한없이 증가하므로 $\sin 90^\circ\ne\tan 90^\circ$

따라서 옳지 않은 것은 ④, ⑤이다.

58 $0^\circ<A<90^\circ$일 때

$0<\cos A<1$이므로 $\cos A-1<0$

$0<\sin A<1$이므로 $1-\sin A>0$

$\therefore \sqrt{(\cos A-1)^2}-\sqrt{(1-\sin A)^2}$

$=-(\cos A-1)-(1-\sin A)$

$=\sin A-\cos A$

59 $0^\circ<A<45^\circ$일 때, $0<\tan A<1$이므로

$1-\tan A>0$, $\tan A-1<0$

$\therefore \sqrt{(1-\tan A)^2}-\sqrt{(\tan A-1)^2}$

$=(1-\tan A)+(\tan A-1)=0$

60 $0^\circ<x<45^\circ$일 때, $\frac{\sqrt{2}}{2}<\cos x<1$, $\sin x<\cos x$이므로 $\cos x>0$, $\sin x-\cos x<0$

$\therefore \sqrt{(\cos x)^2}-\sqrt{(\sin x-\cos x)^2}$

$=\cos x+(\sin x-\cos x)=\sin x$

61 $45° < A < 90°$일 때, $\sin A > \cos A$이므로
$\sin A - \cos A > 0$, $\cos A - \sin A < 0$
$\therefore \sqrt{(\sin A - \cos A)^2} - \sqrt{(\cos A - \sin A)^2}$
$= (\sin A - \cos A) + (\cos A - \sin A) = 0$

62 $45° < A < 90°$일 때,
$0 < \cos A < \sin A < 1$, $\tan A > 1$이므로
$\cos A - \sin A < 0$, $\sin A - \tan A < 0$
$\therefore \sqrt{(\cos A - \sin A)^2} + \sqrt{(\sin A - \tan A)^2}$
$= -(\cos A - \sin A) - (\sin A - \tan A)$
$= \tan A - \cos A$

63 $\tan 25° = 0.4663$, $\sin 27° = 0.4540$이므로
$\tan 25° + \sin 27° = 0.4663 + 0.4540 = 0.9203$

64 주어진 삼각비의 표에서 $\cos 25° = 0.9063$이므로
$x = 25°$

65 주어진 삼각비의 표에서 $\tan 26° = 0.4877$이므로
$x = 26°$ $\therefore \sin x = \sin 26° = 0.4384$

66 $\sin 58° + \tan 55° - \cos 57°$
$= 0.8480 + 1.4281 - 0.5446 = 1.7315$

67 $\sin 56° = 0.8290$이므로 $x = 56°$
$\tan 57° = 1.5399$이므로 $y = 57°$
$\therefore x + y = 56° + 57° = 113°$

68 $\cos 71° = 0.3256$이므로 $x = 71°$
$\tan 69° = 2.6051$이므로 $y = 69°$
$\therefore x + y = 71° + 69° = 140°$

69 $\triangle$ABC에서 $\cos 48° = \frac{\overline{BC}}{\overline{AB}} = \frac{\overline{BC}}{10}$이므로
$0.6691 = \frac{\overline{BC}}{10}$ $\therefore \overline{BC} = 6.691$

70 $\triangle$ABC에서 $\cos 24° = \frac{\overline{AC}}{\overline{AB}} = \frac{x}{20}$이므로
$0.9135 = \frac{x}{20}$ $\therefore x = 18.27$
$\sin 24° = \frac{\overline{BC}}{\overline{AB}} = \frac{y}{20}$이므로
$0.4067 = \frac{y}{20}$ $\therefore y = 8.134$
$\therefore x - y = 18.27 - 8.134 = 10.136$

71 구하는 직선의 방정식을 $y = ax + b$라 하면 이 직선이 x축의 양의 방향과 이루는 각의 크기가 $60°$이므로
(직선의 기울기)$= \tan 60° = \sqrt{3}$ $\therefore a = \sqrt{3}$
이 직선의 x절편이 -2이므로 $y = \sqrt{3}x + b$에
$x = -2$, $y = 0$을 대입하면
$0 = -2\sqrt{3} + b$ $\therefore b = 2\sqrt{3}$
따라서 구하는 직선의 방정식은 $y = \sqrt{3}x + 2\sqrt{3}$

72 직선을 좌표평면 위에 나타내면 오른쪽 그림과 같다. 구하는 직선의 방정식을 $y = ax + b$라 하면 이 직선이 x축의 양의 방향과 이루는 각의 크기가 $30°$이므로
(직선의 기울기)$= \tan 30° = \frac{\sqrt{3}}{3}$ $\therefore a = \frac{\sqrt{3}}{3}$
이 직선의 x절편이 -3이므로 $y = \frac{\sqrt{3}}{3}x + b$에
$x = -3$, $y = 0$을 대입하면
$0 = \frac{\sqrt{3}}{3} \times (-3) + b$ $\therefore b = \sqrt{3}$
따라서 구하는 직선의 방정식은 $y = \frac{\sqrt{3}}{3}x + \sqrt{3}$

73 $3x - 4y + 12 = 0$에 $y = 0$을 대입하면
$3x + 12 = 0$ $\therefore x = -4$
$x = 0$을 대입하면 $-4y + 12 = 0$ $\therefore y = 3$
즉, 직선 $3x - 4y + 12 = 0$의 x절편은 -4, y절편은 3이므로 오른쪽 그림과 같은 직각삼각형 OBA에서
$\overline{AB} = \sqrt{4^2 + 3^2} = 5$
$\therefore \cos a = \frac{\overline{OA}}{\overline{AB}} = \frac{4}{5}$

74 $x - y + 7 = 0$에 $y = 0$을 대입하면 $x = -7$
$x = 0$을 대입하면 $y = 7$
즉, 직선 $x - y + 7 = 0$의 x절편은 -7, y절편은 7이므로 오른쪽 그림과 같은 직각삼각형 OBA에서
$\overline{AB} = \sqrt{7^2 + 7^2} = 7\sqrt{2}$
이때 $\sin a = \frac{\overline{OB}}{\overline{AB}} = \frac{7}{7\sqrt{2}} = \frac{\sqrt{2}}{2}$,

$\cos a=\frac{\overline{OA}}{\overline{AB}}=\frac{7}{7\sqrt{2}}=\frac{\sqrt{2}}{2}$이므로

$\sin a\times\cos a=\frac{\sqrt{2}}{2}\times\frac{\sqrt{2}}{2}=\frac{1}{2}$

75 $x-2y+6=0$에 $y=0$을 대입하면 $x=-6$

$x=0$을 대입하면 $y=3$

직선 $x-2y+6=0$의 x절편은 -6, y절편은 3이므로 오른쪽 그림과 같은 직각삼각형 OBA에서

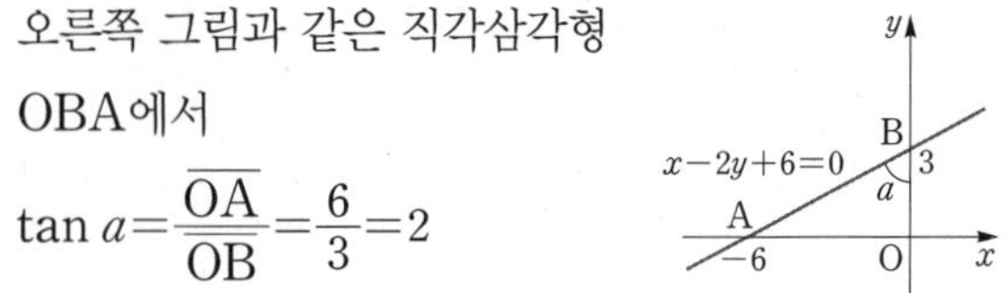

$\tan a=\frac{\overline{OA}}{\overline{OB}}=\frac{6}{3}=2$

2 삼각비의 활용

주제별 실력다지기 본문 25~36쪽

01 ④ **02** ④ **03** ⑤ **04** ④ **05** 15.5 m **06** ③ **07** $(10\sqrt{3}+30)$ m

08 ③ **09** ③ **10** 0.3 cm **11** ④ **12** ④ **13** $2\sqrt{34}$ cm **14** 70 m

15 $\overline{AH}=4\sqrt{3}$ cm, $\overline{AC}=2\sqrt{21}$ cm **16** $(5+5\sqrt{3})$ cm **17** $12\sqrt{2}$ cm **18** ④ **19** $50\sqrt{6}$ m

20 ③ **21** $400(\sqrt{3}-1)$ m **22** $6(3+\sqrt{3})$ cm **23** $10(\sqrt{3}+1)$ m **24** $\frac{5\sqrt{3}}{3}$ m/분

25 ④ **26** ① **27** ④ **28** ④ **29** ④ **30** $12\sqrt{3}$ cm **31** ④ **32** $24+8\sqrt{3}$

33 ② **34** ② **35** ② **36** $3\sqrt{3}$ **37** $9\sqrt{3}\text{ cm}^2$ **38** ④ **39** $28\sqrt{2}\text{ cm}^2$ **40** ①

41 ② **42** ④ **43** $3\sqrt{3}$ **44** ② **45** ① **46** ④ **47** ④ **48** 120°

49 ② **50** ④ **51** ① **52** ③ **53** $28\sqrt{3}\text{ cm}^2$ **54** $(6+\sqrt{3})\text{ cm}^2$ **55** $\frac{15\sqrt{3}}{2}\text{ cm}^2$

56 $4\sqrt{3}+10\sqrt{11}$ **57** ⑤ **58** ⑤ **59** ① **60** ④

01 $\sin 40^\circ=\frac{\overline{AC}}{\overline{AB}}=\frac{5}{\overline{AB}}$ $\therefore \overline{AB}=\frac{5}{\sin 40^\circ}$

02 $\cos 31^\circ=\frac{\overline{BC}}{\overline{AB}}=\frac{\overline{BC}}{20}$이므로

$\overline{BC}=20\cos 31^\circ=20\times0.86=17.2(\text{cm})$

03 $\overline{AB}=\overline{BC}\sin C=5\sin 62^\circ=5\times0.9=4.5(\text{cm})$

04 $\overline{AB}=\overline{PB}\tan 52^\circ=50\times1.3=65(\text{m})$

05 $\overline{AC}=\overline{BC}\tan 35^\circ=20\times0.70=14(\text{m})$

따라서 나무의 높이는 $14+1.5=15.5(\text{m})$

06 $\overline{AC}=\overline{BC}\tan 30^\circ=8\sqrt{3}\times\frac{\sqrt{3}}{3}=8(\text{m})$

$\overline{AB}=\frac{\overline{BC}}{\cos 30^\circ}=8\sqrt{3}\times\frac{2}{\sqrt{3}}=16(\text{m})$

따라서 부러지기 전의 나무의 높이는

$\overline{AB}+\overline{AC}=16+8=24(\text{m})$

07 오른쪽 그림의 △PHQ에서

$\overline{QH}=\overline{PH}\tan 30^\circ$

$=30\times\frac{\sqrt{3}}{3}=10\sqrt{3}(\text{m})$

또, △PRH에서

$\overline{HR}=\overline{PH}\tan 45^\circ=30\times1=30(\text{m})$

따라서 건물 B의 높이는

$\overline{QR}=\overline{QH}+\overline{HR}=10\sqrt{3}+30(\text{m})$

08 △ABQ에서

$\overline{BQ}=\overline{AB}\tan 30^\circ=600\times\frac{\sqrt{3}}{3}=200\sqrt{3}(\text{m})$

또, △PBQ에서

$\overline{PQ}=\overline{BQ}\tan 60^\circ=200\sqrt{3}\times\sqrt{3}=600(\text{m})$

따라서 열기구의 높이는 600 m이다.

09 △ABH에서

$\overline{AH}=\overline{AB}\cos 30^\circ=60\times\frac{\sqrt{3}}{2}=30\sqrt{3}(\text{m})$

또, △AHC에서

$\overline{CH}=\overline{AH}\tan 45^\circ=30\sqrt{3}\times1=30\sqrt{3}(\text{m})$

따라서 타워의 높이는 $30\sqrt{3}$ m이다.

10 오른쪽 그림과 같이 점 B에서 $\overline{PA}$에 내린 수선의 발을 H라 하면 △PHB에서

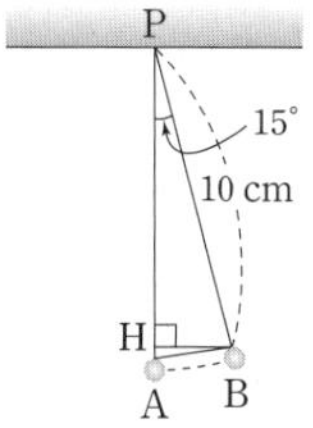

$\overline{PH}=\overline{PB}\cos 15°$

$=10\times 0.97=9.7(\text{cm})$

$\overline{PA}=\overline{PB}=10\text{ cm}$이므로

$\overline{AH}=\overline{PA}-\overline{PH}$

$=10-9.7=0.3(\text{cm})$

따라서 추가 B위치에 있을 때, A지점을 기준으로 0.3 cm 위에 있게 된다.

11 오른쪽 그림과 같이 점 A에서 $\overline{BC}$에 내린 수선의 발을 H라 하면

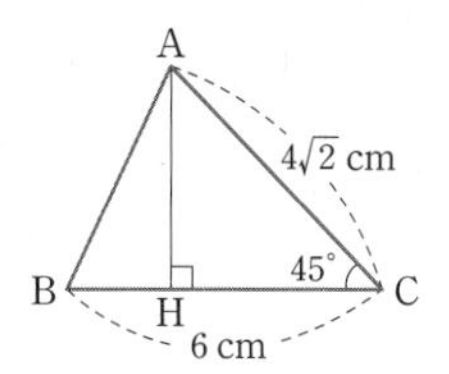

△AHC에서

$\overline{AH}=\overline{AC}\sin 45°$

$=4\sqrt{2}\times\frac{\sqrt{2}}{2}=4(\text{cm})$

$\overline{CH}=\overline{AC}\cos 45°=4\sqrt{2}\times\frac{\sqrt{2}}{2}=4(\text{cm})$

따라서 $\overline{BH}=\overline{BC}-\overline{CH}=6-4=2(\text{cm})$이므로

△ABH에서 $\overline{AB}=\sqrt{4^2+2^2}=2\sqrt{5}(\text{cm})$

12 오른쪽 그림과 같이 점 B에서 $\overline{AC}$에 내린 수선의 발을 H라 하면

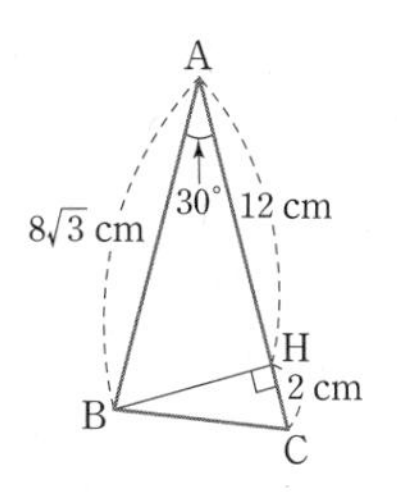

△ABH에서

$\overline{BH}=\overline{AB}\sin 30°$

$=8\sqrt{3}\times\frac{1}{2}=4\sqrt{3}(\text{cm})$

$\overline{AH}=\overline{AB}\cos 30°$

$=8\sqrt{3}\times\frac{\sqrt{3}}{2}=12(\text{cm})$

따라서 $\overline{CH}=\overline{AC}-\overline{AH}=14-12=2(\text{cm})$이므로

△BCH에서 $\overline{BC}=\sqrt{(4\sqrt{3})^2+2^2}=2\sqrt{13}(\text{cm})$

13 오른쪽 그림과 같이 점 A에서 $\overline{BC}$에 내린 수선의 발을 H라 하면

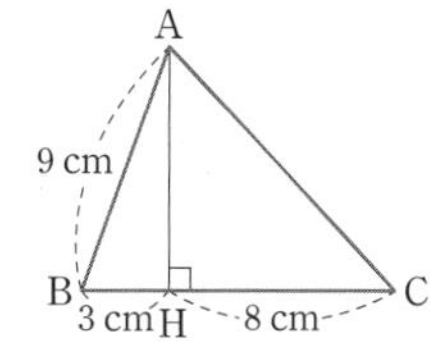

△ABH에서

$\overline{BH}=\overline{AB}\cos B$

$=9\times\frac{1}{3}=3(\text{cm})$

이므로 $\overline{AH}=\sqrt{9^2-3^2}=6\sqrt{2}(\text{cm})$

따라서 $\overline{CH}=\overline{BC}-\overline{BH}=11-3=8(\text{cm})$이므로

△AHC에서 $\overline{AC}=\sqrt{(6\sqrt{2})^2+8^2}=2\sqrt{34}(\text{cm})$

14 오른쪽 그림과 같이 점 C에서 $\overline{AB}$에 내린 수선의 발을 H라 하면

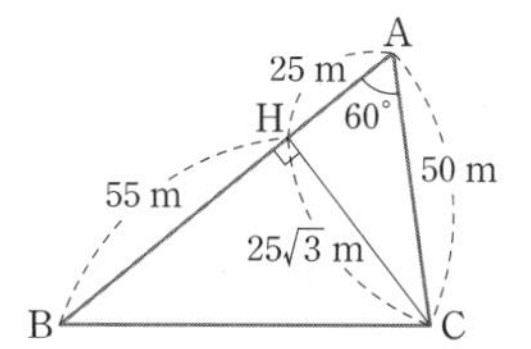

△AHC에서

$\overline{AH}=\overline{AC}\cos 60°$

$=50\times\frac{1}{2}=25(\text{m})$

$\overline{CH}=\overline{AC}\sin 60°=50\times\frac{\sqrt{3}}{2}=25\sqrt{3}(\text{m})$

$\overline{BH}=\overline{AB}-\overline{AH}=80-25=55(\text{m})$이므로

△BCH에서 $\overline{BC}=\sqrt{55^2+(25\sqrt{3})^2}=70(\text{m})$

따라서 두 지점 B, C 사이의 거리는 70 m이다.

15 $\angle ABH=180°-120°=60°$

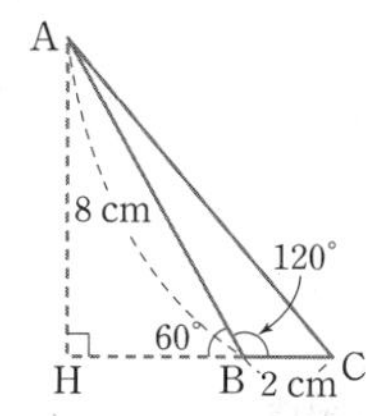

△ABH에서

$\overline{AH}=\overline{AB}\sin 60°$

$=8\times\frac{\sqrt{3}}{2}=4\sqrt{3}(\text{cm})$

$\overline{BH}=\overline{AB}\cos 60°=8\times\frac{1}{2}=4(\text{cm})$

따라서 △ACH에서

$\overline{CH}=\overline{BH}+\overline{BC}=4+2=6(\text{cm})$이므로

$\overline{AC}=\sqrt{(4\sqrt{3})^2+6^2}=2\sqrt{21}(\text{cm})$

16 오른쪽 그림과 같이 점 C에서 $\overline{AB}$에 내린 수선의 발을 H라 하면

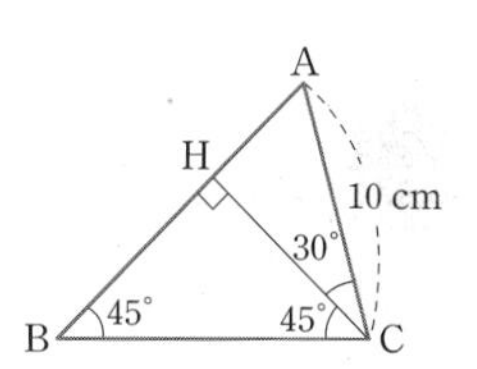

△AHC에서

$\overline{AH}=\overline{AC}\sin 30°$

$=10\times\frac{1}{2}=5(\text{cm})$

$\overline{CH}=\overline{AC}\cos 30°=10\times\frac{\sqrt{3}}{2}=5\sqrt{3}(\text{cm})$

또, △BCH는 직각이등변삼각형이므로

$\overline{BH}=\overline{CH}=5\sqrt{3}\text{ cm}$

$\therefore \overline{AB}=\overline{AH}+\overline{BH}=5+5\sqrt{3}(\text{cm})$

17 오른쪽 그림과 같이 점 A에서 $\overline{BC}$에 내린 수선의 발을 H라 하면

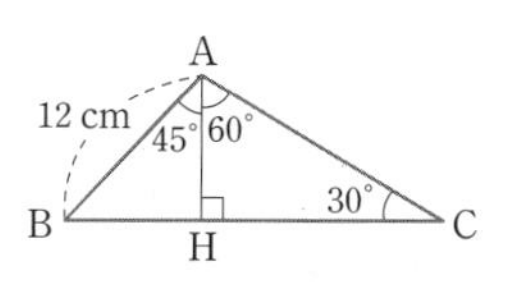

△ABH에서

$\overline{AH}=\overline{AB}\cos 45°$

$=12\times\frac{\sqrt{2}}{2}=6\sqrt{2}(\text{cm})$

따라서 △AHC에서

$\overline{AC}=\frac{\overline{AH}}{\sin 30°}=6\sqrt{2}\div\frac{1}{2}=6\sqrt{2}\times 2=12\sqrt{2}(\text{cm})$

18 △ABC에서 $\angle C=180^\circ-(40^\circ+70^\circ)=70^\circ$

오른쪽 그림과 같이 점 A에서 $\overline{BC}$에 내린 수선의 발을 H라 하면

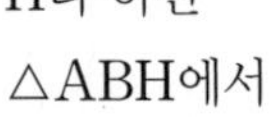

△ABH에서

$\overline{AH}=\overline{AB}\sin 40^\circ=18\times0.6=10.8(\text{cm})$

△AHC에서

$\overline{AC}=\dfrac{\overline{AH}}{\sin 70^\circ}=\dfrac{10.8}{0.9}=12(\text{cm})$

19 오른쪽 그림과 같이 점 B에서 $\overline{AC}$에 내린 수선의 발을 H라 하면

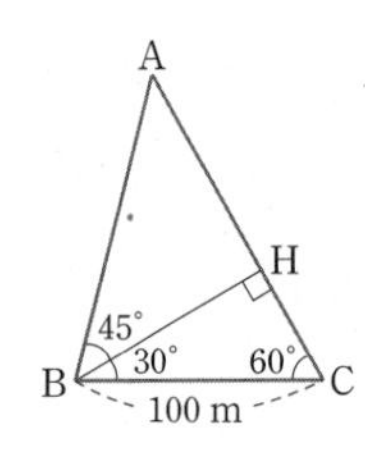

△BCH에서

$\overline{BH}=\overline{BC}\sin 60^\circ$

$=100\times\dfrac{\sqrt{3}}{2}=50\sqrt{3}(\text{m})$

△ABH에서

$\overline{AB}=\dfrac{\overline{BH}}{\cos 45^\circ}=50\sqrt{3}\div\dfrac{\sqrt{2}}{2}=50\sqrt{3}\times\sqrt{2}$

$=50\sqrt{6}(\text{m})$

따라서 B지점에서 배까지의 거리는 $50\sqrt{6}$ m이다.

20 $\overline{AH}=h$ cm라 하면 △ABH에서

$\overline{BH}=\overline{AH}\tan(90^\circ-60^\circ)=\dfrac{\sqrt{3}}{3}h(\text{cm})$

△AHC에서 $\overline{CH}=\overline{AH}=h$ cm

이때 $\overline{BC}=\overline{BH}+\overline{CH}$이므로

$6=\dfrac{\sqrt{3}}{3}h+h$, $18=(3+\sqrt{3})h$

$\therefore h=\dfrac{18}{3+\sqrt{3}}=3(3-\sqrt{3})$

$\therefore \overline{AH}=3(3-\sqrt{3})$ cm

21 $\overline{PQ}=x$ m라 하면 △APQ에서

$\overline{AP}=\overline{PQ}\tan 60^\circ=\sqrt{3}x(\text{m})$

또, △QPB에서

$\overline{BP}=\overline{PQ}\tan 45^\circ=x(\text{m})$

이때 $\overline{AB}=\overline{AP}+\overline{BP}$이므로

$800=\sqrt{3}x+x$, $(\sqrt{3}+1)x=800$

$\therefore x=\dfrac{800}{\sqrt{3}+1}=400(\sqrt{3}-1)$

따라서 열기구는 P지점에서 $400(\sqrt{3}-1)$ m의 높이에 있다.

22 $\overline{AH}=h$ cm라 하면 △ABH에서

$\overline{BH}=\overline{AH}\tan(90^\circ-45^\circ)=h(\text{cm})$

△ACH에서

$\angle ACH=180^\circ-120^\circ=60^\circ$이므로

$\overline{CH}=\overline{AH}\tan(90^\circ-60^\circ)=\dfrac{\sqrt{3}}{3}h(\text{cm})$

이때 $\overline{BC}=\overline{BH}-\overline{CH}$이므로

$12=h-\dfrac{\sqrt{3}}{3}h$, $\dfrac{3-\sqrt{3}}{3}h=12$

$\therefore h=12\times\dfrac{3}{3-\sqrt{3}}=6(3+\sqrt{3})$

$\therefore \overline{AH}=6(3+\sqrt{3})$ cm

23 $\overline{CH}=h$ m라 하면 △AHC에서

$\overline{AH}=\overline{CH}\tan(90^\circ-30^\circ)=\sqrt{3}h(\text{m})$

△BHC에서 $\overline{BH}=\overline{CH}=h$ m

이때 $\overline{AB}=\overline{AH}-\overline{BH}$이므로

$20=\sqrt{3}h-h$, $(\sqrt{3}-1)h=20$

$\therefore h=\dfrac{20}{\sqrt{3}-1}=10(\sqrt{3}+1)$

따라서 열기구의 높이는 $10(\sqrt{3}+1)$ m이다.

24 오른쪽 그림과 같이 은영이의 위치를 A, 소희의 처음 위치와 4분 후의 위치를 각각 C, D라 하면

$\angle CAB=90^\circ-30^\circ=60^\circ$

△ABC에서

$\overline{BC}=\overline{AB}\tan 60^\circ=10\times\sqrt{3}=10\sqrt{3}(\text{m})$

△ABD에서

$\overline{BD}=\overline{AB}\tan(90^\circ-60^\circ)=10\times\dfrac{\sqrt{3}}{3}=\dfrac{10\sqrt{3}}{3}(\text{m})$

$\therefore \overline{CD}=\overline{BC}-\overline{BD}=10\sqrt{3}-\dfrac{10\sqrt{3}}{3}=\dfrac{20\sqrt{3}}{3}(\text{m})$

이때 소희가 4분 동안 $\overline{CD}$의 길이만큼 이동하였으므로 소희의 속력은

$\dfrac{\overline{CD}}{4}=\dfrac{20\sqrt{3}}{3}\times\dfrac{1}{4}=\dfrac{5\sqrt{3}}{3}(\text{m/분})$

25 $\triangle ABC=\dfrac{1}{2}\times6\times5\times\sin 45^\circ$

$=\dfrac{1}{2}\times6\times5\times\dfrac{\sqrt{2}}{2}=\dfrac{15\sqrt{2}}{2}(\text{cm}^2)$

26 $\angle C=\angle B=75^\circ$이므로

$\angle A=180^\circ-(75^\circ+75^\circ)=30^\circ$

$\therefore\ \triangle ABC=\frac{1}{2}\times\overline{AB}\times\overline{AC}\times\sin 30^\circ$

$=\frac{1}{2}\times 2\sqrt{6}\times 2\sqrt{6}\times\frac{1}{2}=6(\text{cm}^2)$

27 $\tan B=\sqrt{3}$이므로 $\angle B=60^\circ$

$\therefore\ \triangle ABC=\frac{1}{2}\times 7\times 4\times\sin 60^\circ$

$=\frac{1}{2}\times 7\times 4\times\frac{\sqrt{3}}{2}=7\sqrt{3}$

28 $\triangle ABC=\frac{1}{2}\times 8\times\overline{BC}\times\sin 30^\circ=24$

$\frac{1}{2}\times 8\times\overline{BC}\times\frac{1}{2}=24,\ 2\overline{BC}=24$

$\therefore\ \overline{BC}=12\text{ cm}$

29 $\triangle ABC=\frac{1}{2}\times 3\times 6\times\sin A=\frac{9}{2}$

이므로 $\sin A=\frac{1}{2}$ $\quad\therefore\ \angle A=30^\circ$

30 $\angle BAD=\angle CAD=\frac{1}{2}\times 60^\circ=30^\circ$

$\triangle ABC=\triangle ABD+\triangle ACD$이므로

$\frac{1}{2}\times 30\times 20\times\sin 60^\circ$

$=\frac{1}{2}\times 30\times\overline{AD}\times\sin 30^\circ+\frac{1}{2}\times 20\times\overline{AD}\times\sin 30^\circ$

$300\times\frac{\sqrt{3}}{2}=15\overline{AD}\times\frac{1}{2}+10\overline{AD}\times\frac{1}{2}$

$150\sqrt{3}=\frac{15}{2}\overline{AD}+5\overline{AD}=\frac{25}{2}\overline{AD}$

$\therefore\ \overline{AD}=150\sqrt{3}\times\frac{2}{25}=12\sqrt{3}(\text{cm})$

31 $\angle DAC=\angle BAC=75^\circ$ (접은 각)이고, $\overline{AD}\,/\!/\,\overline{BC}$ 이므로

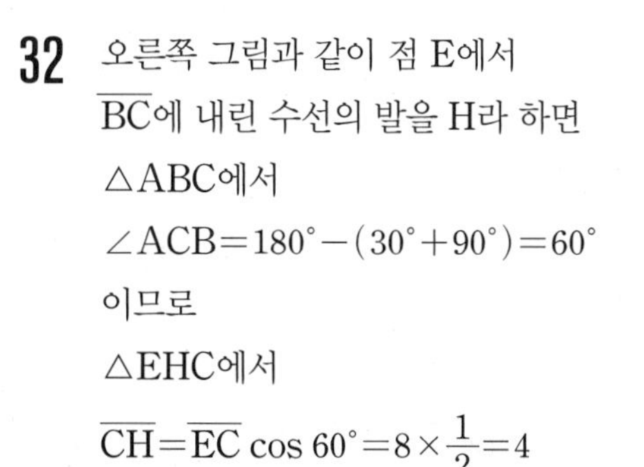

$\angle BCA=\angle DAC=75^\circ$(엇각)

따라서 $\triangle ABC$에서

$\angle ABC=180^\circ-(75^\circ+75^\circ)=30^\circ$

또, 점 A에서 $\overline{BC}$에 내린 수선의 발을 H라 하면

직각삼각형 ABH에서

$\sin 30^\circ=\frac{\overline{AH}}{\overline{AB}},\ \frac{1}{2}=\frac{4}{\overline{AB}}$ $\quad\therefore\ \overline{AB}=8\text{ cm}$

따라서 $\overline{BC}=\overline{AB}=8\text{ cm}$이므로

$\triangle ABC=\frac{1}{2}\times 8\times 8\times\sin 30^\circ$

$=\frac{1}{2}\times 8\times 8\times\frac{1}{2}=16(\text{cm}^2)$

32 오른쪽 그림과 같이 점 E에서 $\overline{BC}$에 내린 수선의 발을 H라 하면

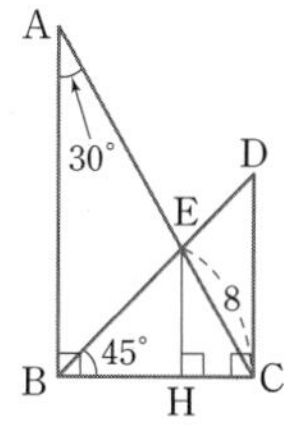

$\triangle ABC$에서

$\angle ACB=180^\circ-(30^\circ+90^\circ)=60^\circ$

이므로

$\triangle EHC$에서

$\overline{CH}=\overline{EC}\cos 60^\circ=8\times\frac{1}{2}=4$

$\overline{EH}=\overline{EC}\sin 60^\circ=8\times\frac{\sqrt{3}}{2}=4\sqrt{3}$

$\triangle BEH$에서 $\overline{BH}=\overline{EH}=4\sqrt{3}$

따라서 $\overline{BC}=\overline{BH}+\overline{CH}=4\sqrt{3}+4$이므로

$\triangle EBC=\frac{1}{2}\times\overline{BC}\times\overline{EC}\times\sin 60^\circ$

$=\frac{1}{2}\times(4\sqrt{3}+4)\times 8\times\frac{\sqrt{3}}{2}$

$=24+8\sqrt{3}$

다른 풀이 $\triangle EBC=\frac{1}{2}\times\overline{BC}\times\overline{EH}$

$=\frac{1}{2}\times(4\sqrt{3}+4)\times 4\sqrt{3}$

$=24+8\sqrt{3}$

33 $\angle C=180^\circ-(27^\circ+18^\circ)=135^\circ$이므로

$\triangle ABC=\frac{1}{2}\times\overline{BC}\times\overline{AC}\times\sin(180^\circ-135^\circ)$

$=\frac{1}{2}\times 8\times 10\times\frac{\sqrt{2}}{2}=20\sqrt{2}(\text{cm}^2)$

34 $\triangle ABC=\frac{1}{2}\times 4\times\overline{AC}\times\sin(180^\circ-120^\circ)=12$

$\frac{1}{2}\times 4\times\overline{AC}\times\frac{\sqrt{3}}{2}=12,\ \sqrt{3}\,\overline{AC}=12$

$\therefore\ \overline{AC}=\frac{12}{\sqrt{3}}=4\sqrt{3}(\text{cm})$

35 $\triangle ABC=\frac{1}{2}\times 8\times 6\times\sin(180^\circ-C)=12\sqrt{2}$

$24\sin(180^\circ-C)=12\sqrt{2}$

$\sin(180^\circ-C)=\frac{\sqrt{2}}{2}$

따라서 $180^\circ-\angle C=45^\circ$이므로 $\angle C=135^\circ$

36 $\angle CAD=\angle BAC-\angle BAD$

$=120^\circ-90^\circ=30^\circ$

이때 $\triangle ABC=\triangle ABD+\triangle ADC$이므로

$\frac{1}{2}\times 12\times 8\times\sin(180^\circ-120^\circ)$

$=\frac{1}{2}\times 12\times\overline{AD}+\frac{1}{2}\times 8\times\overline{AD}\times\sin 30^\circ$

$48\times\frac{\sqrt{3}}{2}=6\overline{AD}+4\overline{AD}\times\frac{1}{2}$

$24\sqrt{3}=6\overline{AD}+2\overline{AD}$

$8\overline{AD}=24\sqrt{3}$ $\quad\therefore \overline{AD}=3\sqrt{3}$

37 $\angle ABC=\angle DBC=30^\circ$(접은 각)이고,

$\angle ACB=\angle DBC=30^\circ$(엇각)이므로

$\triangle ABC$는 $\overline{AB}=\overline{AC}=6$ cm인 이등변삼각형이다.

따라서 $\angle BAC=180^\circ-(30^\circ+30^\circ)=120^\circ$이므로

$\triangle ABC=\frac{1}{2}\times6\times6\times\sin(180^\circ-120^\circ)$

$=\frac{1}{2}\times6\times6\times\frac{\sqrt{3}}{2}$

$=9\sqrt{3}\,(\text{cm}^2)$

38 $\overline{BC}=\overline{AD}=10$ cm

$\therefore \triangle AED=\frac{1}{2}\square ABCD$

$=\frac{1}{2}\times(\overline{AB}\times\overline{BC}\times\sin 60^\circ)$

$=\frac{1}{2}\times\left(12\times10\times\frac{\sqrt{3}}{2}\right)$

$=30\sqrt{3}(\text{cm}^2)$

39 $\angle B+\angle C=180^\circ$이고, $\angle B:\angle C=1:3$이므로

$\angle B=\frac{1}{1+3}\times180^\circ=45^\circ$

$\therefore \square ABCD=\overline{AB}\times\overline{BC}\times\sin 45^\circ$

$=8\times7\times\frac{\sqrt{2}}{2}=28\sqrt{2}(\text{cm}^2)$

40 $\triangle ABC=\frac{1}{2}\times\overline{AC}\times\overline{BC}\times\sin 45^\circ$

$=\frac{1}{2}\times7\times6\times\frac{\sqrt{2}}{2}=\frac{21\sqrt{2}}{2}(\text{cm}^2)$

$\therefore \square ABCD=2\triangle ABC$

$=2\times\frac{21\sqrt{2}}{2}=21\sqrt{2}(\text{cm}^2)$

41 $\square ABCD=\overline{AB}\times\overline{AD}\times\sin(180^\circ-135^\circ)$

$=4\times4\times\frac{\sqrt{2}}{2}=8\sqrt{2}(\text{cm}^2)$

42 $\square ABCD$의 한 변의 길이를 x cm라 하면

$\square ABCD=\overline{AB}\times\overline{AD}\times\sin(180^\circ-150^\circ)$에서

$18=x\times x\times\frac{1}{2}$, $x^2=36$ $\quad\therefore x=6(\because x>0)$

따라서 마름모 ABCD의 한 변의 길이는 6 cm이므로 둘레의 길이는 $4\times6=24$(cm)이다.

43 오른쪽 그림에서 $\overline{AB}/\!/\overline{CD}$, $\overline{AD}/\!/\overline{BC}$이므로 $\square ABCD$는 평행사변형이다. 두 점 B, D에서 $\overline{CD}$, $\overline{BC}$의 연장선에 내린 수선의 발을 각각 E, F라 하면

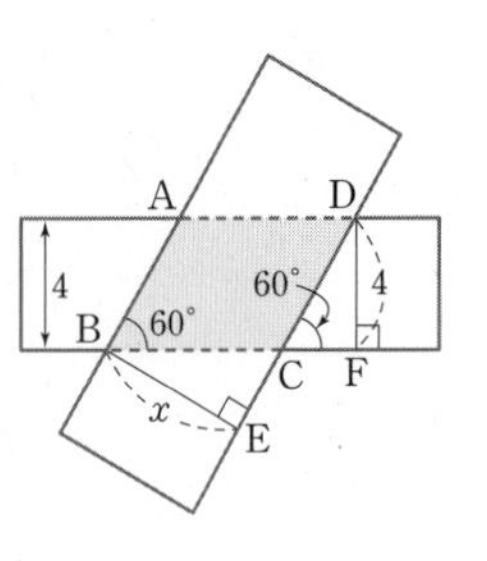

$\triangle BEC$에서

$\angle CBE=90^\circ-60^\circ=30^\circ$이므로

$\overline{BC}=\frac{\overline{BE}}{\cos 30^\circ}=\frac{x}{\cos 30^\circ}=x\div\frac{\sqrt{3}}{2}$

$=x\times\frac{2}{\sqrt{3}}=\frac{2\sqrt{3}}{3}x$

$\triangle DCF$에서

$\overline{CD}=\frac{\overline{DF}}{\sin 60^\circ}=\frac{4}{\sin 60^\circ}=4\div\frac{\sqrt{3}}{2}$

$=4\times\frac{2}{\sqrt{3}}=\frac{8\sqrt{3}}{3}$

$\therefore \overline{AB}=\overline{CD}=\frac{8\sqrt{3}}{3}$

따라서 $\square ABCD=\overline{AB}\times\overline{BC}\times\sin 60^\circ=24$에서

$\frac{8\sqrt{3}}{3}\times\frac{2\sqrt{3}}{3}x\times\frac{\sqrt{3}}{2}=24$, $\frac{8\sqrt{3}}{3}x=24$

$\therefore x=24\times\frac{3}{8\sqrt{3}}=3\sqrt{3}$

다른 풀이 $\square ABCD=\overline{BC}\times\overline{DF}=24$에서

$\frac{2\sqrt{3}}{3}x\times4=24$ $\quad\therefore x=6\times\frac{3}{2\sqrt{3}}=3\sqrt{3}$

44 $\square ABCD=\frac{1}{2}\times6\times4\times\sin 60^\circ$

$=\frac{1}{2}\times6\times4\times\frac{\sqrt{3}}{2}$

$=6\sqrt{3}(\text{cm}^2)$

45 등변사다리꼴의 두 대각선의 길이는 같으므로

$\overline{AC}=\overline{BD}=8$ cm

$\therefore \square ABCD=\frac{1}{2}\times8\times8\times\sin(180^\circ-150^\circ)$

$=\frac{1}{2}\times8\times8\times\frac{1}{2}$

$=16(\text{cm}^2)$

46 $\square ABCD=\frac{1}{2}\times\overline{AC}\times\overline{BD}\times\sin 60^\circ$이므로

$45\sqrt{3}=\frac{1}{2}\times15\times\overline{BD}\times\frac{\sqrt{3}}{2}$

$45\sqrt{3}=\frac{15\sqrt{3}}{4}\overline{BD}$

$\therefore \overline{BD}=45\sqrt{3}\times\frac{4}{15\sqrt{3}}=12(\text{cm})$

47 등변사다리꼴의 두 대각선의 길이는 같으므로

$\overline{AC}=\overline{BD}=x$ cm라 하면

$\square ABCD=\frac{1}{2}\times\overline{AC}\times\overline{BD}\times\sin(180^\circ-135^\circ)$

에서

$12\sqrt{2}=\frac{1}{2}\times x\times x\times\frac{\sqrt{2}}{2}$, $x^2=48$

$\therefore x=4\sqrt{3}$ ($\because x>0$)

따라서 한 대각선의 길이는 $4\sqrt{3}$ cm이다.

48 $\square ABCD=\frac{1}{2}\times\overline{AC}\times\overline{BD}\times\sin(180^\circ-x)$이므로

$18\sqrt{3}=\frac{1}{2}\times8\times9\times\sin(180^\circ-x)$

$\therefore \sin(180^\circ-x)=\frac{\sqrt{3}}{2}$

따라서 $180^\circ-\angle x=60^\circ$이므로 $\angle x=120^\circ$

49 $\triangle CDE$에서 $\overline{CD}=\sqrt{(2\sqrt{5})^2-2^2}=4$(cm)

따라서 $\overline{BE}=\overline{CD}=4$ cm이므로

$\triangle ABE=\frac{1}{2}\times4\times4\times\sin 60^\circ$

$=\frac{1}{2}\times4\times4\times\frac{\sqrt{3}}{2}=4\sqrt{3}$(cm^2)

50 정삼각형의 외심과 무게중심은 일치하므로 점 O는 $\triangle ABC$의 외심이면서 무게중심이다.

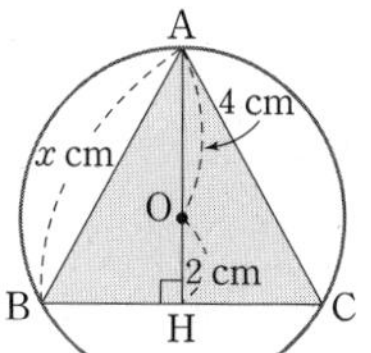

A, 4 cm, x cm, O, 2 cm, B, H, C

점 A에서 $\overline{BC}$에 내린 수선의 발을 H라 하면 $\overline{OA}=4$ cm이고,

$\overline{AO}:\overline{OH}=2:1$이므로

$\overline{OH}=2$ cm $\quad\therefore \overline{AH}=6$ cm

또, $\overline{AB}=x$ cm라 하면

$\overline{AH}$는 $\triangle ABC$의 높이이므로

$x\times\sin 60^\circ=6$, $\frac{\sqrt{3}}{2}x=6$에서 $x=4\sqrt{3}$

$\therefore \triangle ABC=\frac{1}{2}\times4\sqrt{3}\times4\sqrt{3}\times\sin 60^\circ$

$=\frac{1}{2}\times4\sqrt{3}\times4\sqrt{3}\times\frac{\sqrt{3}}{2}$

$=12\sqrt{3}$(cm^2)

51 $\overline{AD}$는 정삼각형 ABC의 높이이므로

$\overline{AD}=6\sqrt{3}\times\sin 60^\circ=6\sqrt{3}\times\frac{\sqrt{3}}{2}=9$(cm)

$\overline{BD}=\overline{CD}=\frac{1}{2}\overline{BC}=\frac{1}{2}\times6\sqrt{3}=3\sqrt{3}$(cm)

점 G는 $\triangle ABC$의 외심이므로 $\overline{AG}=\overline{BG}$

$\therefore$ ($\triangle GBD$의 둘레의 길이)

$=\overline{BG}+\overline{GD}+\overline{BD}=(\overline{AG}+\overline{GD})+\overline{BD}$

$=\overline{AD}+\overline{BD}=(9+3\sqrt{3})$ cm

52 $\overline{AD}=4\times\sin 60^\circ$

$=4\times\frac{\sqrt{3}}{2}=2\sqrt{3}$(cm)

이므로

$\triangle ADE=\frac{1}{2}\times2\sqrt{3}\times2\sqrt{3}\times\sin 60^\circ$

$=\frac{1}{2}\times2\sqrt{3}\times2\sqrt{3}\times\frac{\sqrt{3}}{2}=3\sqrt{3}$(cm^2)

53 $\angle GEC=\angle GCE=60^\circ$이므로 $\triangle GEC$는 한 변의 길이가 4 cm인 정삼각형이다.

$\triangle ABC=\frac{1}{2}\times8\times8\times\sin 60^\circ$

$=\frac{1}{2}\times8\times8\times\frac{\sqrt{3}}{2}=16\sqrt{3}$(cm^2)

$\triangle GEC=\frac{1}{2}\times4\times4\times\sin 60^\circ$

$=\frac{1}{2}\times4\times4\times\frac{\sqrt{3}}{2}=4\sqrt{3}$(cm^2)

따라서 어두운 부분의 넓이는

$2\triangle ABC-\triangle GEC=2\times16\sqrt{3}-4\sqrt{3}$

$=28\sqrt{3}$(cm^2)

54 오른쪽 그림과 같이 보조선 AC를 그으면

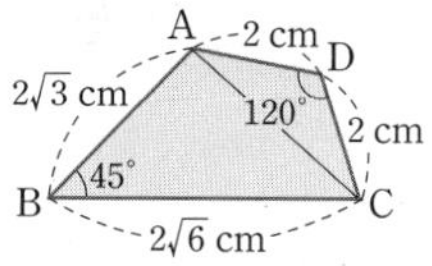

A, 2 cm, D, $2\sqrt{3}$ cm, 120°, 2 cm, 45°, B, C, $2\sqrt{6}$ cm

$\square ABCD$

$=\triangle ABC+\triangle ACD$

$=\left(\frac{1}{2}\times2\sqrt{3}\times2\sqrt{6}\times\sin 45^\circ\right)$

$+\left\{\frac{1}{2}\times2\times2\times\sin(180^\circ-120^\circ)\right\}$

$=\left(\frac{1}{2}\times2\sqrt{3}\times2\sqrt{6}\times\frac{\sqrt{2}}{2}\right)+\left(\frac{1}{2}\times2\times2\times\frac{\sqrt{3}}{2}\right)$

$=6+\sqrt{3}$(cm^2)

55 $\triangle ABC$에서

$\overline{BC}:\overline{AB}:\overline{AC}=2:1:\sqrt{3}$이므로

$\overline{AB}=3$ cm, $\overline{AC}=3\sqrt{3}$ cm

$\therefore \square ABCD$

$=\triangle ABC+\triangle ACD$

$=\left(\frac{1}{2}\times3\times3\sqrt{3}\right)+\left(\frac{1}{2}\times3\sqrt{3}\times4\times\sin 30^\circ\right)$

$=\frac{9\sqrt{3}}{2}+3\sqrt{3}=\frac{15\sqrt{3}}{2}$(cm^2)

56 오른쪽 그림과 같이 보조선 BE를 그으면

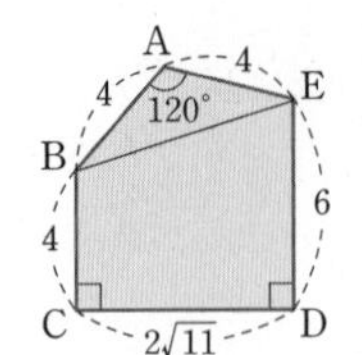

(오각형 ABCDE의 넓이)

$=\triangle ABE+\square BCDE$

$=\frac{1}{2}\times 4\times 4\times \sin(180^\circ-120^\circ)$

$+\frac{1}{2}\times(4+6)\times 2\sqrt{11}$

$=4\sqrt{3}+10\sqrt{11}$

57 오른쪽 그림과 같이 대각선을 그으면 나누어진 6개의 삼각형은 모두 합동이다.

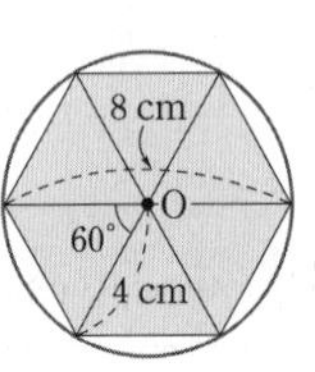

따라서 구하는 정육각형의 넓이는

$\left(\frac{1}{2}\times 4\times 4\times \sin 60^\circ\right)\times 6=24\sqrt{3}(\text{cm}^2)$

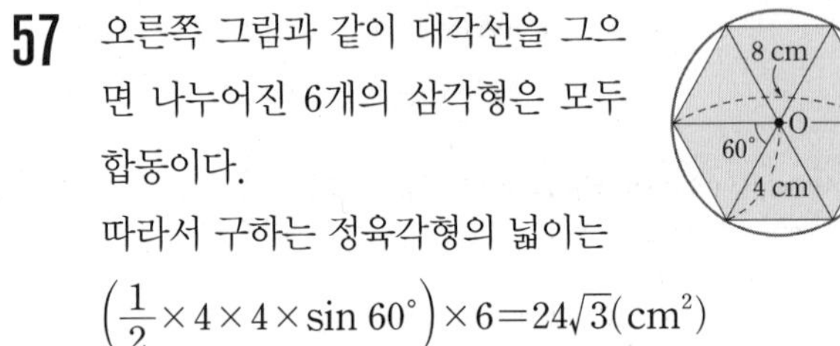

58 원 O의 반지름의 길이를 r cm라 하면 원의 둘레의 길이가 6π cm이므로

$2\pi r=6\pi \qquad \therefore r=3$

오른쪽 그림과 같이 정팔각형에 대각선을 그으면 나누어진 8개의 삼각형은 모두 합동이다.

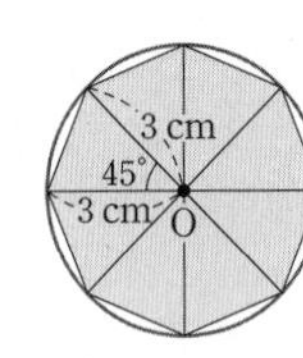

따라서 구하는 정팔각형의 넓이는

$\left(\frac{1}{2}\times 3\times 3\times \sin 45^\circ\right)\times 8=18\sqrt{2}(\text{cm}^2)$

59 원 O에 내접하는 정십이각형에 대각선을 그으면 나누어진 12개의 삼각형은 모두 합동이고 오른쪽 그림과 같다.

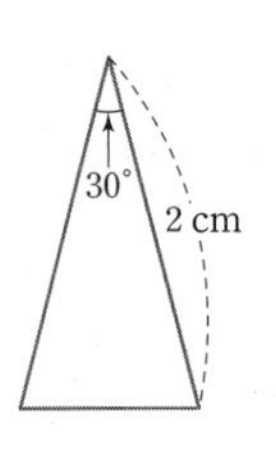

따라서 구하는 정십이각형의 넓이는

$\left(\frac{1}{2}\times 2\times 2\times \sin 30^\circ\right)\times 12=12(\text{cm}^2)$

60 오른쪽 그림과 같이 $\overline{OC}$, $\overline{OD}$를 그으면

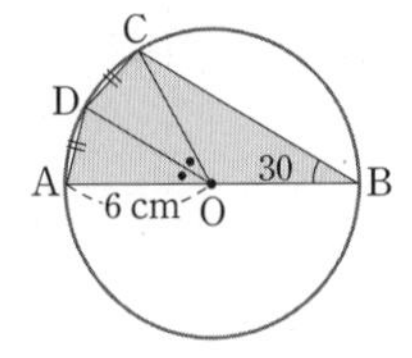

$\angle COA=\angle OBC+\angle OCB$

$=30^\circ+30^\circ=60^\circ$

이때 현의 길이가 같으면 중심각의 크기가 같으므로

$\angle COD=\angle DOA=\frac{1}{2}\times 60^\circ=30^\circ$

$\therefore \triangle COD=\triangle DOA$

$=\frac{1}{2}\times 6\times 6\times \sin 30^\circ$

$=\frac{1}{2}\times 6\times 6\times \frac{1}{2}=9(\text{cm}^2)$

또, $\angle COB=180^\circ-60^\circ=120^\circ$이므로

$\triangle COB=\frac{1}{2}\times 6\times 6\times \sin(180^\circ-120^\circ)$

$=\frac{1}{2}\times 6\times 6\times \frac{\sqrt{3}}{2}=9\sqrt{3}(\text{cm}^2)$

$\therefore \square ABCD=\triangle DOA+\triangle COD+\triangle COB$

$=9+9+9\sqrt{3}=18+9\sqrt{3}$

$=9(\sqrt{3}+2)(\text{cm}^2)$

단원 종합 문제

본문 37~40쪽

01 ① **02** ② **03** ② **04** ④ **05** (1) 0 (2) $\frac{3}{2}$ (3) $\frac{\sqrt{3}}{2}$ (4) 3 **06** ②

07 ⑤ **08** ③ **09** ③, ⑤ **10** (1) 0.6018 (2) 0.8192 (3) 0.7265 **11** 1, 45°

12 (1) $4\sqrt{3}$ cm (2) 4 cm (3) $2\sqrt{21}$ cm **13** ⑤ **14** ⑤ **15** $\left(\frac{16}{3}\pi-4\sqrt{3}\right)\text{cm}^2$ **16** ②

17 (1) $15\sqrt{2}\text{ cm}^2$ (2) 10 cm^2 **18** $108\sqrt{3}\text{ cm}^2$ **19** ② **20** ③ **21** $3\sqrt{3}\text{ cm}^2$

22 $9\sqrt{3}\text{ cm}^2$ **23** ④ **24** ② **25** $3+2\sqrt{3}$ **26** $48+6\sqrt{3}\text{ cm}^2$

01
$\triangle$ABC에서 피타고라스 정리에 의해

$\overline{BC}=\sqrt{13^2-5^2}=12$

① $\sin A=\frac{\overline{BC}}{\overline{AC}}=\frac{12}{13}$

따라서 옳지 않은 것은 ①이다.

02
$\triangle$ABC에서 피타고라스 정리에 의해

$\overline{AB}=\sqrt{10^2-8^2}=6$이므로

$\sin B=\frac{\overline{AC}}{\overline{BC}}=\frac{8}{10}=\frac{4}{5}$

$\cos B=\frac{\overline{AB}}{\overline{BC}}=\frac{6}{10}=\frac{3}{5}$

$\therefore \sin B+\cos B=\frac{4}{5}+\frac{3}{5}=\frac{7}{5}$

03
$\triangle$ADE에서 피타고라스 정리에 의해

$\overline{DE}=\sqrt{6^2-(4\sqrt{2})^2}=2$

$\triangle ABC \backsim \triangle AED$(AA 닮음)이므로 $\angle x=\angle y$

즉, $\sin x=\sin y=\frac{\overline{AD}}{\overline{AE}}=\frac{4\sqrt{2}}{6}=\frac{2\sqrt{2}}{3}$

$\tan y=\frac{\overline{AD}}{\overline{DE}}=\frac{4\sqrt{2}}{2}=2\sqrt{2}$

$\therefore \sin x\times\tan y=\frac{2\sqrt{2}}{3}\times 2\sqrt{2}=\frac{8}{3}$

04
$\angle B=90^\circ$이고 $\cos A=\frac{3}{5}$이므로

오른쪽 그림과 같이 $\overline{AC}=5$,

$\overline{AB}=3$인 직각삼각형 ABC를 생각할 수 있다.

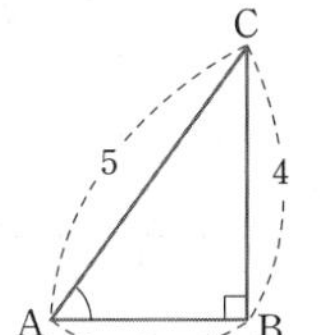

따라서 피타고라스 정리에 의해

$\overline{BC}=\sqrt{5^2-3^2}=4$

$\therefore \tan A=\frac{\overline{BC}}{\overline{AB}}=\frac{4}{3}$

05
(1) $\sin 30^\circ-\cos 60^\circ=\frac{1}{2}-\frac{1}{2}=0$

(2) $\cos 60^\circ+\tan 45^\circ=\frac{1}{2}+1=\frac{3}{2}$

(3) $\sin 45^\circ\times\cos 45^\circ\div\tan 30^\circ$

$=\frac{\sqrt{2}}{2}\times\frac{\sqrt{2}}{2}\div\frac{\sqrt{3}}{3}=\frac{1}{2}\times\sqrt{3}=\frac{\sqrt{3}}{2}$

(4) $(\cos 30^\circ+\sin 60^\circ)\times\tan 60^\circ$

$=\left(\frac{\sqrt{3}}{2}+\frac{\sqrt{3}}{2}\right)\times\sqrt{3}=\sqrt{3}\times\sqrt{3}=3$

06
① $\sin 0^\circ=0$　② $\cos 0^\circ=1$　③ $\sin 30^\circ=\frac{1}{2}$

④ $\cos 90^\circ=0$　⑤ $\tan 0^\circ=0$

따라서 그 값이 가장 큰 것은 ②이다.

07
$\cos B=\frac{\overline{BC}}{\overline{AB}}$이므로

$\cos 30^\circ=\frac{\overline{BC}}{16}$, $\frac{\sqrt{3}}{2}=\frac{\overline{BC}}{16}$

$\therefore \overline{BC}=8\sqrt{3}$ cm

08
① $\sin x=\frac{\overline{BC}}{\overline{AC}}=\frac{\overline{BC}}{1}=\overline{BC}$

② $\sin y=\frac{\overline{AB}}{\overline{AC}}=\frac{\overline{AB}}{1}=\overline{AB}$

③ $\cos x=\frac{\overline{AB}}{\overline{AC}}=\frac{\overline{AB}}{1}=\overline{AB}$

④ $\cos y=\frac{\overline{BC}}{\overline{AC}}=\frac{\overline{BC}}{1}=\overline{BC}$

⑤ $\tan x=\frac{\overline{DE}}{\overline{AD}}=\frac{\overline{DE}}{1}=\overline{DE}$

따라서 옳지 않은 것은 ③이다.

09
③ $\angle$A의 크기가 커지면 tan A의 값도 커진다.

⑤ $\tan A$의 값은 0부터 한없이 커지므로 최솟값은 0이지만 최댓값은 없다.

11
직선 $y=x+4$의 x절편이 -4, y절편이 4이므로

직각삼각형 OAB에서

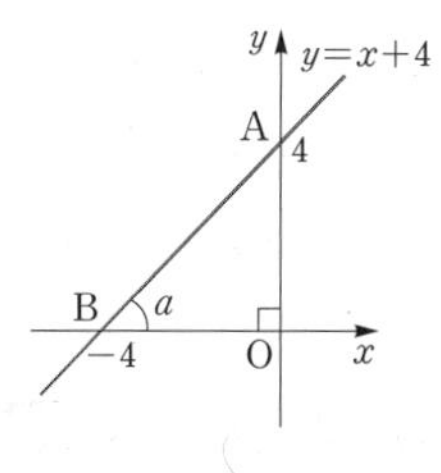

$\tan a=\frac{\overline{AO}}{\overline{BO}}=\frac{4}{4}=1$

$\therefore a=45^\circ$

12
(1) $\triangle$ABH에서

$\overline{AH}=\overline{AB}\sin 60^\circ=8\times\frac{\sqrt{3}}{2}=4\sqrt{3}$(cm)

(2) $\triangle$ABH에서

$\overline{BH}=\overline{AB}\cos 60^\circ=8\times\frac{1}{2}=4$(cm)

(3) $\overline{CH}=\overline{BC}-\overline{BH}=10-4=6$(cm)이므로

$\triangle$ACH에서 피타고라스 정리에 의해

$\overline{AC}=\sqrt{(4\sqrt{3})^2+6^2}=2\sqrt{21}$(cm)

13
점 A에서 $\overline{BC}$에 내린 수선의 발을 H라 하면 $\triangle$ABH에서

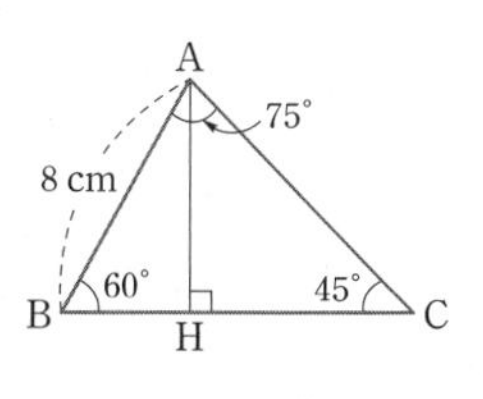

$\overline{AH}=\overline{AB}\sin 60^\circ$

$=8\times\frac{\sqrt{3}}{2}=4\sqrt{3}$(cm)

이때 $\angle ACB=180^\circ-(60^\circ+75^\circ)=45^\circ$이므로

$\triangle$ACH에서

$\overline{AC}=\frac{\overline{AH}}{\sin 45^\circ}=4\sqrt{3}\times\frac{2}{\sqrt{2}}=4\sqrt{6}$(cm)

14 $\overline{AH}=\overline{BH}=h$ m라 하면
△ACH에서
$\tan 30°=\dfrac{\overline{AH}}{\overline{CH}}=\dfrac{h}{h+32}$, $\dfrac{1}{\sqrt{3}}=\dfrac{h}{h+32}$
$(\sqrt{3}-1)h=32$
$\therefore h=\dfrac{32}{\sqrt{3}-1}=16(\sqrt{3}+1)$
따라서 나무의 높이는 $16(\sqrt{3}+1)$ m이다.

15 오른쪽 그림과 같이 $\overline{OC}$를 그으면

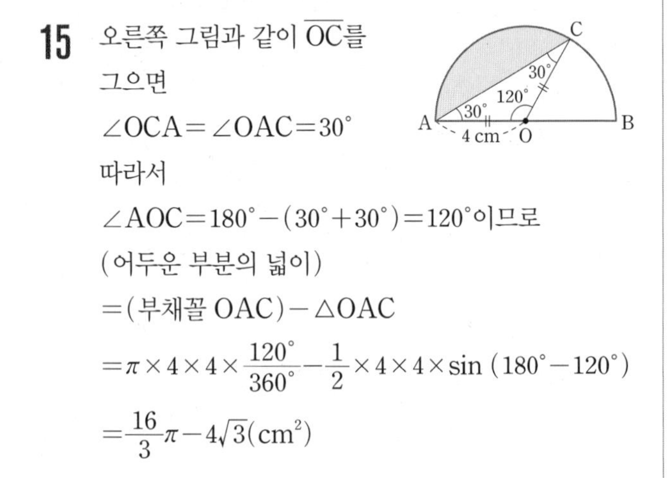

$\angle OCA=\angle OAC=30°$
따라서
$\angle AOC=180°-(30°+30°)=120°$이므로
(어두운 부분의 넓이)
=(부채꼴 OAC)$-$△OAC
$=\pi\times4\times4\times\dfrac{120°}{360°}-\dfrac{1}{2}\times4\times4\times\sin(180°-120°)$
$=\dfrac{16}{3}\pi-4\sqrt{3}(\text{cm}^2)$

16 $\angle B=180°-135°=45°$이므로
□ABCD$=7\times\overline{BC}\times\sin 45°$에서
$7\times\overline{BC}\times\dfrac{\sqrt{2}}{2}=14\sqrt{2}$
$\therefore \overline{BC}=14\sqrt{2}\times\dfrac{2}{\sqrt{2}}\times\dfrac{1}{7}=4(\text{cm})$

17 (1) □ABCD$=\dfrac{1}{2}\times6\times10\times\sin 45°$
$=\dfrac{1}{2}\times6\times10\times\dfrac{\sqrt{2}}{2}$
$=15\sqrt{2}(\text{cm}^2)$
(2) □ABCD$=\dfrac{1}{2}\times5\times8\times\sin(180°-150°)$
$=\dfrac{1}{2}\times5\times8\times\dfrac{1}{2}=10(\text{cm}^2)$

18 오른쪽 그림과 같이 보조선 BD를 그으면
□ABCD
=△ABD+△DBC
$=\dfrac{1}{2}\times12\times12\times\sin(180°-120°)$
$+\dfrac{1}{2}\times6\sqrt{6}\times8\sqrt{6}\times\sin 60°$
$=\dfrac{1}{2}\times12\times12\times\dfrac{\sqrt{3}}{2}+\dfrac{1}{2}\times6\sqrt{6}\times8\sqrt{6}\times\dfrac{\sqrt{3}}{2}$
$=36\sqrt{3}+72\sqrt{3}=108\sqrt{3}(\text{cm}^2)$

19 점 A에서 $\overline{BC}$에 내린 수선의 발을 H라 하면
$\overline{BH}=\overline{CH}=\overline{AB}\times\cos B$
$=4\times\dfrac{3}{4}=3(\text{cm})$
이므로 △ABH에서 피타고라스 정리에 의해
$\overline{AH}=\sqrt{4^2-3^2}=\sqrt{7}(\text{cm})$
$\therefore$ △ABC$=\dfrac{1}{2}\times6\times\sqrt{7}=3\sqrt{7}(\text{cm}^2)$
한편, 오른쪽 그림과 같이 $\overline{AP}$를 그으면
△ABC=△ABP+△ACP
이므로
$3\sqrt{7}=\dfrac{1}{2}\times4\times\overline{PQ}+\dfrac{1}{2}\times4\times\overline{PR}=2(\overline{PQ}+\overline{PR})$
$\therefore \overline{PQ}+\overline{PR}=\dfrac{3\sqrt{7}}{2}$ cm

20 한 변의 길이가 3 cm인 정사각형의 대각선의 길이는 $3\sqrt{2}$ cm이므로 정삼각형의 높이는 $3\sqrt{2}$ cm이다.
정삼각형의 한 변의 길이를 a cm라 하면
(정삼각형의 높이)$=a\times\sin 60°=\dfrac{\sqrt{3}}{2}a=3\sqrt{2}$
$\therefore a=2\sqrt{6}$
$\therefore$ (정삼각형의 넓이)$=\dfrac{1}{2}\times2\sqrt{6}\times2\sqrt{6}\times\sin 60°$
$=\dfrac{1}{2}\times2\sqrt{6}\times2\sqrt{6}\times\dfrac{\sqrt{3}}{2}$
$=6\sqrt{3}(\text{cm}^2)$

21 △ABC$=\dfrac{1}{2}\times6\times6\times\sin 60°$
$=\dfrac{1}{2}\times6\times6\times\dfrac{\sqrt{3}}{2}=9\sqrt{3}(\text{cm}^2)$
점 G가 △ABC의 무게중심이므로
△GBC$=\dfrac{1}{3}$△ABC
$=\dfrac{1}{3}\times9\sqrt{3}=3\sqrt{3}(\text{cm}^2)$

22 $\overline{AD}$=(△ABC의 높이)$=8\times\sin 60°$
$=8\times\dfrac{\sqrt{3}}{2}=4\sqrt{3}(\text{cm})$
$\overline{AF}$=(△ADE의 높이)$=4\sqrt{3}\times\sin 60°$
$=4\sqrt{3}\times\dfrac{\sqrt{3}}{2}=6(\text{cm})$
$\therefore$ △AFG$=\dfrac{1}{2}\times6\times6\times\sin 60°$
$=\dfrac{1}{2}\times6\times6\times\dfrac{\sqrt{3}}{2}=9\sqrt{3}(\text{cm}^2)$

23 정육각형의 한 변의 길이를 a cm라 하면 정육각형은 한 변의 길이가 a cm인 정삼각형 6개로 이루어져 있으므로

$$(\text{정육각형의 넓이})=\left(\frac{1}{2}\times a\times a\times\sin 60^\circ\right)\times 6$$
$$=\left(\frac{1}{2}\times a\times a\times\frac{\sqrt{3}}{2}\right)\times 6$$
$$=\frac{3\sqrt{3}}{2}a^2=24\sqrt{3}$$

$a^2=16 \quad \therefore a=4$

$\therefore$ (정육각형의 둘레의 길이)$=6a=24$(cm)

24 오른쪽 그림과 같이 정팔각형은 8개의 합동인 삼각형으로 나누어진다.

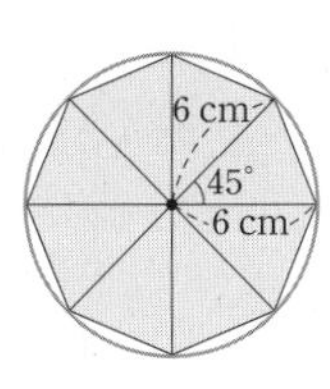

따라서 정팔각형의 넓이는

$$\left(\frac{1}{2}\times 6\times 6\times\sin 45^\circ\right)\times 8$$
$$=\left(\frac{1}{2}\times 6\times 6\times\frac{\sqrt{2}}{2}\right)\times 8$$
$$=72\sqrt{2}(\text{cm}^2)$$

25

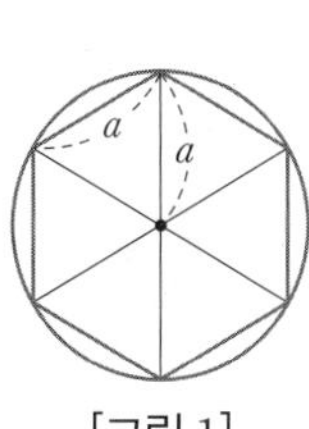

[그림 1]

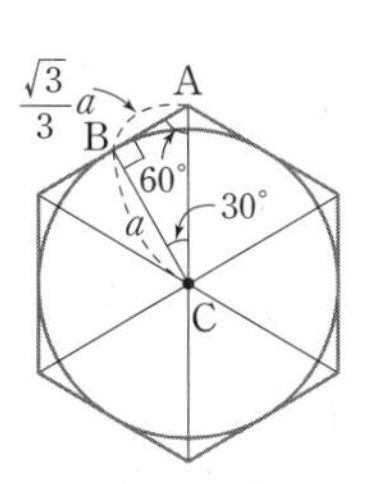

[그림 2]

[그림 1]과 같이 반지름의 길이가 a인 원에 내접하는 정육각형은 한 변의 길이가 a이므로 둘레의 길이는 $6a$이다.

또, [그림 2]와 같이 반지름의 길이가 a인 원에 외접하는 정육각형의 $\triangle$ABC에서

$$\overline{\text{AB}}=a\times\tan 30^\circ=\frac{\sqrt{3}}{3}a$$

즉, 정육각형의 한 변의 길이가 $\frac{2\sqrt{3}}{3}a$이므로 둘레의 길이는 $\frac{2\sqrt{3}}{3}a\times 6=4\sqrt{3}a$이다.

이때 반지름의 길이가 a인 원의 둘레의 길이는 $2\pi a$이고 원의 둘레의 길이는 내접하는 정육각형의 둘레의 길이보다 크고 외접하는 정육각형의 둘레의 길이보다 작으므로

$6a<2\pi a<4\sqrt{3}a$, $3<\pi<2\sqrt{3}$

따라서 $m=3$, $n=2\sqrt{3}$이므로 $m+n=3+2\sqrt{3}$

26 오른쪽 그림과 같이 두 점 A, D에서 $\overline{\text{BC}}$에 내린 수선의 발을 각각 P, Q라 하면

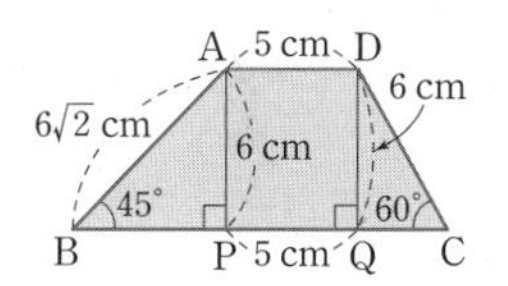

$\overline{\text{PQ}}=\overline{\text{AD}}=5$ cm

$\triangle$ABP에서

$$\overline{\text{AP}}=6\sqrt{2}\times\sin 45^\circ=6\sqrt{2}\times\frac{\sqrt{2}}{2}=6(\text{cm})$$

$\therefore \overline{\text{BP}}=\overline{\text{AP}}=6$ cm

$\overline{\text{DQ}}=\overline{\text{AP}}=6$ cm이므로 $\triangle$DQC에서

$$\overline{\text{QC}}=\frac{\overline{\text{DQ}}}{\tan 60^\circ}=\frac{6}{\sqrt{3}}=2\sqrt{3}(\text{cm})$$

$\overline{\text{BC}}=6+5+2\sqrt{3}=11+2\sqrt{3}$(cm)

이므로

$$\square\text{ABCD}=\frac{1}{2}\times\{5+(11+2\sqrt{3})\}\times 6$$
$$=48+6\sqrt{3}(\text{cm}^2)$$

1 원과 직선

주제별 실력다지기 본문 44~59쪽

01 ③, ④	02 ③	03 ②	04 ②	05 ④	06 16 cm	07 ⑤	08 ③
09 ⑤	10 ⑤	11 (가) 90° (나) $\overline{OC}$ (다) RHS (라) $\overline{CN}$ (마) $\frac{1}{2}$				12 ②	13 40°
14 ①	15 $10\sqrt{3}$ cm	16 ⑤	17 ⑤	18 ①	19 $16\sqrt{3}$ cm	20 ④	21 11π cm^2
22 64π cm^2	23 6 cm	24 10 cm	25 15 cm	26 $4\sqrt{15}$ cm	27 $\frac{17}{2}\pi$ cm	28 6 cm	29 ④
30 ④	31 16	32 25	33 ①	34 ②	35 $\left(25\sqrt{3}-\frac{25}{3}\pi\right)$ cm^2		
36 $\left(4\sqrt{3}-\frac{4}{3}\pi\right)$ cm^2		37 ④	38 $8\sqrt{2}$	39 ③	40 5 cm	41 3 cm	42 ①
43 ⑤	44 $(6-\pi)$ cm^2		45 ①	46 $\left(9-\frac{9}{4}\pi\right)$ cm^2		47 ②	48 ③
49 13 cm	50 ④	51 ①	52 $\frac{24}{5}$ cm	53 6 cm	54 12 cm	55 $\frac{21}{5}$	56 6 cm^2
57 ③	58 12	59 12 cm	60 $22\sqrt{7}$ cm^2	61 ②	62 $\frac{8}{5}$ cm	63 ④	64 2 cm
65 2 cm	66 6 cm	67 24 cm	68 16 cm	69 4	70 8π cm^2	71 ④	72 ③
73 $2\sqrt{30}$ cm	74 $14\sqrt{2}$ cm^2		75 ⑤	76 ④	77 ④	78 $6\sqrt{3}$ cm^2	

01 ③ 중심각의 크기와 현의 길이는 정비례하지 않는다.

④ 중심각의 크기와 삼각형의 넓이는 정비례하지 않는다.

⑤ 오른쪽 그림에서

$3\overline{AB}=\overline{CE}+\overline{EF}+\overline{FD}>\overline{CD}$

임을 알 수 있다.

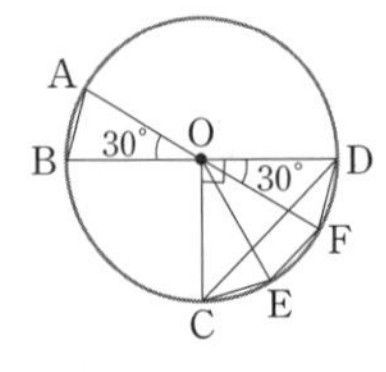

따라서 옳지 않은 것은 ③, ④이다.

02 $\angle BOC=180°-36°=144°$이므로

$144° : 36°=\overset{\frown}{BC} : 5$

$\therefore \overset{\frown}{BC}=20$ cm

03 $\angle \overline{AO}/\!/\overline{BC}$이므로

$\angle OBC=\angle AOB=45°$(엇각)

$\overline{OB}=\overline{OC}$이므로

$\angle OCB=\angle OBC=45°$

$\therefore \angle BOC=180°-(45°+45°)$

$=90°$

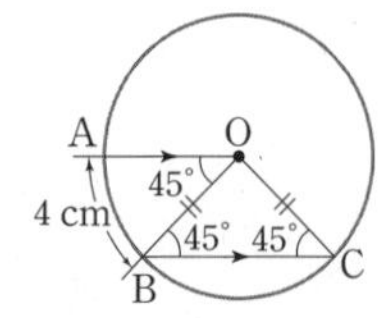

$\overset{\frown}{AB} : \overset{\frown}{BC}=\angle AOB : \angle BOC$에서

$4 : \overset{\frown}{BC}=45° : 90°$

$\therefore \overset{\frown}{BC}=8$ cm

04 오른쪽 그림과 같이 $\overline{OD}$를 그으면 $\overline{OB}=\overline{OD}$이므로

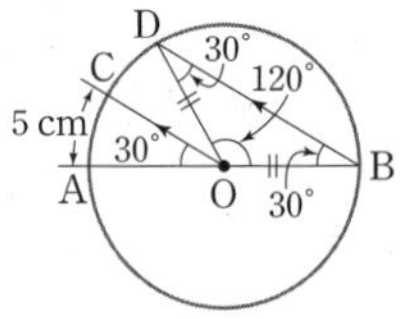

$\angle ODB=\angle OBD=30°$

$\therefore \angle BOD=180°-(30°+30°)$

$=120°$

또, $\overline{OC}/\!/\overline{BD}$이므로

$\angle AOC=\angle OBD=30°$(동위각)

$\overset{\frown}{AC} : \overset{\frown}{BD}=\angle AOC : \angle BOD$에서

$5 : \overset{\frown}{BD}=30° : 120°$

$\therefore \overset{\frown}{BD}=20$ cm

05 $\overline{AP}=\overline{AO}$이므로 $\angle AOP=\angle APO=\angle a$라 하면

$\triangle OPA$에서

$\angle OAB=\angle AOP+\angle APO$

$=\angle a+\angle a=2\angle a$

오른쪽 그림과 같이 $\overline{OB}$를 그으면 $\overline{OA}=\overline{OB}$이므로

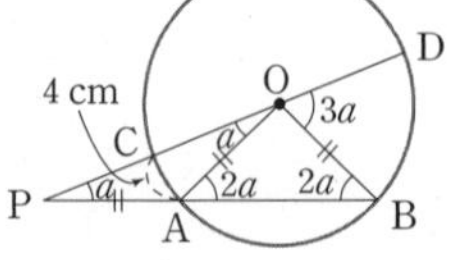

$\angle OBA=\angle OAB=2\angle a$

$\triangle OPB$에서

$\angle BOD=\angle OPB+\angle OBP$

$=\angle a+2\angle a=3\angle a$

$4 : \overset{\frown}{BD}=\angle a : 3\angle a$

$\therefore \overset{\frown}{BD}=12$ cm

06 $\triangle$OAH에서 $\overline{AH}=\sqrt{10^2-6^2}=8(cm)$
$\overline{OH}\perp\overline{AB}$이므로 $\overline{AB}=2\overline{AH}=16(cm)$

07 $\overline{OM}\perp\overline{AB}$이므로 $\overline{AM}=\frac{1}{2}\overline{AB}=6(cm)$
오른쪽 그림과 같이 $\overline{OA}$를 그으면

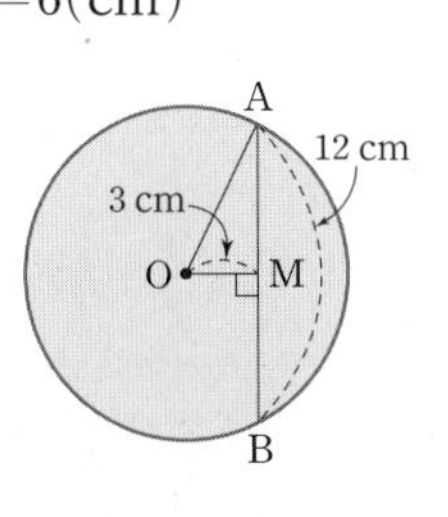

$\triangle$OMA에서
$\overline{OA}=\sqrt{3^2+6^2}=3\sqrt{5}(cm)$
$\therefore$ (원 O의 넓이)
$=\pi\times(3\sqrt{5})^2=45\pi(cm^2)$

08 $\overline{CD}=10$ cm이므로

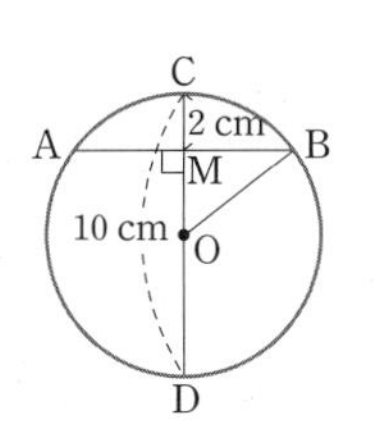

$\overline{OC}=\frac{1}{2}\times10=5(cm)$
$\therefore\ \overline{OM}=5-2=3(cm)$
오른쪽 그림과 같이 $\overline{OB}$를 그으면
$\overline{OB}=\overline{OC}=5$ cm이므로
직각삼각형 OBM에서
$\overline{BM}=\sqrt{5^2-3^2}=4(cm)$
$\therefore\ \overline{AB}=2\overline{BM}=2\times4=8(cm)$

09 오른쪽 그림과 같이 $\overline{OC}$를 그으면

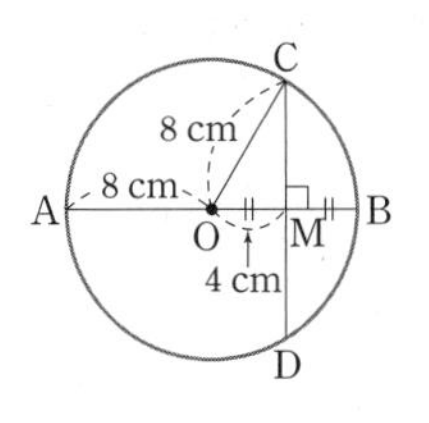

$\overline{OB}=\overline{OC}=8$ cm이므로
$\overline{OM}=\frac{1}{2}\overline{OB}=4(cm)$
$\triangle$COM에서
$\overline{CM}=\sqrt{8^2-4^2}=4\sqrt{3}(cm)$
$\therefore\ \overline{CD}=2\overline{CM}=8\sqrt{3}(cm)$

10 $\overline{OA}=r$ cm라 하면

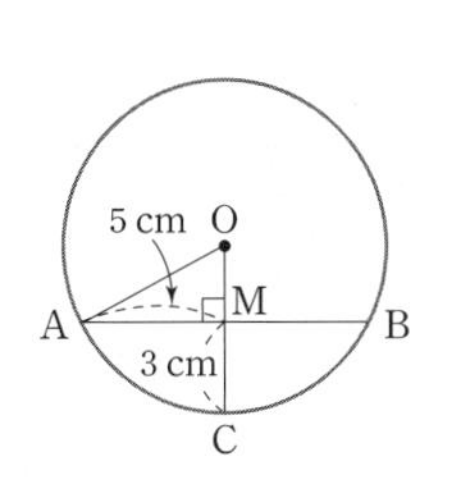

$\overline{OM}=(r-3)$ cm
$\triangle$OAM에서 $r^2=(r-3)^2+5^2$
$6r=34\qquad\therefore\ r=\frac{17}{3}$
따라서 원 O의 반지름의 길이는
$\frac{17}{3}$ cm이다.

12 $\overline{OM}=\overline{ON}=3$ cm이므로
$\triangle$OAM에서 $\overline{AM}=\sqrt{5^2-3^2}=4(cm)$
$\overline{BM}=\overline{AM}=4$ cm $\qquad\therefore\ x=4$
$\overline{CD}=\overline{AB}=2\overline{AM}=8(cm)\qquad\therefore\ y=8$
$\therefore\ x+y=4+8=12$

13 $\overline{OM}=\overline{ON}$이므로 $\overline{AB}=\overline{AC}$
즉, $\triangle$ABC는 이등변삼각형이므로
$\angle B=\angle C=70^\circ$
$\therefore\ \angle A=180^\circ-2\times70^\circ=40^\circ$

14 □DBEO에서
$\angle B=360^\circ-(90^\circ+115^\circ+90^\circ)=65^\circ$
$\overline{OD}=\overline{OF}$이므로 $\overline{AB}=\overline{AC}$
즉, $\triangle$ABC는 이등변삼각형이므로
$\angle C=\angle B=65^\circ$
$\therefore\ \angle A=180^\circ-2\times65^\circ=50^\circ$

15 $\overline{OM}=\overline{ON}$이므로 $\overline{AB}=\overline{AC}$
즉, $\triangle$ABC는 이등변삼각형이므로 오른쪽 그림과 같이 점 A에서 $\overline{BC}$에 내린 수선의 발을 H라 하면
$\angle CAH=60^\circ$
$\triangle$CAH에서 $\overline{CA}:\overline{CH}=2:\sqrt{3}$이므로
$10:\overline{CH}=2:\sqrt{3}\qquad\therefore\ \overline{CH}=5\sqrt{3}$ cm
$\overline{CH}=\overline{BH}$이므로 $\overline{BC}=2\overline{CH}=10\sqrt{3}(cm)$

16 $\overline{OM}=\overline{ON}$이므로 $\overline{AB}=\overline{AC}$
즉, $\triangle$ABC는 이등변삼각형이다.
□AMON에서
$\angle MAN=360^\circ-(90^\circ+120^\circ+90^\circ)=60^\circ$
이때 $\angle B=\angle C=\frac{1}{2}\times(180^\circ-60^\circ)=60^\circ$이므로
$\triangle$ABC는 한 변의 길이가 8 cm인 정삼각형이다.
$\therefore\ \triangle ABC=\frac{\sqrt{3}}{4}\times8^2=16\sqrt{3}(cm^2)$

17 $\overline{OL}=\overline{OM}=\overline{ON}$이므로 $\overline{AB}=\overline{BC}=\overline{CA}$
$\overline{OL}\perp\overline{AB}$이므로 $\overline{BL}=\overline{AL}=5$ cm
따라서 $\triangle$ABC는 한 변의 길이가 10 cm인 정삼각형이므로
$\triangle ABC=\frac{\sqrt{3}}{4}\times10^2=25\sqrt{3}(cm^2)$

18 원의 중심 O에서 $\overline{AB}$에 내린 수선의 발을 M이라 하면
$\overline{AM}=\overline{BM}$, $\overline{CM}=\overline{DM}$이므로
$\overline{AM}=\frac{1}{2}\overline{AB}=5(cm)$
$\overline{CM}=\frac{1}{2}\overline{CD}=3(cm)$
$\therefore\ \overline{AC}=\overline{AM}-\overline{CM}=5-3=2(cm)$

19 $\overline{AB}$는 작은 원의 접선이므로

$\overline{OT}\perp\overline{AB}$

또, 큰 원의 현이므로

$\overline{AT}=\overline{BT}$

따라서 $\triangle$OAT에서

$\overline{AT}=\sqrt{16^2-8^2}=\sqrt{192}=8\sqrt{3}$ (cm)

$\therefore\ \overline{AB}=2\overline{AT}=16\sqrt{3}$(cm)

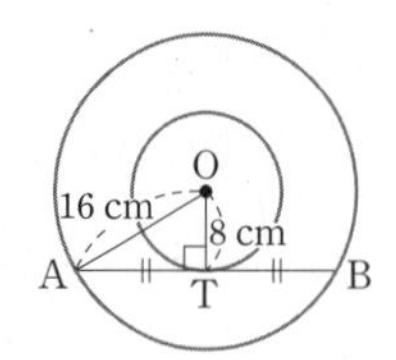

20 $\overline{AB}$는 작은 원의 접선이므로

$\overline{OP}\perp\overline{AB}$

또, 큰 원의 현이므로

$\overline{AP}=\overline{BP}$

따라서 $\triangle$OPA에서

$\overline{AP}=\sqrt{7^2-4^2}=\sqrt{33}$(cm)

$\therefore\ \overline{AB}=2\overline{AP}=2\sqrt{33}$(cm)

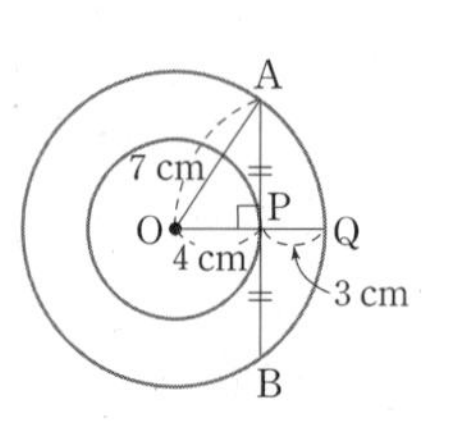

21 원의 중심 O에서 현 AB에 내린 수선의 발을 H라 하면

$\overline{AH}=\overline{BH}=\frac{1}{2}\overline{AB}=5$(cm)

직각삼각형 OAH에서

$\overline{OH}=\sqrt{6^2-5^2}=\sqrt{11}$(cm)

따라서 작은 원의 넓이는

$\pi\times(\sqrt{11})^2=11\pi$(cm^2)

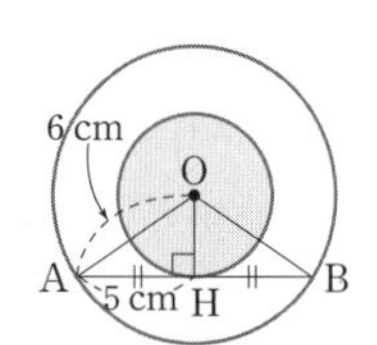

22 $\overline{AB}$는 작은 원의 접선이므로

$\overline{OM}\perp\overline{AB}$

또, 큰 원의 현이므로

$\overline{AM}=\overline{BM}=\frac{1}{2}\overline{AB}=8$(cm)

$\overline{OA}=R$ cm, $\overline{OM}=r$ cm라 하면

$\triangle$OAM에서 피타고라스 정리에 의해

$\overline{OA}^2=\overline{OM}^2+\overline{AM}^2$, $R^2=r^2+8^2$

$\therefore\ R^2-r^2=64$

따라서 어두운 부분의 넓이는

$\pi R^2-\pi r^2=\pi(R^2-r^2)=64\pi$(cm^2)

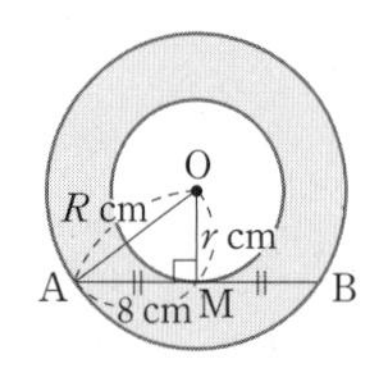

23 작은 원과 $\overline{AB}$의 접점을 C,

$\overline{OA}=R$ cm, $\overline{OC}=r$ cm라 하면

(어두운 부분의 넓이)

=(큰 원의 넓이)

-(작은 원의 넓이)

$=\pi R^2-\pi r^2=9\pi$

$\therefore\ R^2-r^2=9$

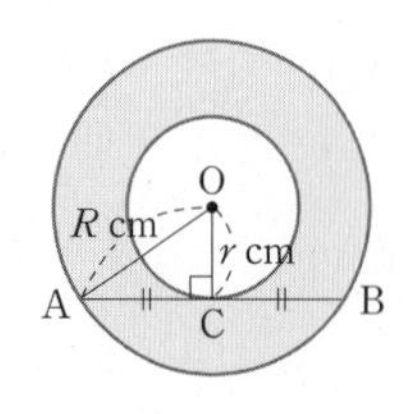

또, $\overline{OC}\perp\overline{AB}$이므로 $\overline{AC}=\overline{BC}$

따라서 $\triangle$OAC에서

$\overline{AC}=\sqrt{R^2-r^2}=\sqrt{9}=3$(cm)

$\therefore\ \overline{AB}=2\overline{AC}=6$(cm)

24 원의 중심 O는 현 AB의 수직이등분선인 $\overline{CM}$의 연장선 위에 있으므로

$\overline{OB}=r$ cm라 하면

$\overline{OM}=(r-4)$ cm

$\triangle$OBM에서 $r^2=(r-4)^2+8^2$

$8r=80$ $\quad\therefore\ r=10$

따라서 원의 반지름의 길이는 10 cm이다.

25 원의 중심 O는 현 AB의 수직이등분선인 $\overline{CD}$의 연장선 위에 있으므로 $\overline{OB}=r$ cm라 하면

$\overline{OD}=(r-3)$ cm

$\overline{BD}=\frac{1}{2}\overline{AB}=6$(cm)

$\triangle$OBD에서

$r^2=(r-3)^2+6^2$, $6r=45$

$\therefore\ r=\frac{15}{2}$

따라서 도자기 그릇의 지름의 길이는

$2\times\frac{15}{2}=15$(cm)

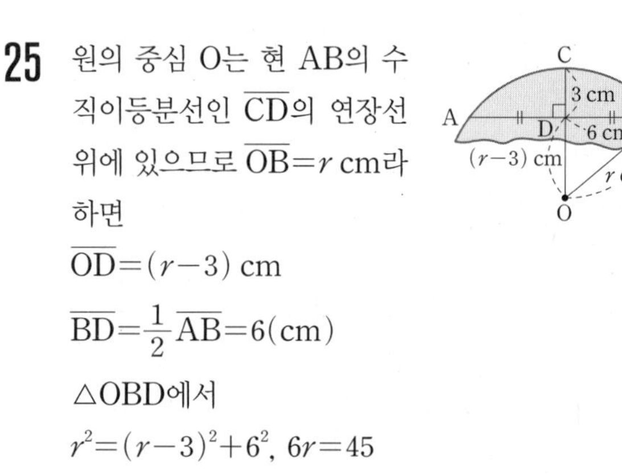

26 원의 중심 O는 현 AB의 수직이등분선인 $\overline{CM}$의 연장선 위에 있으므로

$\overline{OB}=8$ cm, $\overline{OM}=2$ cm

$\triangle$OMB에서 $\overline{BM}=\sqrt{8^2-2^2}=2\sqrt{15}$(cm)

$\overline{AM}=\overline{BM}$이므로

$\overline{AB}=2\overline{BM}=4\sqrt{15}$(cm)

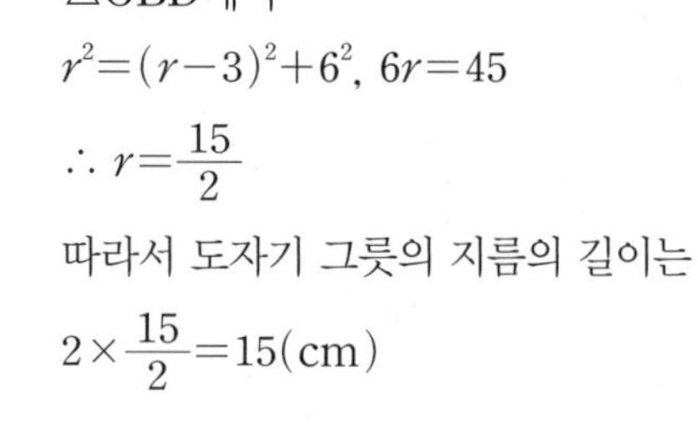

27 $\overline{OA}=r$ cm라 하면

$\overline{OH}=(8-r)$ cm

$\triangle$OHA에서

$\overline{AH}=\overline{BH}=2$ cm이므로

$r^2=(8-r)^2+2^2$, $16r=68$

$\therefore\ r=\frac{17}{4}$

따라서 원의 둘레의 길이는

$2\pi\times\frac{17}{4}=\frac{17}{2}\pi$(cm)

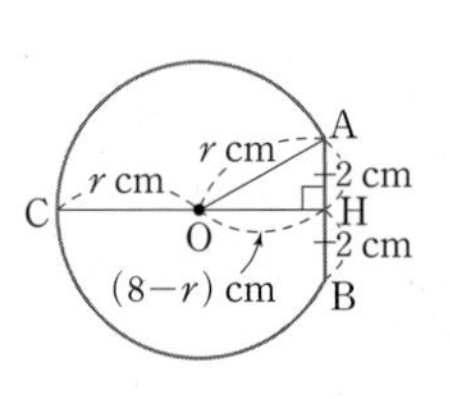

28 원의 중심 O에서 $\overline{AB}$에 그은 수선이 $\overline{AB}$와 만나는 점을 H라 하면

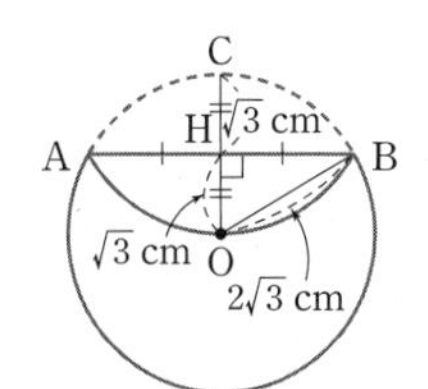

$\overline{OH}=\overline{CH}=\sqrt{3}$ cm,

$\overline{OB}=2\sqrt{3}$ cm

$\triangle$OBH에서

$\overline{BH}=\sqrt{(2\sqrt{3})^2-(\sqrt{3})^2}=3(\text{cm})$

따라서 $\overline{AH}=\overline{BH}=3$ cm이므로

$\overline{AB}=2\overline{BH}=6(\text{cm})$

29 $\overline{OM}\perp\overline{AB}$이므로 $\overline{AM}=\overline{BM}$

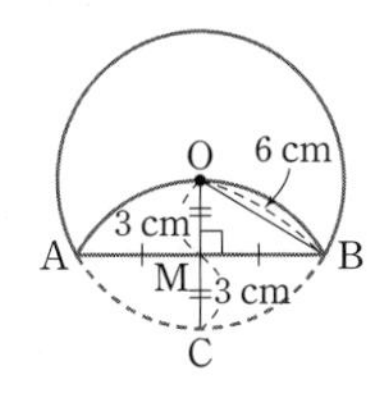

$\overline{OM}$의 연장선과 호 AB의 교점을 C라 하면

$\overline{OM}=\overline{MC}=3$ cm, $\overline{OB}=6$ cm

$\triangle$OBM에서

$\overline{BM}=\sqrt{6^2-3^2}=3\sqrt{3}(\text{cm})$

$\therefore\ \overline{AB}=2\overline{BM}=6\sqrt{3}(\text{cm})$

30 원의 중심 O에서 현 AB에 내린 수선의 발을 H라 하면

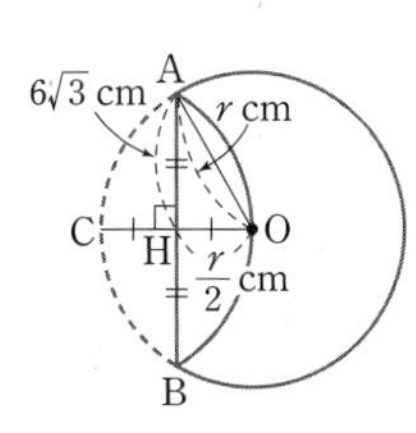

$\overline{AH}=\frac{1}{2}\overline{AB}=6\sqrt{3}(\text{cm})$

원 O의 반지름의 길이를 r cm라 하면

$\overline{OH}=\overline{CH}=\frac{r}{2}$ cm, $\overline{OA}=r$ cm

$\triangle$AOH에서

$r^2=(6\sqrt{3})^2+\left(\frac{r}{2}\right)^2$

$\frac{3}{4}r^2=108,\ r^2=144\qquad\therefore\ r=12\ (\because\ r>0)$

따라서 원 O의 둘레의 길이는

$2\pi\times12=24\pi(\text{cm})$

31 $\overline{AB}$와 $\overline{OO'}$의 교점을 M이라 하면

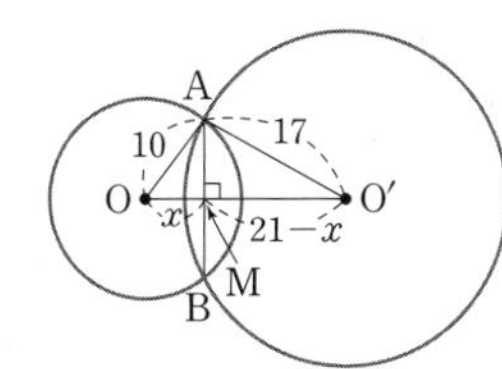

$\overline{AB}\perp\overline{OO'}$, $\overline{AM}=\overline{BM}$

$\overline{OM}=x$라 하면

$\overline{O'M}=21-x$이므로

$\triangle$AOM과 $\triangle$AO′M에서

$\overline{AM}^2=\overline{AO}^2-\overline{OM}^2=\overline{AO'}^2-\overline{O'M}^2$

$10^2-x^2=17^2-(21-x)^2$

$42x=252\qquad\therefore\ x=6$

따라서 $\overline{AM}=\sqrt{10^2-6^2}=8$이므로

$\overline{AB}=2\overline{AM}=2\times8=16$

참고 $\triangle$AOO′과 $\triangle$BOO′에서

$\overline{AO}=\overline{BO}$, $\overline{AO'}=\overline{BO'}$, $\overline{OO'}$은 공통이므로

$\triangle AOO'\equiv\triangle BOO'$(SSS 합동)

$\therefore\ \angle AOO'=\angle BOO'$

$\triangle$AOM과 $\triangle$BOM에서 $\overline{AO}=\overline{BO}$,

$\angle AOM=\angle BOM$, $\overline{OM}$은 공통이므로

$\triangle AOM\equiv\triangle BOM$(SAS 합동)

$\therefore\ \angle AMO=\angle BMO=\frac{1}{2}\times180^\circ=90^\circ$,

$\overline{AM}=\overline{BM}$

따라서 두 원의 중심을 이은 선은 두 원의 공통인 현을 수직이등분한다.

32 $\overline{PB}=\overline{PA}=12$

$\triangle$PBO에서 $\angle PBO=90^\circ$이므로

$\overline{PO}=\sqrt{5^2+12^2}=13$

$\therefore\ \overline{PB}+\overline{PO}=12+13=25$

33 $\overline{PA}=\overline{PB}$이므로

$\angle PAB=\angle PBA=\frac{1}{2}\times(180^\circ-56^\circ)=62^\circ$

이때 $\angle PAO=90^\circ$이므로

$\angle x=90^\circ-62^\circ=28^\circ$

34 $\angle OAP=\angle OBP=90^\circ$이므로

$\angle AOB=180^\circ-\angle APB=180^\circ-45^\circ=135^\circ$

$\therefore$ (부채꼴 OAB의 넓이)$=\pi\times4^2\times\frac{135^\circ}{360^\circ}$

$=6\pi(\text{cm}^2)$

35 $\angle AOB=180^\circ-\angle APB$

$=180^\circ-60^\circ=120^\circ$

오른쪽 그림과 같이 $\overline{OP}$를 그으면

$\triangle OPA\equiv\triangle OPB$(RHS 합동)이므로

$\angle OPA=\angle OPB=30^\circ$

또, $\triangle$OPB에서

$\overline{OB}:\overline{BP}=1:\sqrt{3}$이므로

$5:\overline{BP}=1:\sqrt{3}\qquad\therefore\ \overline{BP}=5\sqrt{3}$ cm

$\therefore$ (어두운 부분의 넓이)

$=2\triangle OPB-$(부채꼴 OAB의 넓이)

$=2\times\left(\frac{1}{2}\times5\times5\sqrt{3}\right)-\pi\times5^2\times\frac{120^\circ}{360^\circ}$

$=25\sqrt{3}-\frac{25}{3}\pi(\text{cm}^2)$

36 $\angle \text{AOB}=180^\circ-\angle \text{APB}=180^\circ-60^\circ=120^\circ$

$\triangle \text{OPA}\equiv\triangle \text{OPB}$(RHS 합동)이므로

$\angle \text{OPA}=\angle \text{OPB}=30^\circ$

또, $\triangle \text{OPA}$에서

$\overline{\text{OP}}:\overline{\text{OA}}:\overline{\text{AP}}=2:1:\sqrt{3}$이므로

$4:\overline{\text{OA}}:\overline{\text{AP}}=2:1:\sqrt{3}$

$\therefore \overline{\text{OA}}=2\text{ cm},\ \overline{\text{AP}}=2\sqrt{3}\text{ cm}$

$\therefore$ (어두운 부분의 넓이)

$=2\triangle \text{OPA}-$(부채꼴 OAB의 넓이)

$=2\times\left(\frac{1}{2}\times2\times2\sqrt{3}\right)-\pi\times2^2\times\frac{120^\circ}{360^\circ}$

$=4\sqrt{3}-\frac{4}{3}\pi(\text{cm}^2)$

37 오른쪽 그림과 같이 $\overline{\text{OC}}$를 그으면 $\triangle \text{AOC}$에서

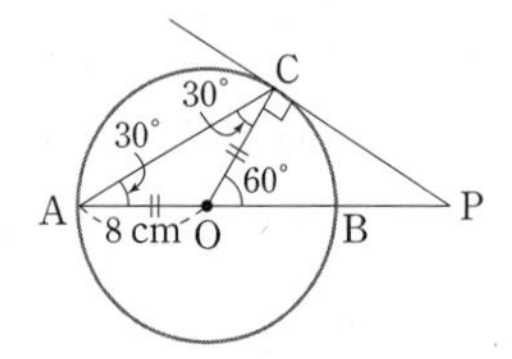

$\overline{\text{OA}}=\overline{\text{OC}}$이므로

$\angle \text{POC}$

$=\angle \text{OAC}+\angle \text{OCA}$

$=30^\circ+30^\circ=60^\circ$

$\triangle \text{OPC}$에서

$\overline{\text{OP}}:\overline{\text{OC}}:\overline{\text{PC}}=2:1:\sqrt{3}$이므로

$\overline{\text{OP}}:8:\overline{\text{PC}}=2:1:\sqrt{3}$

$\therefore \overline{\text{OP}}=16\text{ cm},\ \overline{\text{PC}}=8\sqrt{3}\text{ cm}$

$\therefore \overline{\text{PB}}+\overline{\text{PC}}=(\overline{\text{OP}}-\overline{\text{OB}})+\overline{\text{PC}}$

$=(16-8)+8\sqrt{3}$

$=8+8\sqrt{3}=8(1+\sqrt{3})(\text{cm})$

38 점 P에서 $\overline{\text{AD}}$에 내린 수선의 발을 M이라 하면

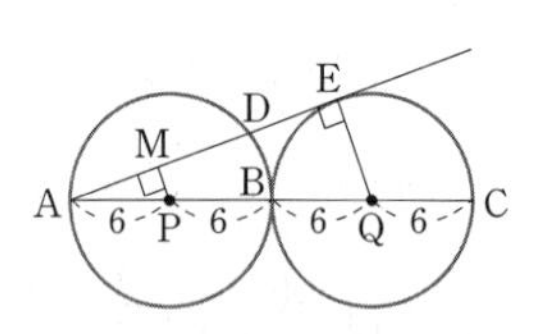

$\triangle \text{APM}$과 $\triangle \text{AQE}$에서

$\angle \text{A}$는 공통이고

$\angle \text{AMP}=\angle \text{AEQ}=90^\circ$이므로

$\triangle \text{APM}\backsim\triangle \text{AQE}$(AA 닮음)

$\overline{\text{AP}}:\overline{\text{AQ}}=\overline{\text{MP}}:\overline{\text{EQ}}$에서

$6:18=\overline{\text{MP}}:6 \qquad \therefore \overline{\text{MP}}=2$

$\triangle \text{APM}$에서

$\overline{\text{AM}}=\sqrt{6^2-2^2}=4\sqrt{2}$

또, 원의 중심 P에서 현 AD에 내린 수선은 현을 수직이등분하므로

$\overline{\text{AD}}=2\overline{\text{AM}}=2\times4\sqrt{2}=8\sqrt{2}$

39 $\overline{\text{CF}}=\overline{\text{CE}}=5\text{ cm}$이므로

$\overline{\text{AD}}=\overline{\text{AF}}=7-5=2(\text{cm})$

$\therefore \overline{\text{BE}}=\overline{\text{BD}}=\overline{\text{AB}}-\overline{\text{AD}}=13-2=11(\text{cm})$

40 $\overline{\text{AD}}=x\text{ cm}$라 하면

$\overline{\text{BE}}=\overline{\text{BD}}=(8-x)\text{ cm},\ \overline{\text{CE}}=\overline{\text{CF}}=(12-x)\text{ cm}$

$\overline{\text{BC}}=\overline{\text{BE}}+\overline{\text{CE}}$에서

$10=(8-x)+(12-x),\ 2x=10$

$\therefore x=5$

따라서 $\overline{\text{AD}}$의 길이는 5 cm이다.

41 $\overline{\text{BE}}=\overline{\text{BD}}=9\text{ cm},\ \overline{\text{CF}}=\overline{\text{CE}}=4\text{ cm}$이므로

$\overline{\text{AD}}=\overline{\text{AF}}=x\text{ cm}$라 하면

$2(x+9+4)=32 \qquad \therefore x=3$

따라서 $\overline{\text{AD}}$의 길이는 3 cm이다.

42 $\overline{\text{BD}}=\overline{\text{BE}}=6\text{ cm}$이므로

$\overline{\text{AD}}=10-6=4(\text{cm})$

오른쪽 그림과 같이 $\overline{\text{DI}}$를 그으면 $\triangle \text{AID}$에서

$\overline{\text{AI}}=\sqrt{4^2+3^2}=5(\text{cm})$

$\therefore \overline{\text{AG}}=\overline{\text{AI}}-\overline{\text{GI}}=5-3=2(\text{cm})$

43 $\overline{\text{BD}}=\overline{\text{BE}}=2\text{ cm}$,

$\overline{\text{CF}}=\overline{\text{CE}}=6\text{ cm}$이고

$\triangle \text{ABC}$는 직각삼각형이므로

$\overline{\text{AD}}=\overline{\text{AF}}=x\text{ cm}$라 하면

$(x+6)^2=(x+2)^2+8^2$

$8x=32 \qquad \therefore x=4$

따라서 $\triangle \text{ABC}$의 둘레의 길이는

$\overline{\text{AB}}+\overline{\text{BC}}+\overline{\text{CA}}=6+8+10=24(\text{cm})$

44 $\triangle \text{ABC}$는 직각삼각형이므로

$\overline{\text{AB}}=\sqrt{4^2+3^2}=5(\text{cm})$

원 I의 반지름의 길이를 r cm라 하면

$\overline{\text{CF}}=\overline{\text{CE}}=r\text{ cm}$이므로

$\overline{\text{BD}}=\overline{\text{BE}}=(4-r)\text{ cm}$

$\overline{\text{AD}}=\overline{\text{AF}}=(3-r)\text{ cm}$

$\overline{\text{AB}}=\overline{\text{BD}}+\overline{\text{AD}}$에서

$5=(4-r)+(3-r),\ 2r=2 \qquad \therefore r=1$

따라서 어두운 부분의 넓이는

$\triangle \text{ABC}-$(원 I의 넓이)$=\frac{1}{2}\times4\times3-\pi\times1^2$

$=6-\pi(\text{cm}^2)$

45 원 I의 반지름의 길이를 r cm라 하면

$\overline{AD}=\overline{AF}=r$ cm이고

$\overline{BD}=\overline{BE}=6$ cm, $\overline{CF}=\overline{CE}=4$ cm이므로

$\overline{AB}=(6+r)$ cm, $\overline{AC}=(4+r)$ cm

이때 $\triangle ABC$는 직각삼각형이므로

$10^2=(6+r)^2+(4+r)^2$

$r^2+10r-24=0$, $(r+12)(r-2)=0$

$\therefore r=2(\because r>0)$

따라서 원 I의 반지름의 길이는 2 cm이다.

46 $\overline{BD}=\overline{BE}=9$ cm,

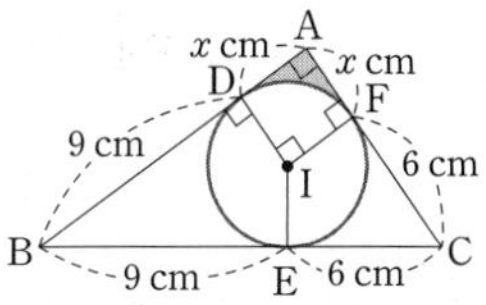

$\overline{CE}=\overline{CF}=6$ cm이므로

$\overline{AD}=\overline{AF}=x$ cm라 하면

$\overline{AB}=(x+9)$ cm

$\overline{BC}=15$ cm

$\overline{CA}=(x+6)$ cm

$\triangle ABC$에서

$15^2=(x+9)^2+(x+6)^2$, $x^2+15x-54=0$

$(x+18)(x-3)=0$

$\therefore x=3(\because x>0)$

따라서 어두운 부분의 넓이는

(정사각형 ADIF의 넓이)$-\dfrac{1}{4}\times$(원 I의 넓이)

$=3^2-\dfrac{1}{4}\times\pi\times3^2$

$=9-\dfrac{9}{4}\pi(\text{cm}^2)$

47 $\overline{AD}+\overline{BC}=\overline{AB}+\overline{CD}$에서

$5+9=6+\overline{CD}$ $\quad\therefore \overline{CD}=8$ cm

48 $\overline{AS}=\overline{AP}=2$ cm, $\overline{DS}=\overline{DR}=3$ cm이므로

$\overline{AD}=\overline{AS}+\overline{DS}=2+3=5(\text{cm})$

$\overline{AB}+\overline{CD}=\overline{AD}+\overline{BC}$이므로

□ABCD의 둘레의 길이는

$\overline{AB}+\overline{BC}+\overline{CD}+\overline{AD}=2(\overline{AD}+\overline{BC})$

$=2\times(5+12)=34(\text{cm})$

49 $\overline{SQ}=12$ cm이므로

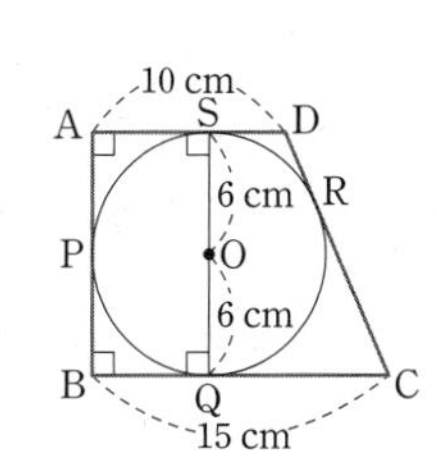

$\overline{AB}=12$ cm

$\overline{AD}+\overline{BC}=\overline{AB}+\overline{CD}$에서

$10+15=12+\overline{CD}$

$\therefore \overline{CD}=13$ cm

50 $\overline{AD}+\overline{BC}=\overline{AB}+\overline{CD}$

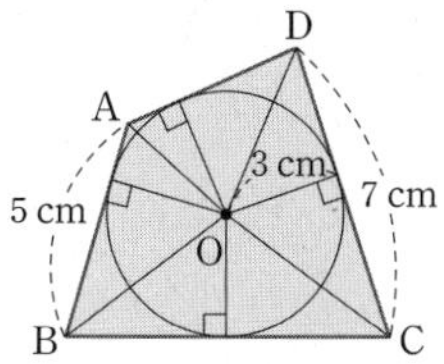

$=5+7=12(\text{cm})$

□ABCD

$=\triangle OAB+\triangle OBC$

$+\triangle OCD+\triangle ODA$

$=\dfrac{1}{2}\times3\times\overline{AB}+\dfrac{1}{2}\times3\times\overline{BC}$

$+\dfrac{1}{2}\times3\times\overline{CD}+\dfrac{1}{2}\times3\times\overline{AD}$

$=\dfrac{3}{2}\{(\overline{AB}+\overline{CD})+(\overline{AD}+\overline{BC})\}$

$=\dfrac{3}{2}\times(12+12)=36(\text{cm}^2)$

51 오른쪽 그림에서 □OQCR는 한 변의 길이가 2 cm인 정사각형이므로 $\overline{CQ}=2$ cm

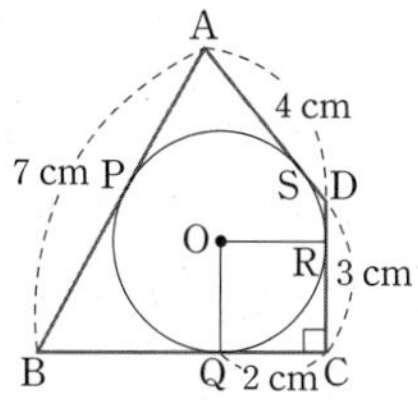

$\overline{AB}+\overline{CD}=\overline{AD}+\overline{BC}$에서

$7+3=4+\overline{BC}$

$\therefore \overline{BC}=6$ cm

$\therefore \overline{BQ}=\overline{BC}-\overline{CQ}=6-2=4(\text{cm})$

52 $\overline{AD}=x$ cm라 하고,

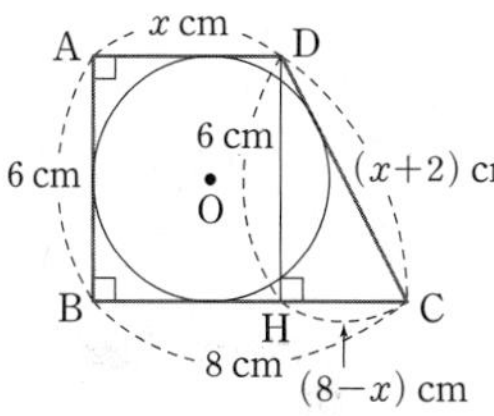

점 D에서 $\overline{BC}$에 내린 수선의 발을 H라 하면

$\overline{BH}=\overline{AD}=x$ cm,

$\overline{CH}=(8-x)$ cm

$\overline{AD}+\overline{BC}=\overline{AB}+\overline{CD}$에서

$x+8=6+\overline{CD}$ $\quad\therefore \overline{CD}=(x+2)$ cm

$\triangle CDH$에서 $(x+2)^2=6^2+(8-x)^2$

$20x=96$ $\quad\therefore x=\dfrac{24}{5}$

따라서 $\overline{AD}$의 길이는 $\dfrac{24}{5}$ cm이다.

53 $\overline{AB}+\overline{CD}=\overline{AD}+\overline{BC}$에서

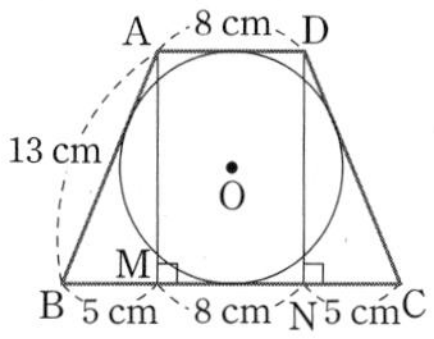

$\overline{AB}+\overline{CD}=8+18$

$=26(\text{cm})$

이때 $\overline{AB}=\overline{CD}$이므로

$\overline{AB}=\overline{CD}=13$ cm

두 점 A, D에서 $\overline{BC}$에 내린 수선의 발을 각각 M, N이라 하면

$\overline{MN}=\overline{AD}=8$ cm이므로

$\overline{BM}=\overline{CN}=\dfrac{1}{2}\times(18-8)=5(\text{cm})$

$\triangle ABM$에서 $\overline{AM}=\sqrt{13^2-5^2}=12(\text{cm})$

$\therefore$ (원 O의 반지름의 길이)$=\dfrac{1}{2}\overline{AM}=6(\text{cm})$

54 $\triangle$CDE는 직각삼각형이므로

$\overline{CD}=\sqrt{10^2-6^2}=8$(cm)

$\overline{AD}=x$ cm라 하면 $\overline{BE}=(x-6)$ cm

□ABED는 원 O에 외접하므로

$x+(x-6)=8+10$, $2x=24$ $\quad\therefore x=12$

따라서 $\overline{AD}$의 길이는 12 cm이다.

55 $\overline{DI}=\overline{DH}=2$

$\overline{CG}=\overline{CH}=2$

$\overline{BF}=\overline{BG}=7-2=5$

$\overline{EI}=\overline{EF}=x$라 하면

직각삼각형 ABE에서

$(x+5)^2=4^2+(5-x)^2$

$20x=16$ $\quad\therefore x=\frac{4}{5}$

$\therefore \overline{AE}=5-x=5-\frac{4}{5}=\frac{21}{5}$

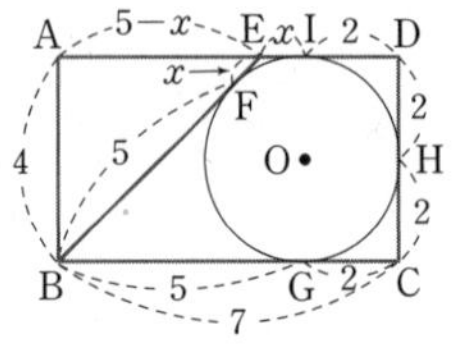

56 $\overline{BF}=\overline{BE}=2$ cm

$\overline{AH}=\overline{AE}=2$ cm

$\overline{DG}=\overline{DH}$

$=6-2=4$(cm)

$\overline{IF}=\overline{IG}=x$ cm라 하면

$\overline{IC}=(4-x)$ cm, $\overline{DI}=(x+4)$ cm

직각삼각형 CDI에서

$(x+4)^2=(4-x)^2+4^2$

$16x=16$ $\quad\therefore x=1$

따라서 $\overline{IC}=4-1=3$(cm)이므로

$\triangle DIC=\frac{1}{2}\times3\times4=6(\text{cm}^2)$

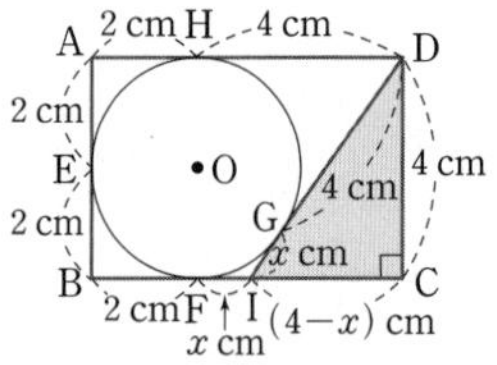

57 원 O의 반지름의 길이는

$\frac{1}{2}\overline{AB}=4$

원 O′의 반지름의 길이를

r라 하면

$\overline{OO'}=4+r$, $\overline{OH}=4-r$,

$\overline{HO'}=9-(4+r)=5-r$

직각삼각형 OHO′에서

$(4+r)^2=(4-r)^2+(5-r)^2$

$r^2-26r+25=0$, $(r-1)(r-25)=0$

$\therefore r=1$ ($\because r<4$)

따라서 두 원 O, O′의 반지름의 길이의 차는

$4-1=3$

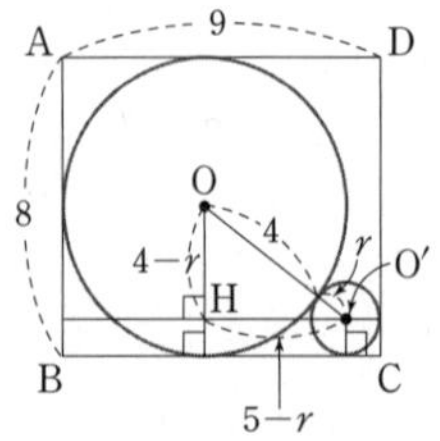

58 원 O의 반지름의 길이를 r라 하고, 점 O에서 $\overline{BC}$에 내린 수선의 발을 H라 하면

$\overline{EH}=r-4$, $\overline{OE}=r$,

$\overline{OH}=18-r$

직각삼각형 OEH에서

$r^2=(r-4)^2+(18-r)^2$, $r^2-44r+340=0$

$(r-10)(r-34)=0$

$\therefore r=10$ ($\because r<18$)

따라서 $\overline{EH}=10-4=6$이고, 원의 중심에서 현에 내린 수선은 현을 수직이등분하므로

$\overline{EF}=2\overline{EH}=12$

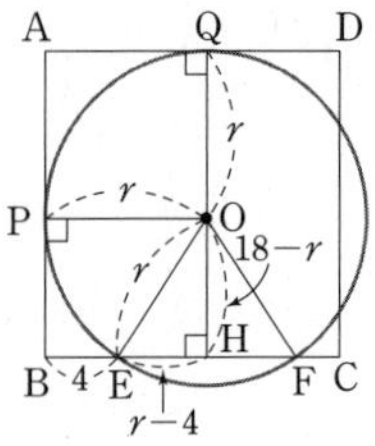

59 점 D에서 $\overline{BC}$에 내린 수선의 발을 H라 하면

$\overline{BH}=\overline{AD}=4$ cm이므로

$\overline{CH}=9-4=5$(cm)

또, $\overline{DE}=\overline{DA}=4$ cm, $\overline{CE}=\overline{CB}=9$ cm이므로

$\overline{CD}=\overline{CE}+\overline{DE}=13$(cm)

따라서 직각삼각형 CDH에서

$\overline{DH}=\sqrt{13^2-5^2}=12$(cm)

$\therefore \overline{AB}=\overline{DH}=12$ cm

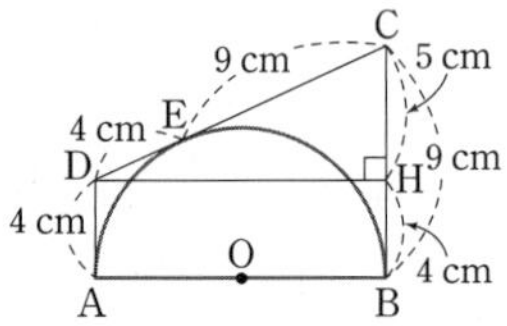

60 $\overline{DE}=\overline{DA}=4$ cm,

$\overline{CE}=\overline{CB}=7$ cm이므로

$\overline{CD}=4+7=11$(cm)

점 D에서 $\overline{BC}$에 내린 수선의 발을 H라 하면 직각삼각형 CDH에서

$\overline{DH}=\sqrt{\overline{CD}^2-\overline{CH}^2}=\sqrt{11^2-3^2}=4\sqrt{7}$(cm)

$\therefore$ □ABCD$=\frac{1}{2}\times(\overline{AD}+\overline{BC})\times\overline{DH}$

$=\frac{1}{2}\times(4+7)\times4\sqrt{7}$

$=22\sqrt{7}(\text{cm}^2)$

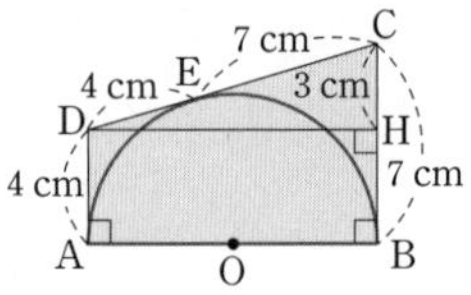

61 $\overline{DA}=\overline{DE}=3$ cm,

$\overline{CE}=\overline{CB}=8$ cm이므로

$\overline{CD}=3+8=11$(cm)

점 D에서 $\overline{BC}$에 내린 수선의 발을 H라 하면 직각삼각형 CDH에서

$\overline{DH}=\sqrt{\overline{CD}^2-\overline{CH}^2}=\sqrt{11^2-5^2}=4\sqrt{6}$(cm)

따라서 반원 O의 반지름의 길이는

$\frac{1}{2}\overline{AB}=\frac{1}{2}\overline{DH}=2\sqrt{6}$ (cm)

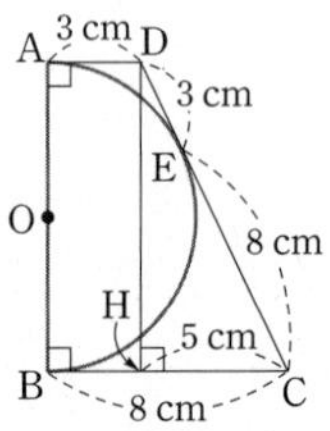

62 $\overline{DP}=\overline{DC}=10$ cm

$\overline{EB}=\overline{EP}=x$ cm라 하면

$\overline{AE}=(10-x)$ cm

직각삼각형 ADE에서

$(x+10)^2=8^2+(10-x)^2$

$40x=64 \quad \therefore x=\frac{8}{5}$

따라서 $\overline{EB}$의 길이는 $\frac{8}{5}$ cm이다.

63 $\overline{DP}=\overline{DC}=12$ cm

$\overline{EB}=\overline{EP}=x$ cm라 하면

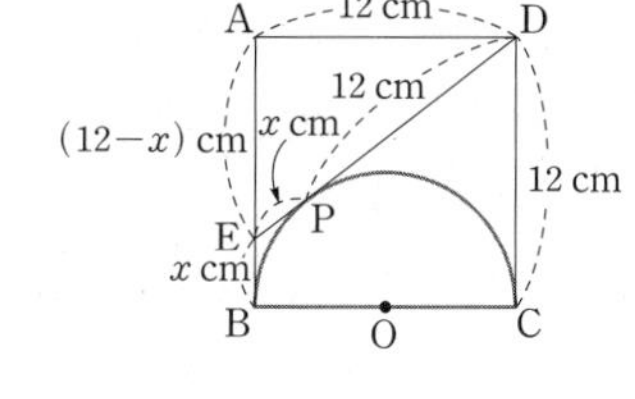

$\overline{AE}=(12-x)$ cm

직각삼각형 ADE에서

$(x+12)^2=12^2+(12-x)^2$

$48x=144 \quad \therefore x=3$

$\therefore \overline{DE}=\overline{EP}+\overline{DP}=3+12=15(\text{cm})$

64 $\overline{FA}=\overline{FE}=x$ cm라 하면

$\overline{DF}=(5-x)$ cm

오른쪽 그림과 같이 $\overline{BE}$를 그으면

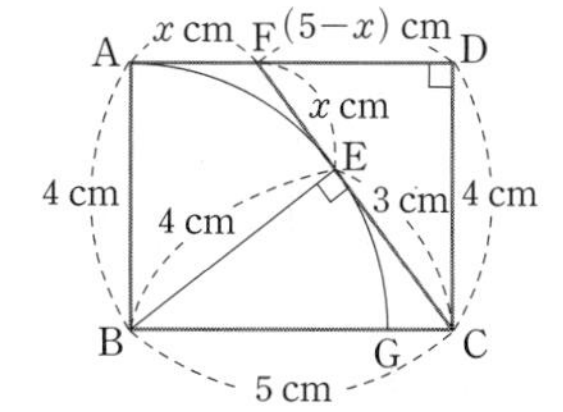

직각삼각형 BCE에서

$\overline{BE}=\overline{BA}=4$ cm이므로

$\overline{CE}=\sqrt{5^2-4^2}=3(\text{cm})$

직각삼각형 CDF에서

$(x+3)^2=4^2+(5-x)^2$

$16x=32 \quad \therefore x=2$

따라서 $\overline{FE}$의 길이는 2 cm이다.

65 $\overline{BD}=\overline{BE}$, $\overline{CE}=\overline{CF}$이므로

$\overline{AD}+\overline{AF}=\overline{AB}+\overline{BC}+\overline{CA}$

$=6+3+7=16(\text{cm})$

$\overline{AD}=\overline{AF}$이므로 $\overline{AD}=8$ cm

$\therefore \overline{BD}=\overline{AD}-\overline{AB}=8-6=2(\text{cm})$

66 $\overline{CD}=\overline{CE}=10$ cm이므로 $\overline{AD}=10-8=2(\text{cm})$

따라서 $\overline{AF}=\overline{AD}=2$ cm,

$\overline{BF}=\overline{BE}=10-6=4(\text{cm})$이므로

$\overline{AB}=\overline{AF}+\overline{BF}=2+4=6(\text{cm})$

다른 풀이 $2\overline{CE}=(\triangle ABC$의 둘레의 길이$)$이므로

$2\times10=8+\overline{AB}+6 \quad \therefore \overline{AB}=6$ cm

67 $\angle OAP=90°$이므로 $\triangle OAP$에서

$\overline{PA}=\sqrt{13^2-5^2}=12(\text{cm})$

$\therefore \overline{PB}=\overline{PA}=12$ cm

이때 $\overline{QA}=\overline{QC}$, $\overline{RB}=\overline{RC}$이므로

$(\triangle PRQ$의 둘레의 길이$)$

$=\overline{PQ}+\overline{QR}+\overline{PR}$

$=\overline{PQ}+(\overline{QC}+\overline{RC})+\overline{PR}$

$=\overline{PQ}+(\overline{QA}+\overline{RB})+\overline{PR}$

$=\overline{PA}+\overline{PB}$

$=2\overline{PA}=24(\text{cm})$

68 $\overline{CE}=\overline{CF}=x$ cm라 하면

$\overline{BD}=\overline{BE}=(13-x)$ cm,

$\overline{AD}=\overline{AF}=(12-x)$ cm

$\overline{AB}=\overline{BD}+\overline{AD}$이므로

$9=(13-x)+(12-x)$, $2x=16 \quad \therefore x=8$

따라서 $\triangle CGH$의 둘레의 길이는

$2\overline{CE}=2\times8=16(\text{cm})$

69 $\overline{AF}=\overline{AD}$, $\overline{BD}=\overline{BP}$, $\overline{CF}=\overline{CP}$이므로

$\overline{CP}=\overline{CF}=x$라 하면

$\overline{AD}=\overline{AF}=9-x$, $\overline{BD}=\overline{BP}=8-x$

$\overline{AB}=\overline{AD}+\overline{BD}$이므로

$13=(9-x)+(8-x)$, $2x=4 \quad \therefore x=2$

$\overline{AE}$, $\overline{AG}$, $\overline{BC}$는 원 O′의 접선이므로

$\overline{AE}=\frac{1}{2}(\overline{AB}+\overline{BC}+\overline{CA})$

$=\frac{1}{2}\times(13+8+9)=15$

따라서 $\overline{BQ}=\overline{BE}=\overline{AE}-\overline{AB}=15-13=2$이므로

$\overline{PQ}=\overline{BC}-(\overline{CP}+\overline{BQ})=8-(2+2)=4$

70 $P+Q=(\overline{BC}$를 지름으로 하는 반원의 넓이$)$

$=\frac{1}{2}\times\pi\times4^2=8\pi(\text{cm}^2)$

71 $(\overline{AC}$를 지름으로 하는 반원의 넓이$)$

$=24\pi-6\pi=18\pi(\text{cm}^2)$

이므로

$\frac{1}{2}\times\pi\times\left(\frac{1}{2}\overline{AC}\right)^2=18\pi$, $\overline{AC}^2=144$

$\therefore \overline{AC}=12$ cm$(\because \overline{AC}>0)$

72 (반원 Q의 넓이)$=\frac{1}{2}\times\pi\times(\sqrt{2})^2=\pi(\text{cm}^2)$

따라서 (반원 P의 넓이)$+\pi=16\pi$이므로

(반원 P의 넓이)$=15\pi$ cm^2

73 ($\overline{AB}$를 지름으로 하는 반원의 넓이)

$=\frac{1}{2}\times\pi\times(6\sqrt{2})^2$

$=36\pi(\text{cm}^2)$

($\overline{AC}$를 지름으로 하는 반원의 넓이)

$=36\pi+24\pi=60\pi(\text{cm}^2)$

즉, $\frac{1}{2}\times\pi\times\left(\frac{1}{2}\overline{AC}\right)^2=60\pi$

$\overline{AC}^2=480$ $\quad\therefore \overline{AC}=4\sqrt{30}\text{ cm}\ (\because \overline{AC}>0)$

따라서 가장 큰 반원의 반지름의 길이는

$\frac{1}{2}\overline{AC}=\frac{1}{2}\times4\sqrt{30}=2\sqrt{30}(\text{cm})$

74 $\triangle ABC$에서 $\overline{AB}=\sqrt{9^2-(4\sqrt{2})^2}=7(\text{cm})$

$\therefore$ (어두운 부분의 넓이)

$=\triangle ABC=\frac{1}{2}\times4\sqrt{2}\times7=14\sqrt{2}(\text{cm}^2)$

75 어두운 부분의 넓이는 $\triangle ABC$의 넓이와 같으므로

$16\sqrt{3}=\frac{1}{2}\times8\times\overline{AC}$ $\quad\therefore \overline{AC}=4\sqrt{3}\text{ cm}$

따라서 $\triangle ABC$에서

$\overline{BC}=\sqrt{8^2+(4\sqrt{3})^2}=4\sqrt{7}(\text{cm})$

76 $\triangle ABC=S_1+S_2=18\pi\text{ cm}^2$이므로

(빗금친 부분의 넓이)

$=$($\overline{BC}$를 지름으로 하는 반원의 넓이)$-\triangle ABC$

$=\frac{1}{2}\times\pi\times8^2-18\pi=14\pi(\text{cm}^2)$

77 $\triangle ABD$에서

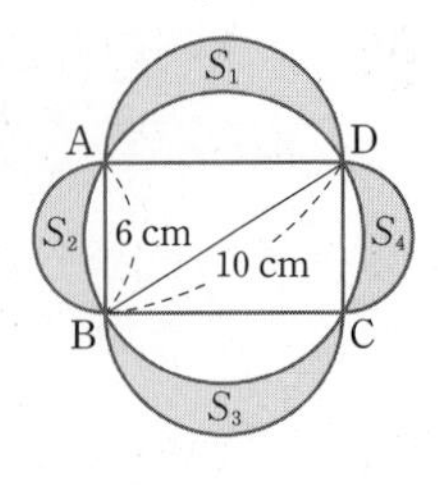

$\overline{AD}=\sqrt{10^2-6^2}=8(\text{cm})$

오른쪽 그림의 두 직각삼각형 ABD와 BCD에서

$S_1+S_2=\triangle ABD$

$S_3+S_4=\triangle BCD$

$\therefore S_1+S_2+S_3+S_4=\triangle ABD+\triangle BCD$

$=\square ABCD$

$=8\times6$

$=48(\text{cm}^2)$

다른 풀이 (어두운 부분의 넓이)

$=2\times\{$($\overline{AB}$를 지름으로 하는 반원의 넓이)

$+$($\overline{AD}$를 지름으로 하는 반원의 넓이)$\}$

$+\square ABCD-$($\overline{BD}$를 지름으로 하는 원의 넓이)

$=2\times\left(\frac{1}{2}\times9\pi+\frac{1}{2}\times16\pi\right)+48-25\pi$

$=48(\text{cm}^2)$

78 $\triangle AHC$에서 $\overline{HC}=\sqrt{6^2-3^2}=3\sqrt{3}(\text{cm})$

$\overline{AC}^2=\overline{HC}\times\overline{BC}$이므로

$6^2=3\sqrt{3}\times\overline{BC}$ $\quad\therefore \overline{BC}=4\sqrt{3}\text{ cm}$

$\therefore$ (어두운 부분의 넓이)$=\triangle ABC$

$=\frac{1}{2}\times4\sqrt{3}\times3$

$=6\sqrt{3}(\text{cm}^2)$

2 원주각

주제별 실력다지기

본문 61~67쪽

01 ①	**02** ④	**03** ①	**04** ③	**05** ④	**06** $48\pi\text{ cm}^2$	**07** ④	**08** 90°
09 40°	**10** ②	**11** ②	**12** ③	**13** ⑤	**14** ④	**15** ③	**16** ①
17 ⑤	**18** ①	**19** ③	**20** 66°	**21** ⑤	**22** ⑤	**23** 35°	**24** 23°
25 ④	**26** ②	**27** 60°	**28** ④	**29** 65°	**30** ①	**31** ③	**32** ⑤

01 $\angle AOB=2\angle APB=2\times 50°=100°$
$\triangle AOB$는 $\overline{OA}=\overline{OB}$인 이등변삼각형이므로
$\angle x=\frac{1}{2}\times(180°-100°)=40°$

02 $\angle AOB=2\angle APB=2\times 20°=40°$
$\triangle OAB$는 $\overline{OA}=\overline{OB}$인 이등변삼각형이므로
$\angle x=\frac{1}{2}\times(180°-40°)=70°$

03 $\angle y=2\angle BDC=2\times 120°=240°$
$\angle BOC=360°-\angle y$
$=360°-240°$
$=120°$
이므로
$\angle x=\frac{1}{2}\angle BOC=\frac{1}{2}\times 120°=60°$
$\therefore \angle y-\angle x=240°-60°$
$=180°$

04 $\angle APB=\frac{1}{2}\times 240°=120°$
$\angle AOB=360°-240°=120°$이므로
$\square AOBP$에서
$\angle x=360°-(50°+120°+120°)=70°$

05 $\triangle ABC$는 이등변삼각형이므로
$\angle BAC=180°-2\times 20°=140°$
$\therefore \angle x=2\angle BAC=2\times 140°=280°$

06 오른쪽 그림에서 $\widehat{AQB}$에 대한 중심각의 크기는
$2\times 135°=270°$

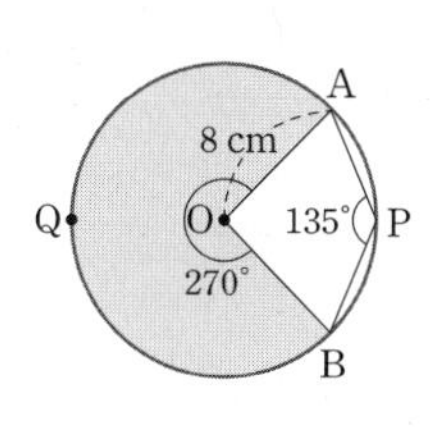

$\therefore$ (어두운 부분의 넓이)
$=\pi\times 8^2\times\frac{270°}{360°}$
$=48\pi(\text{cm}^2)$

07 $\angle x=\angle ACB=55°$
$\angle y=2\angle ACB=2\times 55°=110°$
$\therefore \angle x+\angle y=55°+110°=165°$

08 $\angle ACB : \angle BAC : \angle CBA=\widehat{AB} : \widehat{BC} : \widehat{CA}$
$=2:3:5$
$\therefore \angle ABC=\frac{5}{2+3+5}\times 180°=90°$

09 $\angle APB=\frac{1}{2}\times 240°=120°$
$\widehat{AP} : \widehat{PB}=2:1$이므로
$\angle ABP : \angle BAP=2:1$
$\triangle APB$에서
$\angle ABP+\angle BAP=180°-120°=60°$
$\therefore \angle x=\frac{2}{2+1}\times 60°=40°$

10 오른쪽 그림과 같이
$\overline{OA}$, $\overline{OB}$를 그으면
$\angle PAO=\angle PBO=90°$
이므로
$\angle AOB=180°-54°=126°$
$\therefore \angle x=\frac{1}{2}\angle AOB=\frac{1}{2}\times 126°=63°$

11 오른쪽 그림과 같이
$\overline{OA}$, $\overline{OB}$를 그으면
$\angle AOB=2\angle ACB$
$=2\times 68°=136°$
$\square AOBP$에서
$\angle PAO=\angle PBO=90°$이므로
$\angle x=180°-\angle AOB$
$=180°-136°$
$=44°$

12 오른쪽 그림과 같이 $\overline{AD}$를 그으면 한 호에 대한 원주각의 크기는 같으므로
$\angle CAD=\angle CBD=32°$
$\angle DAE=\angle DFE=\angle x$
$\angle CAE=83°$에서
$32°+\angle x=83°$
$\therefore \angle x=51°$

13 오른쪽 그림과 같이 $\overline{OE}$를 그으면

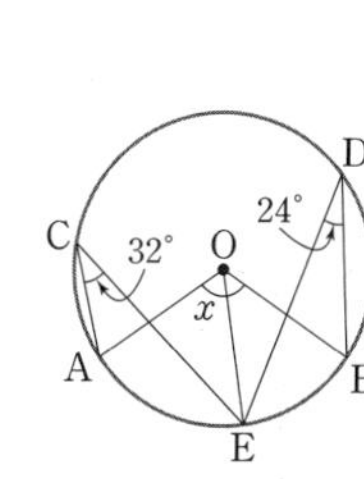

$\angle AOE=2\angle ACE$
$=2\times 32°=64°$
$\angle BOE=2\angle BDE$
$=2\times 24°=48°$
$\therefore \angle x=\angle AOE+\angle BOE$
$=64°+48°$
$=112°$

14 $\overline{BD}$는 원 O의 지름이므로 $\angle BAD=90^\circ$
$\triangle ABD$에서
$\angle ABD=180^\circ-(90^\circ+20^\circ)=70^\circ$
$\therefore \angle x=\angle ABD=70^\circ$

15 오른쪽 그림과 같이 $\overline{BC}$를 그으면

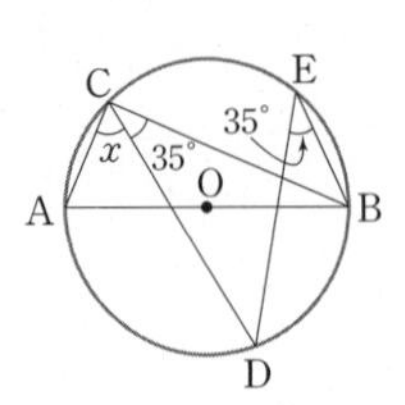

$\angle BCD=\angle BED=35^\circ$
$\overline{AB}$는 원 O의 지름이므로
$\angle ACB=90^\circ$
$\therefore \angle x=90^\circ-\angle BCD$
$=90^\circ-35^\circ$
$=55^\circ$

16 $\angle x=\angle ACB=40^\circ$
삼각형의 한 외각의 크기는 그와 이웃하지 않는 두 내각의 크기의 합과 같으므로
$\triangle APD$에서
$\angle y=\angle PAD+\angle PDA$
$=25^\circ+40^\circ$
$=65^\circ$

17 $\widehat{AC}=\widehat{BD}$이므로 $\angle ADC=\angle BAD=24^\circ$
$\triangle APD$에서
$\angle x=\angle PAD+\angle PDA$
$=24^\circ+24^\circ$
$=48^\circ$

18 $\triangle PBD$에서
$\angle PDB=75^\circ-15^\circ=60^\circ$
한 원에서 호의 길이는 원주각의 크기에 정비례하므로
$\widehat{BC}:\widehat{AD}=\angle CDB:\angle ABD$에서
$12:\widehat{AD}=60^\circ:15^\circ$
$12:\widehat{AD}=4:1$
$\therefore \widehat{AD}=3\text{ cm}$

19 $\overline{AC}$는 원 O의 지름이므로 $\angle ADC=90^\circ$
따라서 $\angle x=90^\circ-25^\circ=65^\circ$이고
$\angle ACD=\angle ABD=35^\circ$이므로
$\triangle PCD$에서
$\angle y=\angle PCD+\angle PDC$
$=35^\circ+65^\circ=100^\circ$
$\therefore \angle x+\angle y=65^\circ+100^\circ=165^\circ$

20 오른쪽 그림과 같이 $\overline{AC}$를 그으면 $\overline{AB}$는 반원 O의 지름이므로

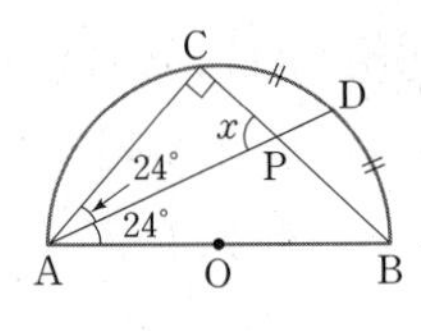

$\angle ACB=90^\circ$
$\widehat{CD}=\widehat{BD}$이므로
$\angle CAD=\angle BAD=24^\circ$
$\triangle APC$에서
$\angle x=180^\circ-(90^\circ+24^\circ)=66^\circ$

21 $\widehat{AD}$와 $\widehat{BC}$에 대한 원주각을 각각 $\angle a$, $\angle b$라 하면
$\angle a+\angle b=50^\circ$
또, 한 원에서 모든 호에 대한 원주각의 크기의 합은 180°이고, 호의 길이는 원주각의 크기에 정비례하므로
$(\widehat{AD}+\widehat{BC})$: (원의 둘레의 길이)
$=(\angle a+\angle b):180^\circ$
$(6\pi+9\pi)$: (원의 둘레의 길이) $=50^\circ:180^\circ$
$\therefore$ (원의 둘레의 길이) $=54\pi$ cm
원의 반지름의 길이를 r cm라 하면
$2\pi r=54\pi \qquad \therefore r=27$
따라서 원의 반지름의 길이는 27 cm이다.

22 $\angle ACB:\angle CAD=\widehat{AB}:\widehat{CD}=1:3$이므로
$\angle ACB:\angle x=1:3$
$\therefore \angle ACB=\frac{1}{3}\angle x$
$\triangle APC$에서
$\angle x=\angle APC+\angle ACP=32^\circ+\frac{1}{3}\angle x$이므로
$\frac{2}{3}\angle x=32^\circ \qquad \therefore \angle x=48^\circ$

23 $\angle BAC=\angle BDC=65^\circ$
$\triangle PAC$에서 $\angle BAC=\angle APC+\angle ACP$이므로
$65^\circ=30^\circ+\angle x$
$\therefore \angle x=35^\circ$

24 $\angle ABC=\angle ADC=\angle x$
$\triangle APD$에서
$\angle BAD=\angle APD+\angle ADP=32^\circ+\angle x$
따라서 $\triangle AQB$에서 $\angle BQD=\angle BAQ+\angle ABQ$이므로
$78^\circ=(32^\circ+\angle x)+\angle x$, $2\angle x=46^\circ$
$\therefore \angle x=23^\circ$

25 $\overset{\frown}{AC}:\overset{\frown}{BED}$

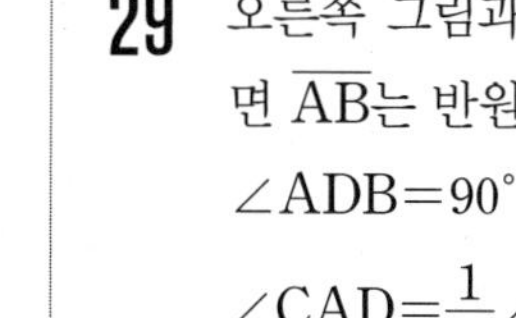

$=\angle ABC:\angle BAD$

$=2:5$

이므로

$\angle ABC=2\angle a$라 하면

$\angle BAD=\angle BCD=5\angle a$

$\triangle APB$에서

$5\angle a=63^\circ+2\angle a,\ 3\angle a=63^\circ$

$\therefore\ \angle a=21^\circ$

따라서 $\triangle QCB$에서

$\angle x=5\angle a+2\angle a=7\angle a$

$=7\times21^\circ=147^\circ$

26 $\angle ACD=\frac{1}{2}\angle AOD=\frac{1}{2}\times24^\circ=12^\circ$

$\angle BAC=\frac{1}{2}\angle BOC=\frac{1}{2}\times60^\circ=30^\circ$

$\triangle PAC$에서

$\angle BAC=\angle APC+\angle ACP$이므로

$30^\circ=\angle x+12^\circ$

$\therefore\ \angle x=18^\circ$

27 $\overset{\frown}{BCE}$의 길이는 원 O의 둘레의 길이의 $\frac{5}{12}$이므로

$\angle BOE=360^\circ\times\frac{5}{12}=150^\circ$

오른쪽 그림과 같이 $\overline{BD}$를 그으면 $\angle BDE$는 $\overset{\frown}{BFE}$에 대한 원주각이므로

$\angle BDE=\frac{1}{2}\times(360^\circ-150^\circ)$

$=105^\circ$

$\triangle ABD$에서

$\angle ABD=\angle BDE-\angle BAD$

$=105^\circ-75^\circ=30^\circ$

$\therefore\ \angle COD=2\angle CBD=2\times30^\circ=60^\circ$

28 오른쪽 그림과 같이 $\overline{AD}$를 그으면 $\overline{AB}$는 반원 O의 지름이므로

$\angle ADB=90^\circ$

$\triangle PAD$에서

$\angle PAD=90^\circ-58^\circ=32^\circ$

$\therefore\ \angle x=2\angle CAD=2\times32^\circ=64^\circ$

29 오른쪽 그림과 같이 $\overline{AD}$를 그으면 $\overline{AB}$는 반원 O의 지름이므로

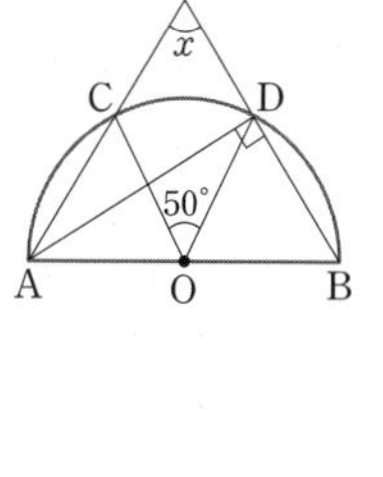

$\angle ADB=90^\circ$

$\angle CAD=\frac{1}{2}\angle COD$

$=\frac{1}{2}\times50^\circ=25^\circ$

$\triangle PAD$에서

$\angle x=90^\circ-25^\circ=65^\circ$

30 오른쪽 그림과 같이 $\overline{BD}$, $\overline{OD}$를 그으면

$\angle ADB=90^\circ$이므로

$\triangle BCD$에서

$\angle CBD=90^\circ-50^\circ=40^\circ$

이때 $\angle DOE=2\angle DBE$

$=2\times40^\circ$

$=80^\circ$

이므로

$\angle AOD=180^\circ-(\angle DOE+\angle BOE)$

$=180^\circ-(80^\circ+40^\circ)$

$=60^\circ$

한 원에서 호의 길이는 중심각의 크기에 정비례하므로

$\overset{\frown}{AD}:\overset{\frown}{BE}=60^\circ:40^\circ=3:2$

31 ㄱ. $\angle BAC=\angle BDC=28^\circ$

ㄴ. $\angle BDC=62^\circ-32^\circ=30^\circ$이므로

$\angle BAC\neq\angle BDC$

ㄷ. $\triangle ABC$에서

$\angle BAC=180^\circ-(115^\circ+35^\circ)=30^\circ$

$\therefore\ \angle BAC\neq\angle BDC$

ㄹ. $\triangle APC$에서 $\angle PCA=80^\circ-60^\circ=20^\circ$

$\therefore\ \angle ADB=\angle ACB=20^\circ$

따라서 네 점 A, B, C, D가 한 원 위에 있는 것은 ㄱ, ㄹ이다.

32 네 점 A, B, C, D가 한 원 위에 있으므로

$\angle BDC=\angle BAC=65^\circ$

따라서 $\triangle PCD$에서

$\angle x=65^\circ+30^\circ=95^\circ$

3 원주각의 활용

본문 69~77쪽

주제별 실력다지기

01 ④	02 ②	03 ①	04 ③	05 ⑤	06 ②	07 ④	08 ③
09 ②	10 ⑤	11 ②	12 $50°$	13 ①	14 $61°$	15 ②	16 $27°$
17 $196°$	18 $147°$	19 $90°$	20 $360°$	21 3개	22 ②, ③	23 ①	24 ①
25 ③	26 ③	27 16π cm^2	28 $3\sqrt{3}$ cm	29 ②	30 $65°$	31 ①	32 ①
33 $20°$	34 ④	35 ③	36 $10°$	37 $79°$	38 $65°$	39 ②	40 ⑤
41 ①	42 ③	43 3π cm^3	44 $(10-\sqrt{10})$ cm				

01 □ABCD에서 $\angle ABC+\angle ADC=180°$이므로
$\angle ADC=180°-125°=55°$
△ACD는 $\overline{AC}=\overline{AD}$인 이등변삼각형이므로
$\angle ACD=\angle ADC=55°$
$\therefore \angle x=180°-2\times 55°=70°$

02 $\overline{BC}$는 원 O의 지름이므로 $\angle BAC=90°$
△ABC에서
$\angle ABC=180°-(90°+15°)=75°$
□ABCD에서 $\angle ABC+\angle x=180°$이므로
$75°+\angle x=180°$
$\therefore \angle x=105°$

03 원주각의 크기는 중심각의 크기의 $\frac{1}{2}$이므로
$\angle BAD=\frac{1}{2}\angle BOD=\frac{1}{2}\times 160°=80°$
원에 내접하는 사각형에서 한 외각의 크기는 그 이웃하는 내각의 대각의 크기와 같으므로
$\angle x=\angle BAD=80°$

04 △DPC에서
$\angle PDC=180°-(20°+85°)=75°$
□ABCD가 원 O에 내접하므로
$\angle x=\angle ADC=75°$

05 한 호에 대한 원주각의 크기는 같으므로
$\angle ADB=\angle ACB=32°$
이때 $\angle BDC=87°-32°=55°$이므로
$\angle x=\angle BDC=55°$
□ABCD는 원에 내접하므로
$\angle y=\angle BAD=\angle x+45°$
$=55°+45°=100°$
$\therefore \angle x+\angle y=55°+100°=155°$

06 △PBC에서
$\angle EPB=\angle PBC+\angle PCB$이므로
$105°=20°+\angle PCB$
$\therefore \angle PCB=85°$
또, 한 호에 대한 원주각의 크기는 같으므로
$\angle y=\angle BCE=85°$
□ABDE는 원에 내접하므로 $\angle x+\angle y=180°$
$\angle x=180°-\angle y=180°-85°=95°$
$\therefore \angle x-\angle y=95°-85°=10°$

07 □ABCE가 원에 내접하므로
$\angle ABC+\angle AEC=180°$에서
$(\angle x+25°)+80°=180°$ $\therefore \angle x=75°$
또, □ABDE가 원에 내접하므로 $\angle y=\angle x=75°$
$\therefore \angle x+\angle y=75°+75°=150°$

08 직선 PT는 원 O의 접선이므로
$\angle x=\angle BPT=50°$
△ABC에서 $\angle ACB=180°-(46°+35°)=99°$
□APBC는 원 O에 내접하므로
$\angle y=180°-\angle ACB=180°-99°=81°$
$\therefore \angle y-\angle x=81°-50°=31°$

09 오른쪽 그림과 같이 $\overline{PQ}$를 그으면 □PQDB가 원에 내접하므로

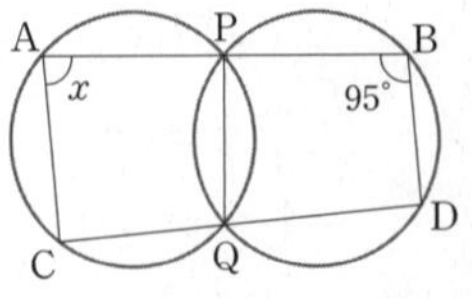

$\angle PQC=\angle B=95°$
□ACQP가 원에 내접하므로
$\angle A+\angle PQC=180°$에서
$\angle x+95°=180°$
$\therefore \angle x=85°$

10 □PQCD가 원 O′에 내접하므로
$\angle y=\angle \mathrm{PDC}=110^\circ$
□ABQP가 원 O에 내접하므로
$\angle \mathrm{A}+\angle y=180^\circ$에서 $\angle \mathrm{A}+110^\circ=180^\circ$
$\therefore\ \angle \mathrm{A}=70^\circ$
따라서 $\angle x=2\angle \mathrm{BAP}=140^\circ$이므로
$\angle x+\angle y=140^\circ+110^\circ=250^\circ$

11 □ABFE가 원에 내접하므로
$\angle \mathrm{EFC}=\angle \mathrm{BAE}=115^\circ$
□EFCD가 원에 내접하므로
$115^\circ+\angle x=180^\circ \quad \therefore\ \angle x=65^\circ$
또, $\angle y=\angle \mathrm{DEF}=\angle \mathrm{ABF}=86^\circ$
$\therefore\ \angle x+\angle y=65^\circ+86^\circ=151^\circ$

12 □ABCD가 원에 내접하므로
$\angle \mathrm{CDQ}=\angle \mathrm{ABC}=\angle x$
△PBC에서
$\angle \mathrm{DCQ}=\angle \mathrm{CBP}+\angle \mathrm{CPB}=\angle x+35^\circ$
△CDQ에서 $\angle x+(\angle x+35^\circ)+45^\circ=180^\circ$
$2\angle x=100^\circ$
$\therefore\ \angle x=50^\circ$

13 □ABCD가 원에 내접하므로
$\angle \mathrm{QAB}=\angle \mathrm{BCD}=55^\circ$
△PBC에서
$\angle \mathrm{QBP}=\angle \mathrm{BPC}+\angle \mathrm{BCP}=28^\circ+55^\circ=83^\circ$
△ABQ에서 $55^\circ+\angle x+83^\circ=180^\circ$
$\therefore\ \angle x=42^\circ$

14 □ABCD는 원에 내접하므로
$\angle \mathrm{ABC}=\angle \mathrm{CDQ}=\angle x$
△PBC에서
$\angle \mathrm{QCP}=\angle x+25^\circ$
△DCQ에서
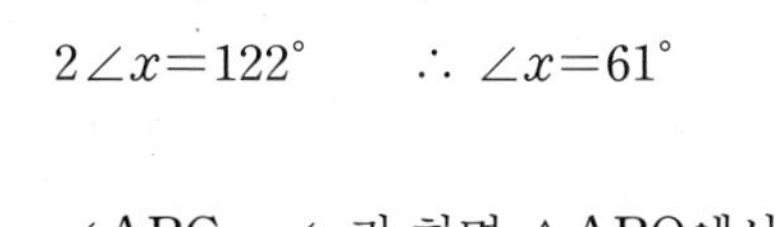
$\angle x+(\angle x+25^\circ)+33^\circ=180^\circ$
$2\angle x=122^\circ \quad \therefore\ \angle x=61^\circ$

15 $\angle \mathrm{ABC}=\angle y$라 하면 △ABQ에서
$\angle \mathrm{PAD}=\angle y+36^\circ$
$\angle \mathrm{PDA}=\angle \mathrm{ABC}=\angle y$이므로 △PAD에서
$24^\circ+(\angle y+36^\circ)+\angle y=180^\circ$
$2\angle y=120^\circ \quad \therefore\ \angle y=60^\circ$
□ABCD가 원에 내접하므로
$\angle x+\angle y=180^\circ$에서 $\angle x+60^\circ=180^\circ$
$\therefore\ \angle x=120^\circ$

16 $\angle \mathrm{ACD}=\angle x$라 하면
△ACE에서
$\angle \mathrm{CAB}$
$=\angle \mathrm{ACE}+\angle \mathrm{AEC}$
$=\angle x+24^\circ$
$\widehat{\mathrm{AB}}=\widehat{\mathrm{BC}}=\widehat{\mathrm{CD}}$이므로
$\angle \mathrm{ACB}=\angle \mathrm{BAC}=\angle \mathrm{CAD}=\angle x+24^\circ$
□ABCD는 원에 내접하므로
$\angle \mathrm{BAD}+\angle \mathrm{BCD}=180^\circ$에서
$3(\angle x+24^\circ)+\angle x=180^\circ$
$4\angle x=108^\circ \quad \therefore\ \angle x=27^\circ$
$\therefore\ \angle \mathrm{ACD}=27^\circ$

17 오른쪽 그림과 같이 $\overline{\mathrm{AD}}$를 그으면
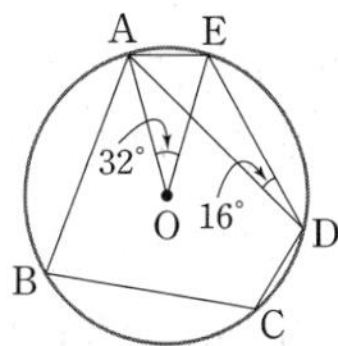

$\angle \mathrm{ADE}=\frac{1}{2}\angle \mathrm{AOE}$
$=\frac{1}{2}\times 32^\circ=16^\circ$
또, □ABCD에서 $\angle \mathrm{B}+\angle \mathrm{ADC}=180^\circ$이므로
$\angle \mathrm{B}+\angle \mathrm{D}=\angle \mathrm{B}+(\angle \mathrm{ADC}+\angle \mathrm{ADE})$
$=180^\circ+16^\circ=196^\circ$

18 오른쪽 그림과 같이 $\overline{\mathrm{BD}}$를 그으면
$\angle \mathrm{BDC}=\frac{1}{2}\angle \mathrm{BOC}$
$=\frac{1}{2}\times 70^\circ$
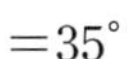
$=35^\circ$
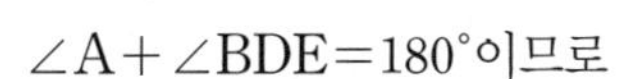
$\angle \mathrm{A}+\angle \mathrm{BDE}=180^\circ$이므로
$68^\circ+\angle \mathrm{BDE}=180^\circ$
$\therefore\ \angle \mathrm{BDE}=112^\circ$
$\therefore\ \angle x=\angle \mathrm{BDC}+\angle \mathrm{BDE}$
$=35^\circ+112^\circ=147^\circ$

19 오른쪽 그림과 같이 $\overline{\mathrm{CE}}$를 그으면
□ABCE는 원 O에 내접하므로
$85^\circ+\angle \mathrm{AEC}=180^\circ$
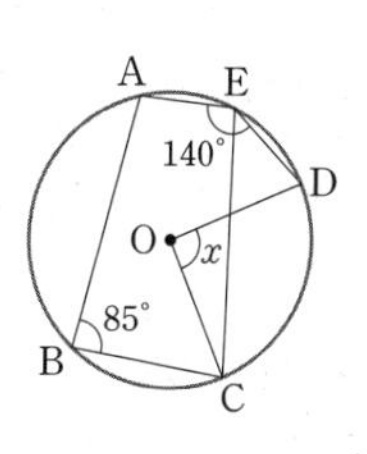

$\therefore\ \angle \mathrm{AEC}=95^\circ$
$\angle \mathrm{CED}=140^\circ-95^\circ=45^\circ$이므로
$\angle x=2\angle \mathrm{CED}=2\times 45^\circ=90^\circ$

20 오른쪽 그림과 같이 $\overline{CF}$를 그으면 □ABCF와 □CDEF는 모두 원에 내접하므로 각 사각형의 대각의 크기의 합은 180°이다.

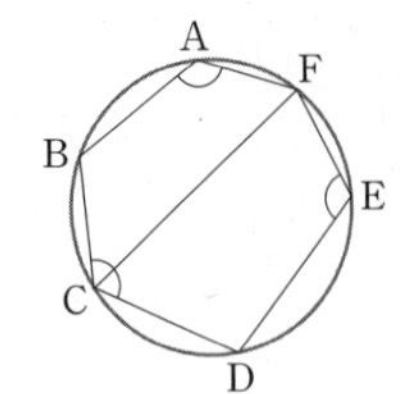

$\angle A+\angle BCF=180^\circ$

$\angle E+\angle DCF=180^\circ$

$\therefore \angle A+\angle C+\angle E$

$=\angle A+(\angle BCF+\angle DCF)+\angle E$

$=180^\circ+180^\circ=360^\circ$

21 ㄴ. 등변사다리꼴은 아랫변의 양 끝 각의 크기가 같고 윗변의 양 끝 각의 크기가 같으므로 대각의 크기의 합은 180°이다.

ㄹ, ㅂ. 직사각형과 정사각형의 네 내각의 크기는 모두 90°이므로 대각의 크기의 합은 180°이다.

따라서 항상 원에 내접하는 사각형은 ㄴ, ㄹ, ㅂ의 3개이다.

22 ① $\angle ABC+\angle ADC=84^\circ+96^\circ=180^\circ$이므로 □ABCD는 원에 내접한다.

④ $\angle BAD=180^\circ-75^\circ=105^\circ$

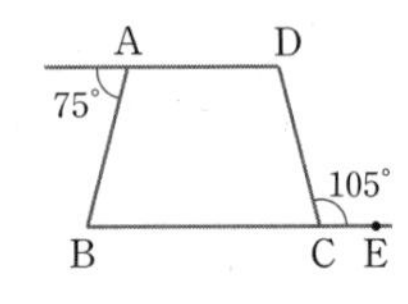

즉, $\angle BAD=\angle DCE$이므로 □ABCD는 원에 내접한다.

⑤ △ABC에서

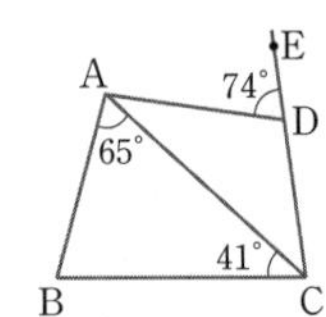

$\angle ABC=180^\circ-(65^\circ+41^\circ)$

$=74^\circ$

즉, $\angle ABC=\angle ADE$이므로 □ABCD는 원에 내접한다.

따라서 원에 내접하지 않는 것은 ②, ③이다.

23 오른쪽 그림과 같이 $\overline{BO}$의 연장선이 원 O와 만나는 점을 A′이라 하면 $\angle BAC=\angle BA'C$

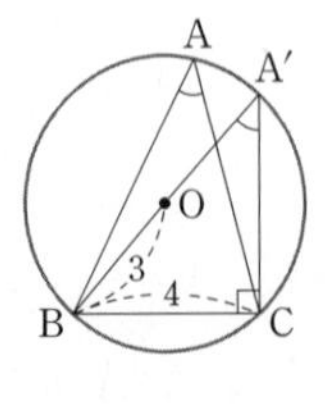

이때 반원에 대한 원주각의 크기는 90°이므로 $\angle BCA'=90^\circ$

△A′BC에서

$\overline{A'B}=2\times3=6$, $\overline{BC}=4$이므로

$\overline{A'C}=\sqrt{6^2-4^2}=\sqrt{20}=2\sqrt{5}$

$\therefore \cos A=\cos A'=\dfrac{\overline{A'C}}{\overline{A'B}}=\dfrac{2\sqrt{5}}{6}=\dfrac{\sqrt{5}}{3}$

24 오른쪽 그림과 같이 $\overline{BO}$의 연장선이 원 O와 만나는 점을 A′이라 하면

$\angle BAC=\angle BA'C$

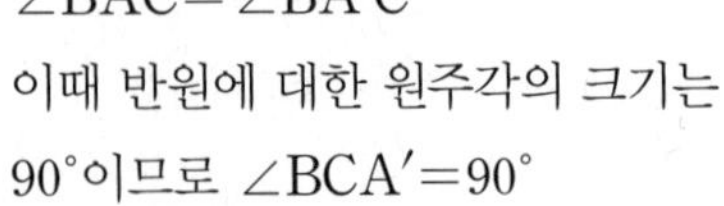

이때 반원에 대한 원주각의 크기는 90°이므로 $\angle BCA'=90^\circ$

△A′BC에서

$\overline{A'B}=2\times3=6$, $\overline{BC}=2\sqrt{3}$이므로

$\overline{A'C}=\sqrt{6^2-(2\sqrt{3})^2}=2\sqrt{6}$

$\therefore \cos A\times\tan A=\cos A'\times\tan A'$

$=\dfrac{2\sqrt{6}}{6}\times\dfrac{2\sqrt{3}}{2\sqrt{6}}$

$=\dfrac{\sqrt{3}}{3}$

25 오른쪽 그림과 같이 $\overline{CO}$의 연장선이 원 O와 만나는 점을 A′이라 하면

$\angle CAB=\angle CA'B$

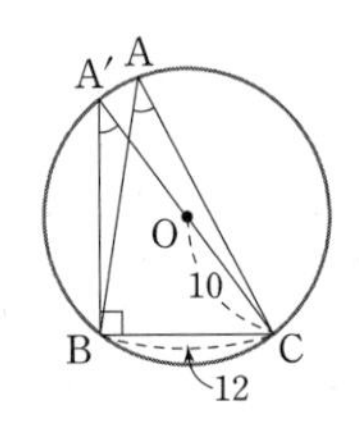

이때 반원에 대한 원주각의 크기는 90°이므로 $\angle CBA'=90^\circ$

△A′BC에서

$\overline{A'C}=2\times10=20$, $\overline{BC}=12$이므로

$\overline{A'B}=\sqrt{20^2-12^2}=16$

$\therefore \sin A+\cos A=\sin A'+\cos A'$

$=\dfrac{12}{20}+\dfrac{16}{20}=\dfrac{7}{5}$

26 오른쪽 그림과 같이 $\overline{CO}$의 연장선이 원 O와 만나는 점을 A′이라 하면

$\angle CAB=\angle CA'B$

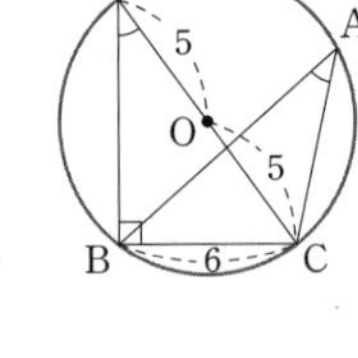

이때 반원에 대한 원주각의 크기는 90°이므로

$\angle CBA'=90^\circ$

△A′BC에서 $\overline{A'C}=2\times5=10$, $\overline{BC}=6$이므로

$\overline{A'B}=\sqrt{10^2-6^2}=8$

$\therefore \cos A=\cos A'=\dfrac{\overline{A'B}}{\overline{A'C}}=\dfrac{8}{10}=\dfrac{4}{5}$

27 오른쪽 그림과 같이 $\overline{BD}$를 그으면 반원에 대한 원주각의 크기는 90°이므로 $\angle BDC=90^\circ$

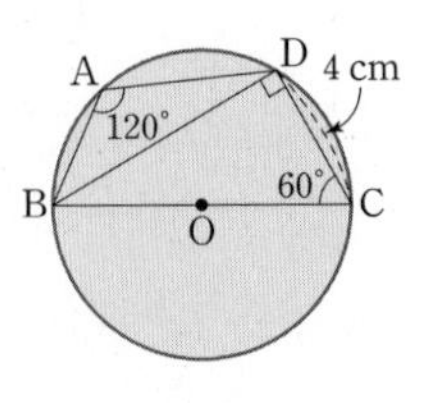

□ABCD는 원 O에 내접하므로

$120^\circ+\angle C=180^\circ$

$\therefore \angle C=60^\circ$

△BCD에서 $\cos 60^\circ=\dfrac{\overline{CD}}{\overline{BC}}=\dfrac{4}{\overline{BC}}$이므로

$\overline{BC}=\dfrac{4}{\cos 60^\circ}=4\times2=8(\text{cm})$

$\therefore$ (원 O의 넓이)$=\pi\times\left(\dfrac{8}{2}\right)^2=16\pi(\text{cm}^2)$

28 반원에 대한 원주각의 크기는 90°이므로 $\angle ABP=90^\circ$

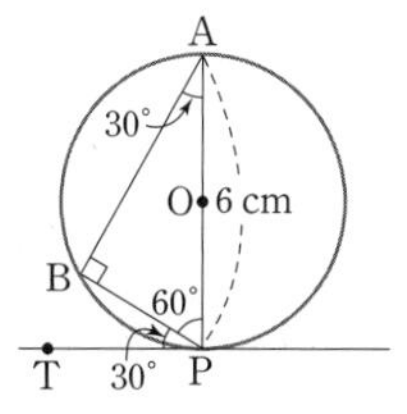

접선과 현이 이루는 각의 성질에 의해

$\angle BAP=\angle BPT=30^\circ$

따라서 $\triangle ABP$에서

$\overline{AP}:\overline{AB}=2:\sqrt{3}$, $6:\overline{AB}=2:\sqrt{3}$

$\therefore \overline{AB}=3\sqrt{3}$ cm

29 $\angle x=\dfrac{1}{2}\angle BOP=\dfrac{1}{2}\times150^\circ=75^\circ$

$\angle y=\angle BAP=75^\circ$

$\therefore \angle x+\angle y=75^\circ+75^\circ=150^\circ$

30 오른쪽 그림과 같이 $\overline{AT}$를 그으면 $\overline{AB}$는 원 O의 지름이므로

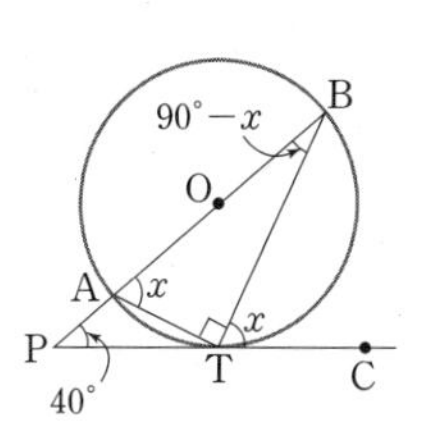

$\angle ATB=90^\circ$

이때 $\angle BAT=\angle BTC=\angle x$ 이므로

$\angle ABT=90^\circ-\angle x$

따라서 $\triangle BPT$에서

$\angle x=40^\circ+(90^\circ-\angle x)$

$2\angle x=130^\circ$

$\therefore \angle x=65^\circ$

31 오른쪽 그림과 같이 $\overline{BT}$를 그으면

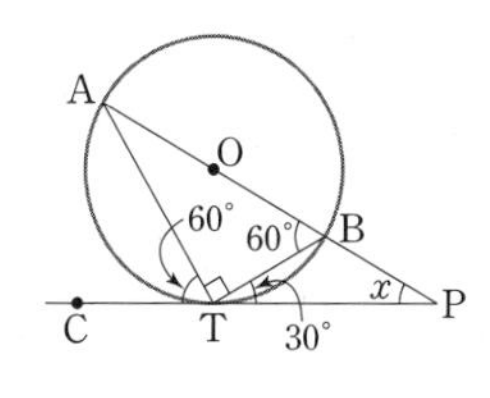

$\angle ATB=90^\circ$이므로

$\angle BTP=180^\circ-(60^\circ+90^\circ)$

$=30^\circ$

$\angle ABT=\angle ATC=60^\circ$이므로

$\triangle BTP$에서 $60^\circ=30^\circ+\angle x$

$\therefore \angle x=30^\circ$

32 오른쪽 그림과 같이 $\overline{BT}$를 그으면 $\overline{AB}$는 원 O의 지름이므로

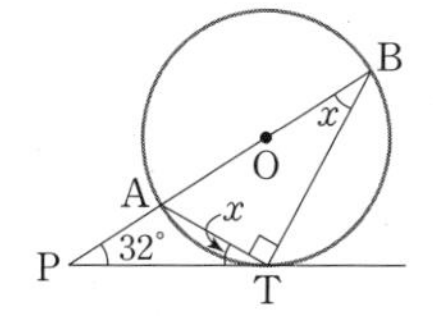

$\angle ATB=90^\circ$

$\angle ABT=\angle ATP=\angle x$이므로

$\triangle BPT$에서

$32^\circ+(\angle x+90^\circ)+\angle x=180^\circ$

$2\angle x=58^\circ \qquad \therefore \angle x=29^\circ$

다른 풀이 $\triangle APT$에서

$\angle BAT=\angle APT+\angle ATP=32^\circ+\angle x$

이므로

$\triangle ABT$에서

$\angle x+(32^\circ+\angle x)=90^\circ$

$2\angle x=58^\circ$

$\therefore \angle x=29^\circ$

33 오른쪽 그림과 같이 $\overline{AT}$, $\overline{BT}$를 그으면

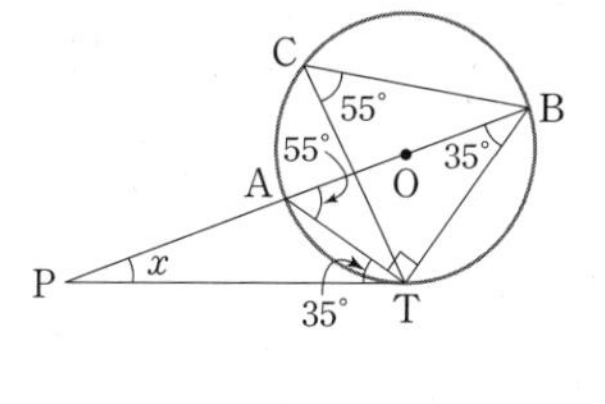

$\angle ATB=90^\circ$

$\angle BAT=\angle BCT$

$=55^\circ$

이므로 $\triangle ATB$에서

$\angle ABT=180^\circ-(55^\circ+90^\circ)$

$=35^\circ$

$\angle ATP=\angle ABT=35^\circ$이므로

$\triangle APT$에서 $55^\circ=\angle x+35^\circ$

$\therefore \angle x=20^\circ$

34 오른쪽 그림과 같이 $\overline{BD}$를 그으면 $\triangle ABD$와 $\triangle ADC$에서

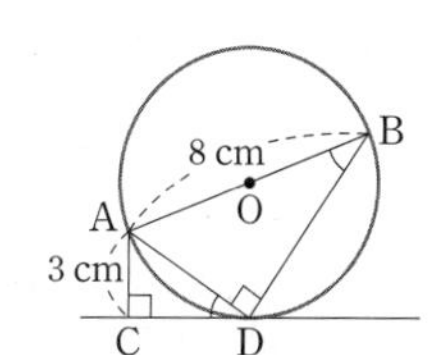

$\angle ADB=\angle ACD=90^\circ$,

$\angle ABD=\angle ADC$이므로

$\triangle ABD\backsim\triangle ADC$ (AA 닮음)

$\overline{AB}:\overline{AD}=\overline{AD}:\overline{AC}$에서

$8:\overline{AD}=\overline{AD}:3$, $\overline{AD}^2=24$

$\therefore \overline{AD}=2\sqrt{6}$ cm ($\because \overline{AD}>0$)

따라서 $\triangle ACD$에서

$\overline{CD}=\sqrt{(2\sqrt{6})^2-3^2}=\sqrt{15}(\text{cm})$

35 오른쪽 그림과 같이 $\overline{AB}$를 그으면

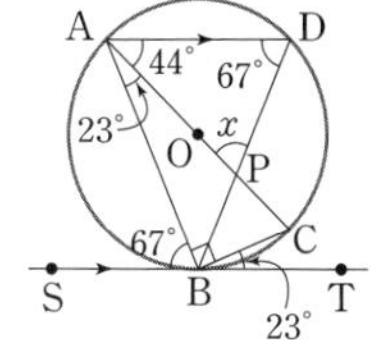

$\angle ABC=90^\circ$이므로

$\angle ABS=180^\circ-(90^\circ+23^\circ)$

$=67^\circ$

접선과 현이 이루는 각의 성질에 의해

$\angle BAC=\angle CBT=23^\circ$, $\angle ADB=\angle ABS=67^\circ$

또, $\overline{AD}\,/\!/\,\overleftrightarrow{ST}$이므로

$\angle DAB=\angle ABS=67^\circ$(엇각)

$\therefore \angle DAP=67^\circ-23^\circ=44^\circ$

따라서 $\triangle ADP$에서

$\angle x=180^\circ-(44^\circ+67^\circ)=69^\circ$

36 오른쪽 그림과 같이 $\overline{CD}$를 그으면 $\angle BCD=90^\circ$ 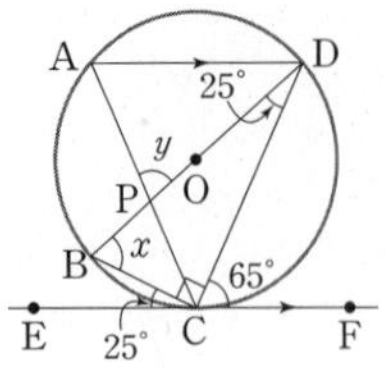
$\triangle BCD$에서
$\angle BDC=\angle BCE=25^\circ$이므로
$\angle x=180^\circ-(90^\circ+25^\circ)=65^\circ$
$\therefore \angle DCF=\angle x=65^\circ$
또, $\overline{AD}\,/\!/\,\overleftrightarrow{EF}$이므로
$\angle ADC=\angle DCF=65^\circ$(엇각)에서
$\angle ADB=65^\circ-25^\circ=40^\circ$
$\angle CAD=\angle DCF=65^\circ$이므로
$\triangle PAD$에서
$\angle y=180^\circ-(65^\circ+40^\circ)=75^\circ$
$\therefore \angle y-\angle x=75^\circ-65^\circ=10^\circ$

37 $\triangle BDE$는 $\overline{BD}=\overline{BE}$인 이등변삼각형이므로
$\angle BDE=\angle BED=\frac{1}{2}\times(180^\circ-50^\circ)=65^\circ$
$\angle FEC=180^\circ-(65^\circ+36^\circ)=79^\circ$이므로
$\angle x=\angle FEC=79^\circ$

38 $\angle ABD=\angle x$, $\angle BDE=\angle y$라 하면 $\overline{AD}$는 $\triangle ABC$의 외접원에 접하므로 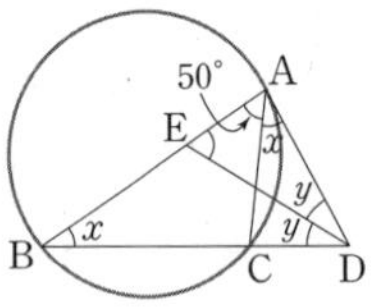
$\angle CAD=\angle ABC=\angle x$
$\overline{DE}$는 $\angle ADB$의 이등분선이므로
$\angle ADE=\angle BDE=\angle y$
$\triangle ABD$에서 $(50^\circ+\angle x)+\angle x+2\angle y=180^\circ$
$2\angle x+2\angle y=130^\circ$ $\quad\therefore \angle x+\angle y=65^\circ$
따라서 $\triangle BDE$에서
$\angle AED=\angle x+\angle y=65^\circ$

39 정육면체의 대각선의 길이가 구의 지름과 같으므로 구의 반지름의 길이를 r cm라 하면
$\overline{DF}=4\sqrt{3}=2r$(cm)
$\therefore r=2\sqrt{3}$
따라서 구하는 구의 반지름의 길이는 $2\sqrt{3}$ cm이다.

40 구의 지름은 정육면체의 한 모서리의 길이와 같으므로 정육면체의 한 모서리의 길이를 a cm라 하면
$\sqrt{3}a=18$ $\quad\therefore a=6\sqrt{3}$
따라서 구의 반지름의 길이는 $\frac{1}{2}a=3\sqrt{3}$(cm)이므로
(구의 부피)$=\frac{4}{3}\pi\times(3\sqrt{3})^3$
$=108\sqrt{3}\pi(\text{cm}^3)$

41 $\overline{OA}=r$ cm라 하면
$\overline{OC}=r$ cm, $\overline{OH}=(12-r)$ cm이므로
$\triangle OHC$에서
$r^2=(12-r)^2+(4\sqrt{3})^2$
$24r=192$ $\quad\therefore r=8$
따라서 구의 반지름의 길이는 8 cm이다.

42 $\overline{OA}=\overline{OC}=5$ cm이므로
$\overline{OH}=9-5=4$(cm)
$\triangle OHC$에서
$\overline{CH}=\sqrt{5^2-4^2}=3$(cm)
따라서 구하는 원뿔의 부피는
$\frac{1}{3}\times\pi\times3^2\times9=27\pi(\text{cm}^3)$

43 $\overline{OH}=x$ cm라 하면
$\triangle OCH$에서 $\overline{CH}^2=2^2-x^2$
$\triangle ACH$에서 $\overline{CH}^2=(2\sqrt{3})^2-(2+x)^2$
$(2\sqrt{3})^2-(2+x)^2=2^2-x^2$에서
$4x=4$ $\quad\therefore x=1$
따라서 $\overline{CH}=\sqrt{2^2-1^2}=\sqrt{3}$(cm),
$\overline{AH}=2+1=3$(cm)이므로
(원뿔의 부피)$=\frac{1}{3}\times\pi\times(\sqrt{3})^2\times3=3\pi(\text{cm}^3)$

44 오른쪽 그림과 같이 점 O에서 $\overline{AC}$에 내린 수선의 발을 D라 하자. 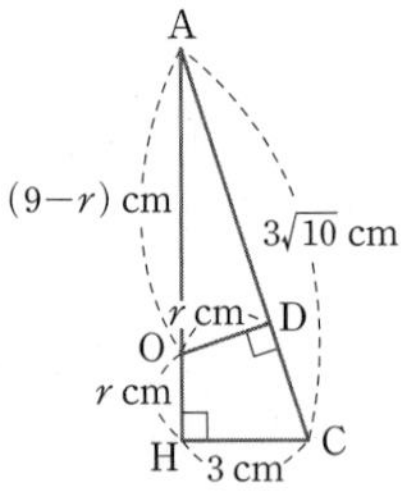
$\triangle AHC$에서
$\overline{AC}=\sqrt{\overline{AH}^2+\overline{CH}^2}$
$=\sqrt{9^2+3^2}=3\sqrt{10}$(cm)
구의 반지름의 길이를 r cm라 하면
$\overline{AO}=(9-r)$ cm
이때 $\triangle AOD\backsim\triangle ACH$ (AA 닮음)이므로
$\overline{AO}:\overline{AC}=\overline{OD}:\overline{CH}$에서
$(9-r):3\sqrt{10}=r:3$
$27-3r=3\sqrt{10}r$, $(\sqrt{10}+1)r=9$
$\therefore r=\sqrt{10}-1$
$\therefore \overline{AO}=9-r=9-(\sqrt{10}-1)=10-\sqrt{10}$(cm)

단원 종합 문제

본문 78~82쪽

01 120°	**02** $4\sqrt{2}$ cm	**03** ⑤	**04** ④	**05** ④	**06** 48π cm²	**07** ②, ④	**08** ①
09 2 cm	**10** 13 cm	**11** 18 cm	**12** ③	**13** ③	**14** ②	**15** $16\sqrt{3}$ cm²	
16 $(5\sqrt{13}+13)$ cm		**17** ②	**18** ①	**19** ①, ④	**20** ②	**21** 56°	**22** $5\sqrt{3}$ cm
23 ④	**24** 17°	**25** ⑤	**26** ①, ③	**27** ⑤	**28** ⑤	**29** ②	

01 중심각의 크기는 호의 길이에 정비례하고, 한 원에서 중심각의 크기의 합은 360°이므로

$\angle BOC=360°\times\frac{3}{2+3+4}=120°$

02 $\overline{AB}$가 지름이므로 $\angle C=90°$

$\overline{OM}=\overline{ON}$이므로 $\overline{CA}=\overline{CB}$

$\therefore \angle A=\angle B=45°$

따라서 $\triangle ABC$에서 $\overline{AC}:\overline{AB}=1:\sqrt{2}$이므로

$\overline{AC}:8=1:\sqrt{2}$, $\sqrt{2}\,\overline{AC}=8$

$\therefore \overline{AC}=\frac{8}{\sqrt{2}}=4\sqrt{2}$(cm)

03 $\overline{OM}=\overline{ON}$이므로 $\overline{AB}=\overline{AC}$

즉, $\triangle ABC$는 이등변삼각형이므로

$\angle C=\angle B=75°$

$\therefore \angle A=180°-(75°+75°)=30°$

따라서 □AMON에서

$\angle MON=360°-(30°+90°+90°)=150°$

04 ① $\angle AOC=180°-36°=144°$이므로

$x:1=144°:36°$ $\therefore x=4$

② $\overline{OM}$은 현 AB를 수직이등분하므로 $x=4$

③ $\overline{OA}$를 그으면 $\triangle OAM$에서

$\overline{OA}=5$, $\overline{AM}=\frac{1}{2}\overline{AB}=3$이므로

$x=\sqrt{5^2-3^2}=4$

④ $\overline{OM}=x-2$이므로

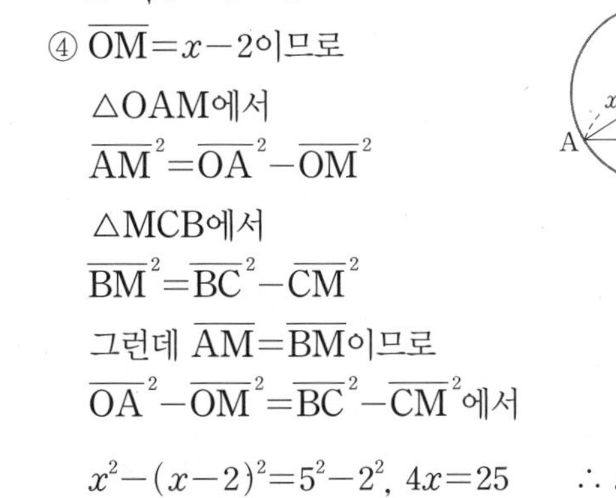

$\triangle OAM$에서

$\overline{AM}^2=\overline{OA}^2-\overline{OM}^2$

$\triangle MCB$에서

$\overline{BM}^2=\overline{BC}^2-\overline{CM}^2$

그런데 $\overline{AM}=\overline{BM}$이므로

$\overline{OA}^2-\overline{OM}^2=\overline{BC}^2-\overline{CM}^2$에서

$x^2-(x-2)^2=5^2-2^2$, $4x=25$ $\therefore x=\frac{25}{4}$

⑤ $\overline{AB}=\overline{CD}$이므로

$\overline{ON}=\overline{OM}=4$ $\therefore x=4$

따라서 x의 값이 나머지 넷과 다른 하나는 ④이다.

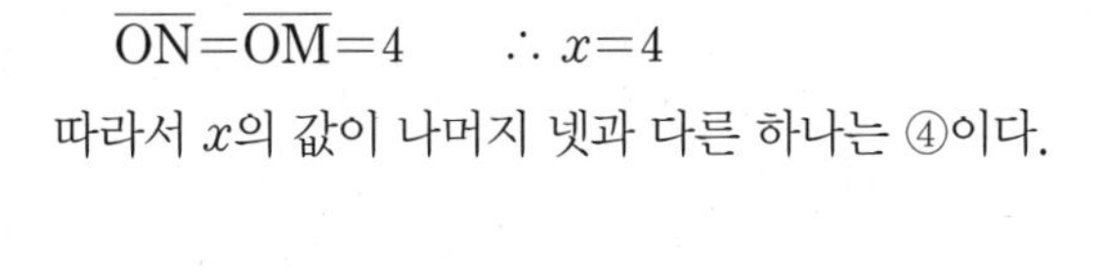

05 원의 중심은 현 AB의 수직이등분선인 $\overline{CM}$의 연장선 위에 있으므로 원의 중심을 O라 하고 $\overline{OB}=r$ cm라 하면

$\overline{OM}=(r-4)$ cm, $\overline{BM}=\frac{1}{2}\overline{AB}=6$(cm)

$\triangle OMB$에서

$r^2=(r-4)^2+6^2$, $8r=52$ $\therefore r=\frac{13}{2}$

따라서 원의 둘레의 길이는

$2\pi\times\frac{13}{2}=13\pi$(cm)

06 원의 중심 O에서 $\overline{AB}$에 그은 수선이 $\overline{AB}$와 만나는 점을 H, 원 O의 반지름의 길이를 r cm라 하면

$\overline{OB}=r$ cm, $\overline{OH}=\overline{CH}=\frac{1}{2}r$ cm,

$\overline{BH}=\frac{1}{2}\overline{AB}=6$(cm)이므로

$\triangle OBH$에서

$r^2=\left(\frac{1}{2}r\right)^2+6^2$, $\frac{3}{4}r^2=36$

$r^2=48$ $\therefore r=4\sqrt{3}$ ($\because r>0$)

따라서 원 O의 넓이는 $\pi\times(4\sqrt{3})^2=48\pi$(cm²)

07 ① $\angle PAO=\angle PBO=90°$이므로 □APBO에서

$\angle AOB=180°-\angle APB$

$=180°-60°$

$=120°$

② $\triangle OAP$에서 $\angle APO=30°$, $\angle AOP=60°$이므로
$\overline{OA} : \overline{AP}=1 : \sqrt{3}$에서 $\overline{OA} : 6=1 : \sqrt{3}$
$\therefore \overline{OA}=2\sqrt{3}$ cm

③, ⑤ 원 밖의 한 점 P에서 원 O에 그은 두 접선의 길이는 같으므로 $\overline{PA}=\overline{PB}$
이때 $\angle APB=60°$이므로 $\triangle APB$는 한 변의 길이가 6 cm인 정삼각형이다.
$\therefore \triangle APB=\frac{\sqrt{3}}{4}\times 6^2=9\sqrt{3}(cm^2)$

④ $\triangle APB$가 정삼각형이므로 $\overline{AB}=\overline{PA}=6$ cm
따라서 옳지 않은 것은 ②, ④이다.

08

$\overline{OP}=\overline{OA}$이므로 $\angle OPA=\angle OAP=30°$
$\therefore \angle COP=\angle OAP+\angle OPA=60°$
$\triangle OCP$에서 $\overline{OP}=6$ cm이고 $\angle CPO=90°$이므로
$\overline{OC} : \overline{OP}=2 : 1$ $\therefore \overline{OC}=12$ cm
$\therefore \overline{BC}=\overline{OC}-\overline{OB}=12-6=6(cm)$

09

$\triangle ABC$에서 $\overline{BC}=\sqrt{13^2-5^2}=12(cm)$
내접원 I의 반지름의 길이를 r cm라 하면
$\overline{EC}=\overline{CF}=r$ cm, $\overline{AD}=\overline{AF}=(5-r)$ cm,
$\overline{BD}=\overline{BE}=(12-r)$ cm이므로
$(5-r)+(12-r)=13$, $2r=4$ $\therefore r=2$
따라서 내접원 I의 반지름의 길이는 2 cm이다.

10

오른쪽 그림과 같이 $\triangle ABC$와 내접원 I의 접점을 각각 P, Q, R라 하면 $\square IPBQ$는 정사각형이므로 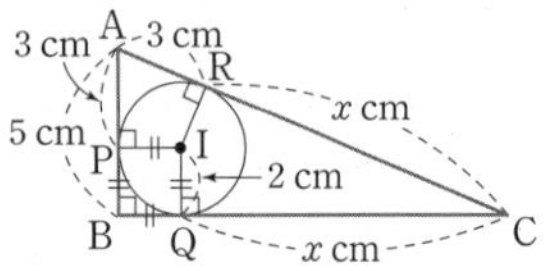
$\overline{BP}=\overline{BQ}=2$ cm
이때 $\overline{AP}=\overline{AB}-\overline{BP}=5-2=3(cm)$이므로
$\overline{AR}=\overline{AP}=3$ cm
또, $\overline{CQ}=\overline{CR}=x$ cm라 하면 $\triangle ABC$에서
$(x+3)^2=5^2+(x+2)^2$, $2x=20$ $\therefore x=10$
$\therefore \overline{AC}=\overline{AR}+\overline{RC}=3+10=13(cm)$

11

$\overline{AS}=\overline{AP}$, $\overline{DS}=\overline{DR}$이므로
$\overline{AD}=\overline{AS}+\overline{DS}=\overline{AP}+\overline{DR}$
$\overline{BQ}=\overline{BP}$, $\overline{CQ}=\overline{CR}$이므로
$\overline{BC}=\overline{BQ}+\overline{CQ}=\overline{BP}+\overline{CR}$ 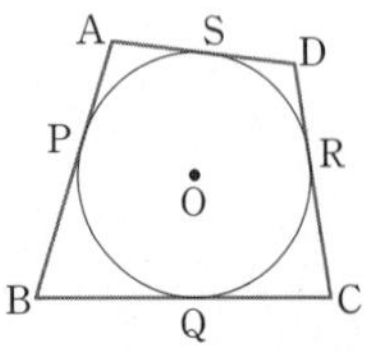
$\therefore \overline{AD}+\overline{BC}$
$=(\overline{AP}+\overline{DR})+(\overline{BP}+\overline{CR})$
$=(\overline{AP}+\overline{BP})+(\overline{DR}+\overline{CR})$
$=\overline{AB}+\overline{CD}=18$ cm

12

주어진 정사각형의 한 변의 길이를 a cm라 하면
$\sqrt{2}a=8$ $\therefore a=4\sqrt{2}$
따라서 원의 반지름의 길이는 $2\sqrt{2}$ cm이므로
(원의 넓이)$=\pi\times(2\sqrt{2})^2=8\pi(cm^2)$

13

버려지는 부분이 최소가 되도록 하려면 정사각형의 대각선과 원의 지름이 일치해야 한다.
정사각형의 한 변의 길이를 a cm라 하면
$\sqrt{2}a=50$ $\therefore a=25\sqrt{2}$
따라서 정사각형의 한 변의 길이는 $25\sqrt{2}$ cm이다.

14

$\overline{OA}$는 반원 O의 반지름이므로 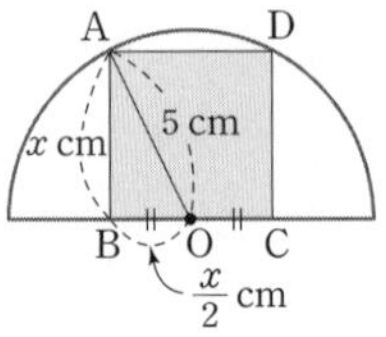
$\overline{OA}=\frac{1}{2}\times 10=5(cm)$
$\overline{AB}=x$ cm라 하면
$\overline{BO}=\overline{OC}=\frac{x}{2}$ cm
$\triangle OAB$에서 $5^2=x^2+\left(\frac{x}{2}\right)^2$, $x^2=20$
$\therefore$ ($\square ABCD$의 넓이)$=x^2=20(cm^2)$

15

$\overline{AD}$, $\overline{DC}$, $\overline{BC}$는 각각 세 점 A, E, B를 접점으로 하는 반원 O의 접선이므로 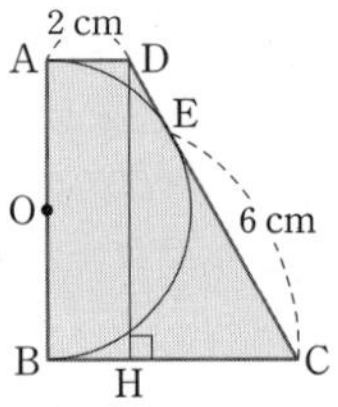
$\overline{DE}=\overline{DA}=2$ cm,
$\overline{BC}=\overline{EC}=6$ cm
$\therefore \overline{DC}=\overline{DE}+\overline{EC}=2+6=8(cm)$
점 D에서 $\overline{BC}$에 내린 수선의 발을 H라 하면
$\overline{HC}=6-2=4(cm)$
직각삼각형 DHC에서 피타고라스의 정리에 의하여
$\overline{DH}=\sqrt{\overline{DC}^2-\overline{HC}^2}=\sqrt{8^2-4^2}=\sqrt{48}=4\sqrt{3}(cm)$
$\therefore$ ($\square ABCD$의 넓이)$=\frac{1}{2}\times(2+6)\times 4\sqrt{3}$
$=16\sqrt{3}(cm^2)$

16

오른쪽 그림에서
$\triangle AOD\equiv\triangle POD$
(RHS 합동),
$\triangle POC\equiv\triangle BOC$
(RHS 합동)이므로 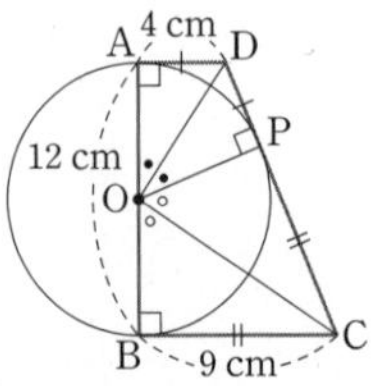
$\angle AOD=\angle POD$, $\angle POC=\angle BOC$
$\angle DOC=\angle DOP+\angle COP$
$=\frac{1}{2}\angle AOP+\frac{1}{2}\angle BOP$
$=\frac{1}{2}\angle AOB=\frac{1}{2}\times 180°=90°$
따라서 $\triangle DOC$는 $\angle DOC=90°$인 직각삼각형이다.

직각삼각형 AOD에서

$\overline{DO}=\sqrt{4^2+6^2}=\sqrt{52}=2\sqrt{13}$(cm)

또, 직각삼각형 OBC에서

$\overline{CO}=\sqrt{6^2+9^2}=\sqrt{117}=3\sqrt{13}$(cm)

또한, $\overline{DP}=\overline{AD}=4$ cm, $\overline{PC}=\overline{BC}=9$ cm이므로

$\overline{DC}=4+9=13$(cm)

$\therefore$ (△DOC의 둘레의 길이)$=\overline{DO}+\overline{OC}+\overline{DC}$

$=2\sqrt{13}+3\sqrt{13}+13$

$=5\sqrt{13}+13$(cm)

17 $\overline{BF}=\overline{BD}$, $\overline{CF}=\overline{CE}$, $\overline{AD}=\overline{AE}$이므로

$\overline{AD}+\overline{AE}=(\overline{AB}+\overline{BD})+(\overline{AC}+\overline{CE})$

$=(\overline{AB}+\overline{BF})+(\overline{AC}+\overline{CF})$

$=\overline{AB}+(\overline{BF}+\overline{CF})+\overline{AC}$

$=\overline{AB}+\overline{BC}+\overline{AC}$

$=5+6+7$

$=18$(cm)

따라서 $\overline{AD}+\overline{AE}=2\overline{AD}=18$(cm)이므로

$\overline{AD}=9$ cm

18 어두운 부분의 넓이는 직각삼각형 ABC의 넓이와 같으므로 구하는 넓이는

$\frac{1}{2}\times 12\times 5=30$(cm^2)

19 $\overline{OB}=\overline{OA'}=\sqrt{1+1}=\sqrt{2}$

$\overline{OC}=\overline{OB'}=\sqrt{(\sqrt{2})^2+1}=\sqrt{3}$

$\overline{OD}=\overline{OC'}=\sqrt{(\sqrt{3})^2+1}=2$

$\overline{OE}=\overline{OD'}=\sqrt{2^2+1}=\sqrt{5}$

$\overline{OE'}=\sqrt{(\sqrt{5})^2+1}=\sqrt{6}$

따라서 원점 O로부터 거리가 2인 점은 점 C′, 점 D이다.

20 $\overline{OA}=\overline{OP}=a$ cm라 하면

$\overline{OA'}=\sqrt{2}a$ cm, $\overline{OB'}=\sqrt{3}a$ cm, $\overline{OC'}=2a$ cm,

$\overline{OD'}=\sqrt{5}a$ cm이므로

$\overline{OD'}=\sqrt{10}$ cm에서 $\sqrt{5}a=\sqrt{10}$

$\therefore a=\sqrt{2}$

$\therefore$ (□OAA′P의 넓이)$=a^2$

$=2$(cm^2)

21 오른쪽 그림과 같이 $\overline{AD}$를 그으면 $\overline{AB}$는 원 O의 지름이므로

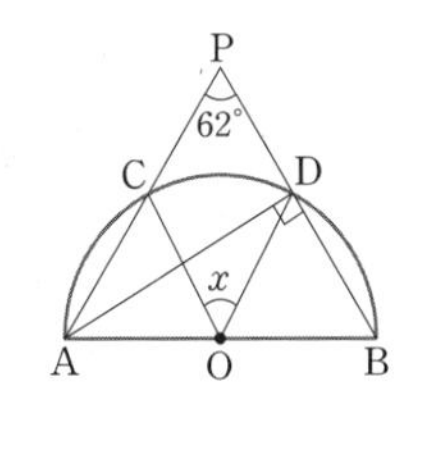

$\angle ADB=90°$

△ADP에서

$\angle PAD=90°-\angle APD$

$=90°-62°=28°$

$\therefore \angle x=2\angle CAD=2\times 28°=56°$

22 오른쪽 그림과 같이 $\overline{AT}$를 그으면 $\angle ATB=90°$

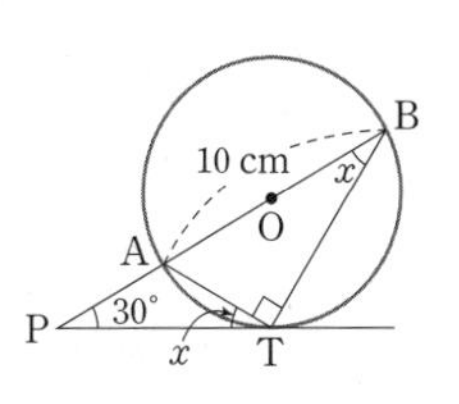

$\angle ATP=\angle ABT=\angle x$라 하면

△APT에서

$\angle BAT=\angle ATP+\angle APT$

$=\angle x+30°$

△ATB에서

$\angle x+(\angle x+30°)+90°=180°$, $2\angle x=60°$

$\therefore \angle x=30°$

이때 $\overline{AB}=2\overline{OB}=10$(cm)이고

$\overline{AB}:\overline{BT}=2:\sqrt{3}$이므로

$10:\overline{BT}=2:\sqrt{3}$, $2\overline{BT}=10\sqrt{3}$

$\therefore \overline{BT}=5\sqrt{3}$ cm

23 $\widehat{ADC}$에 대한 중심각의 크기는

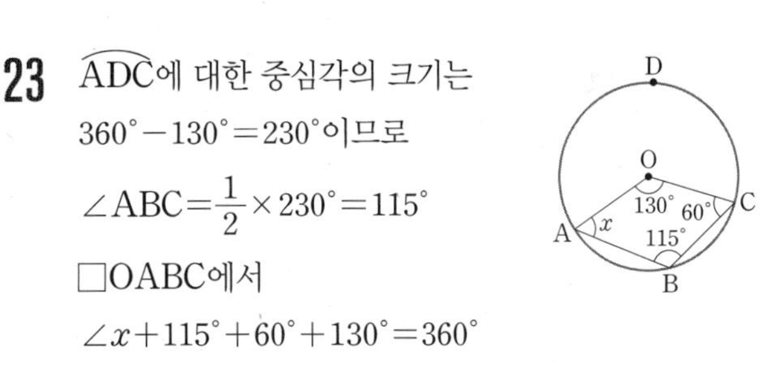

$360°-130°=230°$이므로

$\angle ABC=\frac{1}{2}\times 230°=115°$

□OABC에서

$\angle x+115°+60°+130°=360°$

$\therefore \angle x=55°$

24 오른쪽 그림과 같이 $\overline{PQ}$를 그으면

$\angle y=\angle APQ$

$=\angle ACE=112°$

$\angle CAP=\frac{1}{2}\angle COP$

$=\frac{1}{2}\times 170°=85°$

이므로 $\angle PQD=\angle CAP=85°$

□PQDB에서 $\angle B+\angle PQD=180°$이므로

$\angle x+85°=180°$ $\therefore \angle x=95°$

$\therefore \angle y-\angle x=112°-95°=17°$

25 오른쪽 그림과 같이 $\overline{BE}$를 그으면 □BCDE는 원에 내접하므로

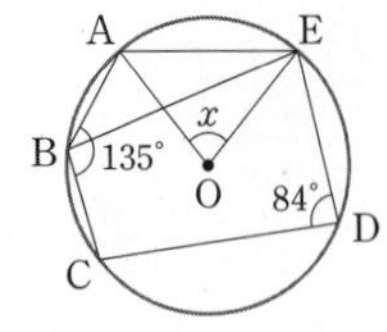

$84° + \angle CBE = 180°$

$\therefore \angle CBE = 96°$

따라서 $\angle ABE = 135° - 96° = 39°$이므로

$\angle x = 2\angle ABE = 2 \times 39° = 78°$

26 ① $\angle BAD + \angle BCD = 80° + 80° = 160°$이므로 □ABCD는 원에 내접하지 않는다.

② $\angle ABC = \angle CDE = 75°$이므로 □ABCD는 원에 내접한다.

③ $\angle BAD = 180° - 130° = 50°$

즉, $\angle BAD \neq \angle DCE$이므로 □ABCD는 원에 내접하지 않는다.

④ $\triangle ABD$에서 $\angle BAD = 180° - (32° + 53°) = 95°$

이때 $\angle BAD + \angle BCD = 95° + 85° = 180°$이므로 □ABCD는 원에 내접한다.

⑤ $\angle ABC + \angle ADC = 65° + 115° = 180°$이므로 □ABCD는 원에 내접한다.

따라서 원에 내접하지 않는 것은 ①, ③이다.

27 구에 내접하는 정육면체의 대각선의 길이가 구의 지름이므로 정육면체의 한 모서리의 길이를 a cm라 하면

$\sqrt{3}a = 6 \qquad \therefore a = 2\sqrt{3}$

따라서 정육면체의 부피는

$a^3 = (2\sqrt{3})^3 = 24\sqrt{3}(\text{cm}^3)$

28 주어진 전개도에서 밑면인 원의 반지름의 길이를 r cm라 하면 부채꼴의 호의 길이와 밑면인 원의 둘레의 길이는 같으므로

$2\pi \times 4 \times \frac{180°}{360°} = 2\pi r \qquad \therefore r = 2$

따라서 주어진 전개도로 만든 입체 도형은 오른쪽 그림과 같다.

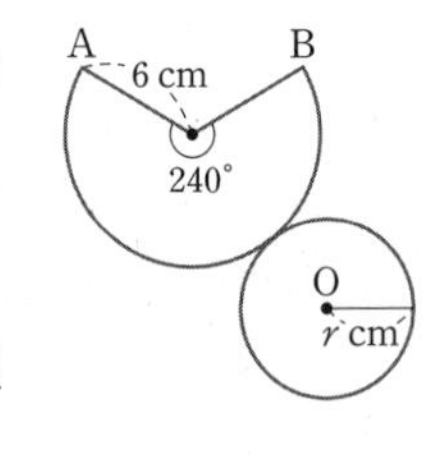

$\triangle AOB$에서

$\overline{AO} = \sqrt{4^2 - 2^2} = 2\sqrt{3}(\text{cm})$

이므로 $x = 2\sqrt{3}$

$(\text{부피}) = \frac{1}{3} \times \pi \times 2^2 \times 2\sqrt{3} = \frac{8\sqrt{3}}{3}\pi(\text{cm}^3)$

이므로

$y = \frac{8\sqrt{3}}{3}\pi$

$\therefore xy = 2\sqrt{3} \times \frac{8\sqrt{3}}{3}\pi = 16\pi$

29 $\widehat{AB} = 2\pi \times 6 \times \frac{240°}{360°} = 8\pi(\text{cm})$

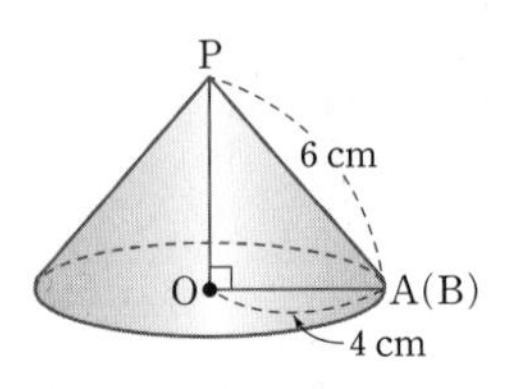

밑면인 원의 반지름의 길이를 r cm라 하면

$\widehat{AB}$의 길이와 원 O의 둘레의 길이가 같으므로

$2\pi r = 8\pi \qquad \therefore r = 4$

따라서 주어진 전개도로 입체 도형을 만들면 오른쪽 그림과 같으므로 원뿔의 높이는

P
6 cm
O
A(B)
4 cm

$\overline{PO} = \sqrt{6^2 - 4^2} = 2\sqrt{5}(\text{cm})$

1 대푯값과 산포도

주제별 실력다지기 본문 85~95쪽

01 ② **02** 3 : 1 **03** (1) 72 (2) -138 (3) -23 **04** ② **05** 98점 **06** ②
07 ① **08** 29세 **09** ④ **10** ③, ④ **11** 중앙값 : 15, 최빈값 : 13
12 $a=5$, $b=4$ **13** ④ **14** 6시간, 10시간 **15** ⑤
16 (1) 19점 (2) $x=16$, $y=23$ **17** ① **18** ② **19** ④ **20** ㄹ, ㅁ, ㄱ, ㄷ, ㄴ
21 ② **22** (1) 25 (2) 7 (3) $\sqrt{7}$ **23** ④ **24** ①, ⑤ **25** 소율, 주영, 유린 **26** ③
27 ④ **28** B, A, C **29** (1) 21 (2) 186 (3) 62 **30** (1) 8 (2) 81 **31** 3 **32** 50
33 (1) 6 (2) $\frac{39}{4}$ **34** 평균 : 4, 표준편차 : $\frac{2\sqrt{3}}{3}$ **35** (1) 11 cm (2) $\sqrt{7}$ cm
36 (1) 풀이 참조 (2) 91 (3) $\sqrt{91}$ **37** (1) 51분 (2) 109 (3) $\sqrt{109}$분
38 (1) 40회 (2) 145 (3) $\sqrt{145}$회 **39** 평균 : 12시간, 분산 : 16.8
40 (1) 풀이 참조 (2) 11 (3) $4\sqrt{5}$ cm **41** $\sqrt{1.2}$점 **42** ① **43** $\sqrt{3.6}$시간

01 A반의 기록의 총합은
$10\times15=150$(초)
B반의 기록의 총합은
$20\times14.4=288$(초)
따라서 전체 학생 30명의 평균 기록은
$\frac{150+288}{30}=\frac{438}{30}=14.6$(초)

02 길동이네 반과 이슬이네 반의 학생 수를 각각 x명, y명이라 하면
길동이네 반의 평균 점수가 58점이므로 길동이네 반의 점수의 총합은
$58\times x=58x$(점)
또, 이슬이네 반의 평균 점수가 62점이므로 이슬이네 반의 점수의 총합은
$62\times y=62y$(점)
두 반을 합한 전체 평균 점수가 59점이므로
$\frac{58x+62y}{x+y}=59$
$58x+62y=59x+59y$
$x=3y$
$\therefore x : y=3 : 1$
따라서 길동이네 반과 이슬이네 반의 학생 수의 비는 3 : 1이다.

03 (1) 6개의 변량 a, b, c, d, e, f의 평균이 12이므로
$\frac{a+b+c+d+e+f}{6}=12$
$\therefore a+b+c+d+e+f=72$

(2) $(-2a+1)+(-2b+1)+(-2c+1)$
$+(-2d+1)+(-2e+1)+(-2f+1)$
$=-2(a+b+c+d+e+f)+6$
$=-2\times72+6$
$=-138$

(3) 6개의 변량 $-2a+1$, $-2b+1$, $-2c+1$, $-2d+1$, $-2e+1$, $-2f+1$의 평균은
$\frac{(-2a+1)+(-2b+1)+\cdots+(-2f+1)}{6}$
$=\frac{-138}{6}$
$=-23$

다른 풀이 (3) 6개의 변량 a, b, c, d, e, f의 평균이 12이므로 6개의 변량 $-2a+1$, $-2b+1$, $-2c+1$, $-2d+1$, $-2e+1$, $-2f+1$의 평균은 $-2\times12+1=-23$

04 4개의 변량 a, b, c, d의 평균이 13이므로
$\frac{a+b+c+d}{4}=13$
$\therefore a+b+c+d=52$
따라서 4개의 변량 $2a, 2b, 2c, 2d$의 평균은
$\frac{2a+2b+2c+2d}{4}=\frac{2(a+b+c+d)}{4}$
$=\frac{2\times52}{4}=26$

다른 풀이 4개의 변량 a, b, c, d의 평균이 13이므로 4개의 변량 $2a, 2b, 2c, 2d$의 평균은
$2\times13=26$

05 중찬이의 4회까지의 평균 점수가 88점이므로 4회까지의 점수의 총합은

$88\times4=352$(점)

5회째의 수학 점수를 x점이라 하면 5회까지의 평균 점수가 90점 이상이 되어야 하므로

$\dfrac{352+x}{5}\geq90$

$\therefore x\geq98$

따라서 5회째의 시험에서 중찬이는 최소한 98점을 받아야 한다.

06 지선이의 3회까지의 평균 기록이 17.2초이므로 3회까지의 기록의 총합은

$17.2\times3=51.6$(초)

4회째의 기록을 x초라 하면 4회까지의 평균 기록이 17초 이하가 되어야 하므로

$\dfrac{51.6+x}{4}\leq17$

$\therefore x\leq16.4$

따라서 지선이는 4회째의 100 m 달리기에서 16.4초 이내로 달려야 한다.

07 일경, 목련, 주현이의 수학 점수를 각각 x점, y점, z점이라 하면

$\dfrac{x+y}{2}=85$에서 $x+y=170$ …… ㉠

$\dfrac{y+z}{2}=79$에서 $y+z=158$ …… ㉡

$\dfrac{x+z}{2}=70$에서 $x+z=140$ …… ㉢

㉠+㉡+㉢을 하면

$2(x+y+z)=468$

$\therefore x+y+z=234$

따라서 세 사람의 평균 점수는

$\dfrac{x+y+z}{3}=\dfrac{234}{3}=78$(점)

08 나이가 가장 적은 선생님과 나이가 가장 많은 선생님의 나이를 각각 x_9세, x_{10}세이라 하고 남은 8명의 선생님의 나이를 각각 x_1세, x_2세, x_3세, x_4세, x_5세, x_6세, x_7세, x_8세라 하면

나이가 가장 적은 선생님을 제외한 9명의 평균 나이가 31세이므로

$\dfrac{x_1+x_2+\cdots+x_8+x_{10}}{9}=31$

$\therefore x_1+x_2+\cdots+x_8+x_{10}=279$ …… ㉠

나이가 가장 많은 선생님을 제외한 9명의 평균 나이가 26세이므로

$\dfrac{x_1+x_2+\cdots+x_8+x_9}{9}=26$

$\therefore x_1+x_2+\cdots+x_8+x_9=234$ …… ㉡

또, 조건에서

$x_9+x_{10}=67$ …… ㉢

㉠+㉡+㉢을 하면

$2(x_1+x_2+\cdots+x_9+x_{10})=580$

$\therefore x_1+x_2+\cdots+x_9+x_{10}=290$

따라서 A중학교 선생님 10명의 평균 나이는

$\dfrac{x_1+x_2+\cdots+x_9+x_{10}}{10}=\dfrac{290}{10}=29$(세)

09 ④ 자료 전체의 특징을 대표적인 수로 나타낼 때, 그 값을 대푯값이라 한다. 평균은 대푯값의 한 종류이다.

따라서 옳지 않은 것은 ④이다.

10 주어진 자료를 크기순으로 나열하면

44 kg, 45 kg, 46 kg, 46 kg, 49 kg

① 중앙값은 중앙에 오는 값인 46 kg이다.

② 최빈값은 자료의 개수가 가장 많은 46 kg이다.

③ (평균)$=\dfrac{44+45+46+46+49}{5}=46$(kg)

④ (평균)=(최빈값)=(중앙값)

⑤ 평균, 중앙값, 최빈값이 모두 46 kg이므로 세 값의 평균은 46 kg이다.

따라서 옳지 않은 것은 ③, ④이다.

11 주어진 자료를 크기순으로 나열하면

6, 13, 13, 13, 17, 21, 21, 30이므로

중앙값은 $\dfrac{13+17}{2}=\dfrac{30}{2}=15$이고

최빈값은 13이다.

12 a, b를 제외하고 크기순으로 나열하면

4, 4, 6, 6, 8

최빈값이 4, 중앙값이 5이므로

a, b의 값은 4, 5이다.

이때 $a>b$이므로

$a=5$, $b=4$

13 a, b를 제외하고 크기순으로 나열하면
6, 8, 9, 10
최빈값이 9점이려면 a 또는 b가 9이어야 한다.
이때 $a+b=14$이고 $a>b$이므로
$a=9$, $b=5$
따라서 주어진 자료 전체를 크기순으로 나열하면
5, 6, 8, 9, 9, 10
이므로 중앙값은
$\frac{8+9}{2}=8.5$(점)

14 편차의 총합은 항상 0이므로 현정이의 독서 시간의 편차를 x시간이라 하면
$x+3+(-2)+1+4+(-3)=0$
$\therefore x=-3$
따라서 현정이의 독서 시간이 3시간이고 편차가 -3시간이므로 (편차)=(변량)−(평균)에서 전체 6명의 독서 시간의 평균은
(변량)−(편차)$=3-(-3)=6$(시간)
또, 독서 시간이 가장 긴 학생은 편차가 가장 큰 구름이이고 구름이의 독서 시간은
(평균)+(편차)$=6+4=10$(시간)

15 승우의 몸무게의 편차를 x kg이라 하면 편차의 총합은 항상 0이므로
$4+x+7+(-14)=0$
$\therefore x=3$
이때 (편차)=(변량)−(평균)이므로
(평균)=(승우의 몸무게)−(편차)
$=68-3=65$(kg)
따라서 강식이의 몸무게는
(평균)+(강식이의 편차)$=65+4$
$=69$(kg)

16 (1) 편차의 총합은 항상 0이므로
$a+(-3)+b+4=0$
$\therefore a+b=-1$ …… ㉠
현지와 지혜의 점수의 차가 1점이므로 두 사람의 편차의 차도 1점이다.
$\therefore b-a=1$ …… ㉡
㉠, ㉡을 연립하여 풀면
$a=-1$, $b=0$
따라서 수행평가 점수의 평균은 편차가 0점인 지혜의 점수이므로 19점이다.

(2) (편차)=(변량)−(평균)이므로
x=(평균)+(영민이의 편차)
$=19+(-3)=16$
y=(평균)+(유린이의 편차)
$=19+4=23$

17 편차의 총합은 항상 0이므로
$(-1)+(-3)+3+a+2+2=0$ $\therefore a=-3$
$\therefore$ (분산)
$=\frac{(-1)^2+(-3)^2+3^2+(-3)^2+2^2+2^2}{6}$
$=\frac{36}{6}=6$

18 (평균)$=\frac{33+38+26+26+32}{5}$
$=\frac{155}{5}=31$(점)
따라서 쪽지시험 점수의 편차는 각각 2점, 7점, -5점, -5점, 1점이므로
(분산)$=\frac{2^2+7^2+(-5)^2+(-5)^2+1^2}{5}$
$=\frac{104}{5}=20.8$

참고 단위가 있는 자료의 평균, 편차, 표준편차에는 단위를 붙이고, 분산에는 단위를 붙이지 않는다.

19 (평균)$=\frac{28+27+28+22+30}{5}$
$=\frac{135}{5}=27$(회)
따라서 A, B, C, D, E의 진동 횟수의 편차는 각각 1회, 0회, 1회, -5회, 3회이므로
(분산)$=\frac{1^2+0^2+1^2+(-5)^2+3^2}{5}$
$=\frac{36}{5}=7.2$

21 편차의 총합은 항상 0이므로
$(-4)+x+8+(-2)+1+3+1+0=0$에서
$x=-7$
(분산)
$=\frac{(-4)^2+(-7)^2+8^2+(-2)^2+1^2+3^2+1^2+0^2}{8}$
$=\frac{144}{8}=18$
$\therefore$ (표준편차)$=\sqrt{(\text{분산})}$
$=\sqrt{18}=3\sqrt{2}$(시간)

22 (1) (평균)

$=\frac{22+22+23+24+24+a+25+26+28+31}{10}$

$=\frac{225+a}{10}=25$

$225+a=250 \quad \therefore a=25$

(2) 주어진 자료의 편차는 각각 -3, -3, -2, -1, -1, 0, 0, 1, 3, 6이므로

(분산)

$=\frac{(-3)^2\times2+(-2)^2+(-1)^2\times2+1^2+3^2+6^2}{10}$

$=\frac{70}{10}=7$

(3) (표준편차)$=\sqrt{(분산)}=\sqrt{7}$

23 평균이 24이므로

$\frac{x+28+24+22+19+24}{6}=24$

$\frac{x+117}{6}=24$, $x+117=144$

$\therefore x=27$

따라서 각 변량의 편차는 3, 4, 0, -2, -5, 0이므로

(분산)$=\frac{3^2+4^2+0^2+(-2)^2+(-5)^2+0^2}{6}$

$=\frac{54}{6}=9$

$\therefore$ (표준편차)$=\sqrt{(분산)}=\sqrt{9}=3$

24 ① 편차의 절댓값이 클수록 변량은 평균에서 멀리 떨어져 있고, 편차의 절댓값이 작을수록 변량은 평균에 가까이 있다.

③ 각 변량의 편차의 절댓값이 클수록 $(편차)^2$의 값이 커지므로 분산도 커진다.

④ 자료들이 대푯값으로부터 멀리 흩어져 있으면 산포도가 크고, 대푯값 주위에 밀집되어 있으면 산포도가 작다.

⑤ 자료들의 분포가 고를수록 표준편차가 작다.

따라서 옳지 않은 것은 ①, ⑤이다.

25 주영, 소율, 유린이의 3일 동안의 음악 감상 시간의 평균은

주영 : $\frac{4+1+1}{3}=2$(시간)

소율 : $\frac{3+1+2}{3}=2$(시간)

유린 : $\frac{1+3+5}{3}=3$(시간)

분산은

주영 : $\frac{(4-2)^2+(1-2)^2+(1-2)^2}{3}=2$

소율 : $\frac{(3-2)^2+(1-2)^2+(2-2)^2}{3}=\frac{2}{3}$

유린 : $\frac{(1-3)^2+(3-3)^2+(5-3)^2}{3}=\frac{8}{3}$

따라서 분산이 작을수록 음악 감상 시간이 고르므로 구하는 순서는 소율, 주영, 유린이다.

26 성적이 가장 우수한 학생은 전과목의 평균이 가장 높은 지혜이고, 상대적으로 다른 과목보다 수학 성적이 우수한 학생은 수학 점수를 전과목 평균보다 가장 높게 받은 규리이다.

또, 분산 또는 표준편차가 작을수록 분포 상태가 고르므로 전과목의 성적이 가장 고른 학생은 전과목 분산이 가장 작은 현지이다.

따라서 (가), (나), (다)에 알맞은 학생은 차례로 지혜, 규리, 현지이다.

27 ①, ② 현지의 평균이 영민이의 평균보다 높으므로 각 종목의 점수를 합한 총점은 현지가 영민이보다 높지만 특정한 몇 종목의 점수가 누가 더 높은지는 알 수 없다.

③ 현지의 평균이 영민이의 평균보다 높으므로 현지가 영민이보다 육상 10종 경기를 더 잘한다.

④ 분산 또는 표준편차가 작을수록 분포 상태가 고르므로 영민이의 점수가 현지의 점수보다 더 고르다.

⑤ 누가 더 많이 연습했는지는 알 수 없다.

따라서 옳은 것은 ④이다.

28 세 자료 A, B, C의 평균은

A : $\frac{1+2+3+4+5+5+4+3+2+1}{10}=3$

B : $\frac{2+2+4+2+2+4+2+2+4+6}{10}=3$

C : $\frac{1+3+5+1+3+5+1+3+5+3}{10}=3$

A, B, C의 평균이 모두 3이므로 각각의 편차는

A : -2, -1, 0, 1, 2, 2, 1, 0, -1, -2

B : -1, -1, 1, -1, -1, 1, -1, -1, 1, 3

C : -2, 0, 2, -2, 0, 2, -2, 0, 2, 0

A, B, C의 분산은

A : $\frac{(-2)^2\times2+(-1)^2\times2+1^2\times2+2^2\times2}{10}=2$

B : $\frac{(-1)^2\times6+1^2\times3+3^2\times1}{10}=1.8$

C : $\frac{(-2)^2\times3+2^2\times3}{10}=2.4$

따라서 분산이 작을수록 분포가 고르므로 분포가 고른 것부터 순서대로 나열하면 B, A, C이다.

29 (1) a, b, c의 평균이 7이므로

$\frac{a+b+c}{3}=7$

$\therefore a+b+c=21$

(2) a, b, c의 분산이 13이므로

$\frac{(a-7)^2+(b-7)^2+(c-7)^2}{3}=13$

$a^2+b^2+c^2-14(a+b+c)+147=39$

$a^2+b^2+c^2-14\times21+147=39$

$\therefore a^2+b^2+c^2=186$

(3) a^2, b^2, c^2의 평균은

$\frac{a^2+b^2+c^2}{3}=\frac{186}{3}=62$

30 a, b, c의 평균이 3이므로

$\frac{a+b+c}{3}=3$에서 $a+b+c=9$

분산이 9이므로

$\frac{(a-3)^2+(b-3)^2+(c-3)^2}{3}=9$

(1) $3a-1$, $3b-1$, $3c-1$의 평균은

$\frac{(3a-1)+(3b-1)+(3c-1)}{3}$

$=\frac{3(a+b+c)-3}{3}$

$=\frac{3\times9-3}{3}=\frac{24}{3}=8$

(2) $3a-1$, $3b-1$, $3c-1$의 분산은

$\frac{(3a-1-8)^2+(3b-1-8)^2+(3c-1-8)^2}{3}$

$=\frac{(3a-9)^2+(3b-9)^2+(3c-9)^2}{3}$

$=9\times\frac{(a-3)^2+(b-3)^2+(c-3)^2}{3}$

$=9\times9=81$

다른 풀이 (1) a, b, c의 평균이 3이므로 $3a-1$, $3b-1$, $3c-1$의 평균은 $3\times3-1=8$

(2) a, b, c의 분산이 9이므로 $3a-1$, $3b-1$, $3c-1$의 분산은 $3^2\times9=81$

31 9, 7, a, b의 평균이 5이므로

$\frac{9+7+a+b}{4}=5$에서 $a+b=4$ …… ㉠

분산이 10이므로

$\frac{(9-5)^2+(7-5)^2+(a-5)^2+(b-5)^2}{4}=10$

$a^2+b^2-10(a+b)+70=40$

$a^2+b^2-10\times4+70=40$

$a^2+b^2=10$ …… ㉡

$a^2+b^2=(a+b)^2-2ab$이므로 ㉠, ㉡에서

$10=4^2-2ab$, $2ab=6$

$\therefore ab=3$

32 x, y, z의 평균이 4이므로

$\frac{x+y+z}{3}=4$에서 $x+y+z=12$

x, y, z의 표준편차가 3이므로 분산은

$\frac{(x-4)^2+(y-4)^2+(z-4)^2}{3}=3^2=9$에서

$x^2+y^2+z^2-8(x+y+z)+48=27$

$x^2+y^2+z^2-8\times12+48=27$

$\therefore x^2+y^2+z^2=75$

따라서 $2x^2$, $2y^2$, $2z^2$의 평균은

$\frac{2x^2+2y^2+2z^2}{3}=\frac{2(x^2+y^2+z^2)}{3}$

$=\frac{2\times75}{3}=50$

33 (1) a_1, a_2, a_3의 평균이 5이므로

$\frac{a_1+a_2+a_3}{3}=5$에서 $a_1+a_2+a_3=15$

따라서 a_1, a_2, a_3, a_4의 평균은

$\frac{(a_1+a_2+a_3)+a_4}{4}=\frac{15+9}{4}=\frac{24}{4}=6$

(2) a_1, a_2, a_3의 표준편차가 3이므로

$\frac{(a_1-5)^2+(a_2-5)^2+(a_3-5)^2}{3}=3^2=9$

$(a_1^2+a_2^2+a_3^2)-10(a_1+a_2+a_3)+75=27$

$(a_1^2+a_2^2+a_3^2)-10\times15+75=27$

$\therefore a_1^2+a_2^2+a_3^2=102$

따라서 a_1, a_2, a_3, a_4의 분산은

$\frac{(a_1-6)^2+(a_2-6)^2+(a_3-6)^2+(9-6)^2}{4}$

$=\frac{(a_1^2+a_2^2+a_3^2)-12(a_1+a_2+a_3)+117}{4}$

$=\frac{102-12\times15+117}{4}$

$=\frac{39}{4}$

34

x_1, x_2, x_3, 8의 평균이 5이므로

$\frac{x_1+x_2+x_3+8}{4}=5$에서 $x_1+x_2+x_3=12$

x_1, x_2, x_3, 8의 표준편차가 2이므로 분산은

$\frac{(x_1-5)^2+(x_2-5)^2+(x_3-5)^2+(8-5)^2}{4}=2^2=4$

$(x_1{}^2+x_2{}^2+x_3{}^2)-10(x_1+x_2+x_3)+75+9=16$

$(x_1{}^2+x_2{}^2+x_3{}^2)-10\times12+84=16$

$\therefore x_1{}^2+x_2{}^2+x_3{}^2=52$

따라서 x_1, x_2, x_3의 평균은

$\frac{x_1+x_2+x_3}{3}=\frac{12}{3}=4$

분산은

$\frac{(x_1-4)^2+(x_2-4)^2+(x_3-4)^2}{3}$

$=\frac{(x_1{}^2+x_2{}^2+x_3{}^2)-8(x_1+x_2+x_3)+48}{3}$

$=\frac{52-8\times12+48}{3}=\frac{4}{3}$

$\therefore$ (표준편차)$=\sqrt{(\text{분산})}=\sqrt{\frac{4}{3}}=\frac{2\sqrt{3}}{3}$

35

(1) 바르게 측정한 두 연필의 길이를 x cm, y cm라 하면 x cm, y cm, 10 cm의 평균이 10 cm이므로

$\frac{x+y+10}{3}=10$에서 $x+y=20$

따라서 세 연필의 실제 길이인 x cm, y cm, 13 cm의 평균은

$\frac{x+y+13}{3}=\frac{20+13}{3}=\frac{33}{3}=11$(cm)

(2) x cm, y cm, 10 cm의 분산이 5이므로

$\frac{(x-10)^2+(y-10)^2+(10-10)^2}{3}=5$

$x^2+y^2-20(x+y)+200=15$

$x^2+y^2-20\times20+200=15$

$\therefore x^2+y^2=215$

따라서 세 연필의 실제 길이 x cm, y cm, 13 cm의 분산은

$\frac{(x-11)^2+(y-11)^2+(13-11)^2}{3}$

$=\frac{x^2+y^2-22(x+y)+242+4}{3}$

$=\frac{215-22\times20+246}{3}$

$=\frac{21}{3}=7$

$\therefore$ (표준편차)$=\sqrt{(\text{분산})}=\sqrt{7}$(cm)

36

(1)

계급	계급값	도수	(계급값)×(도수)	편차	(편차)^2×(도수)
10이상~20미만	15	2	30	−17	578
20 ~30	25	6	150	−7	294
30 ~40	35	9	315	3	81
40 ~50	45	2	90	13	338
50 ~60	55	1	55	23	529
합계		20	㉠ 640		㉡ 1820

㉠에서 (평균)$=\frac{640}{20}=32$이므로 표를 완성하면 위와 같다.

(2) ㉡에서 (분산)$=\frac{1820}{20}=91$

(3) (표준편차)$=\sqrt{(\text{분산})}=\sqrt{91}$

37

주어진 도수분포표로부터 다음과 같은 표를 만들 수 있다.

시간(분)	도수(명)	계급값(분)	(계급값)×(도수)	편차(분)	(편차)^2×(도수)
25이상~35미만	2	30	60	−21	882
35 ~45	6	40	240	−11	726
45 ~55	12	50	600	−1	12
55 ~65	7	60	420	9	567
65 ~75	3	70	210	19	1083
합계	30		㉠ 1530		㉡ 3270

(1) ㉠에서 (평균)$=\frac{1530}{30}=51$(분)

(2) ㉡에서 (분산)$=\frac{3270}{30}=109$

(3) (표준편차)$=\sqrt{(\text{분산})}=\sqrt{109}$(분)

38

전체 도수가 20명이므로

$1+4+x+6+5=20$, $16+x=20$ $\therefore x=4$

따라서 주어진 도수분포표로부터 다음과 같은 표를 만들 수 있다.

횟수(회)	도수(명)	계급값(회)	(계급값)×(도수)	편차(회)	(편차)^2×(도수)
10이상~20미만	1	15	15	−25	625
20 ~30	4	25	100	−15	900
30 ~40	4	35	140	−5	100
40 ~50	6	45	270	5	150
50 ~60	5	55	275	15	1125
합계	20		㉠ 800		㉡ 2900

(1) ㉠에서 (평균)$=\frac{800}{20}=40$(회)

(2) ㉡에서 (분산)$=\frac{2900}{20}=145$

(3) (표준편차)$=\sqrt{(\text{분산})}=\sqrt{145}$(회)

39 전체 도수가 20명이므로

$1+x+3x+8+3=20$, $4x=8$　　$\therefore x=2$

따라서 주어진 도수분포표로부터 다음과 같은 표를 만들 수 있다.

계급값 (시간)	도수(명)	(계급값)×(도수)	편차(시간)	(편차)^2×(도수)
2	1	2	−10	100
6	2	12	−6	72
10	6	60	−2	24
14	8	112	2	32
18	3	54	6	108
합계	20	㉠ 240		㉡ 336

㉠에서 (평균)$=\frac{240}{20}=12$(시간)

㉡에서 (분산)$=\frac{336}{20}=16.8$

40 (1)

키(cm)	도수(명)	계급값(cm)	(계급값)×(도수)	편차(cm)	(편차)^2×(도수)
145이상~155미만	2	150	300	−20	800
155 ~165	9	160	1440	−10	900
165 ~175	17	170	2890	0	0
175 ~185	x	180	$180x$	10	$100x$
185 ~195	1	190	190	20	400
합계	$29+x$		㉠ $4820+180x$		㉡ $2100+100x$

(2) 전체 도수는 $(29+x)$명, 평균은 170 cm이므로

㉠에서 $\frac{4820+180x}{29+x}=170$

$4820+180x=4930+170x$

$10x=110$　　$\therefore x=11$

(3) ㉡에서

(분산)$=\frac{2100+100x}{29+x}=\frac{2100+1100}{29+11}$

$=\frac{3200}{40}=80$

$\therefore$ (표준편차)$=\sqrt{(\text{분산})}=\sqrt{80}=4\sqrt{5}$(cm)

41 도수의 총합이 20명이므로

$2+x+8+4+y=20$　　$\therefore x+y=6$　　…… ㉠

각 계급의 계급값은 5.5점, 6.5점, 7.5점, 8.5점, 9.5점이고 평균이 7.5점이므로

$\frac{5.5\times2+6.5\times x+7.5\times8+8.5\times4+9.5\times y}{20}=7.5$

$11+6.5x+60+34+9.5y=150$

$6.5x+9.5y=45$　　$\therefore 13x+19y=90$　　…… ㉡

㉠, ㉡을 연립하여 풀면 $x=4$, $y=2$

(분산)

$=\frac{(5.5-7.5)^2\times2+(6.5-7.5)^2\times4+(7.5-7.5)^2\times8}{20}$

$+\frac{(8.5-7.5)^2\times4+(9.5-7.5)^2\times2}{20}$

$=\frac{(-2)^2\times2+(-1)^2\times4+0^2\times8+1^2\times4+2^2\times2}{20}$

$=\frac{4\times2+1\times4+0\times8+1\times4+4\times2}{20}$

$=\frac{8+4+4+8}{20}=\frac{24}{20}=1.2$

$\therefore$ (표준편차)$=\sqrt{(\text{분산})}=\sqrt{1.2}$(점)

42 주어진 히스토그램으로부터 다음과 같은 표를 만들 수 있다.

점수(점)	도수(명)	계급값(점)	(계급값)×(도수)	편차(점)	(편차)^2×(도수)
10이상~12미만	1	11	11	−5	25
12 ~14	1	13	13	−3	9
14 ~16	2	15	30	−1	2
16 ~18	4	17	68	1	4
18 ~20	2	19	38	3	18
합계	10		㉠ 160		㉡ 58

㉠에서 (평균)$=\frac{160}{10}=16$(점)

㉡에서 (분산)$=\frac{58}{10}=5.8$

$\therefore$ (표준편차)$=\sqrt{(\text{분산})}=\sqrt{5.8}$(점)

43 주어진 히스토그램으로부터 다음과 같은 표를 만들 수 있다.

시간(시간)	계급값(시간)	도수(명)	(계급값)×(도수)	편차(시간)	(편차)^2×(도수)
3이상~5미만	4	1	4	−4	16
5 ~7	6	5	30	−2	20
7 ~9	8	8	64	0	0
9 ~11	10	5	50	2	20
11 ~13	12	1	12	4	16
합계		20	㉠ 160		㉡ 72

㉠에서 (평균)$=\frac{160}{20}=8$(시간)

㉡에서 (분산)$=\frac{72}{20}=3.6$

$\therefore$ (표준편차)$=\sqrt{(\text{분산})}=\sqrt{3.6}$(시간)

2 상관관계

주제별 실력다지기

본문 97~106쪽

01 (1) 5명 (2) 11명 (3) 37.5 % (4) 12명 **02** (1) 7명 (2) 45 % (3) 200점

03 (1) 36 % (2) 14명 (3) 150점 **04** 90점 **05** 78점 **06** 36.5점 **07** 2.5개 **08** 4.4회

09 77.5점 **10** 76.25점 **11** (1) ㄱ, ㄷ (2) ㄴ, ㅁ (3) ㄹ, ㅂ **12** ㄱ, ㄹ **13** ⑤ **14** ③, ⑤

15 ④ **16** ①, ③ **17** ㄷ, ㄹ **18** (1) 양의 상관관계 (2) 11명 (3) 6명 **19** (1) ② (2) ⑤

20 (1) 수학 : 18명, 과학 : 19명 (2) 수학 : 25명, 과학 : 28명 **21** (1) 10명 (2) 풀이 참조 (3) 70점

22 (1) 70점 (2) 70점 (3) 76.25점 **23** (1) 1 (2) ④ (3) ②

24 (1) $A=3$, $B=5$, $C=2$, $D=8$ (2) 88점 **25** (1) 27 (2) 85점 (3) 73.75점 (4) 11.25점

26 ③ **27** (1) $A=4$, $B=3$, $C=2$, $D=1$ (2) 44 % **28** (1) 3 (2) 55 %

01 (1) 중간고사 성적과 기말고사 성적이 같은 학생 수는 오른쪽 산점도에서 대각선 위에 있는 점의 개수와 같으므로 5명이다.

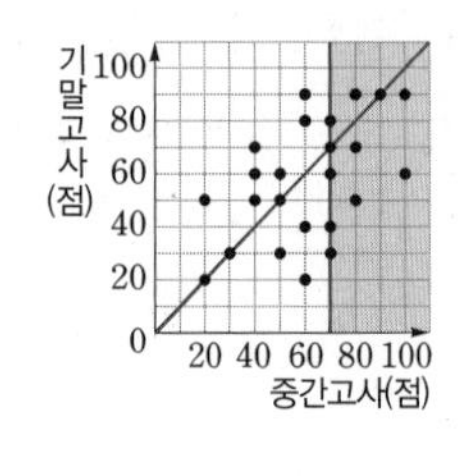

(2) 중간고사 성적이 70점 이상인 학생 수는 (1)의 산점도에서 어두운 부분(경계선 포함)에 속하는 점의 개수와 같으므로 11명이다.

(3) 기말고사 성적이 중간고사 성적보다 향상된 학생 수는 (1)의 산점도에서 대각선의 위쪽에 있는 점의 개수와 같으므로 9명이다.

$\therefore \frac{9}{24}\times 100=37.5(\%)$

(4) 중간고사 성적과 기말고사 성적의 차가 20점 이상인 학생 수는 오른쪽 산점도에서 어두운 부분(경계선 포함)에 속하는 점의 개수와 같으므로 12명이다.

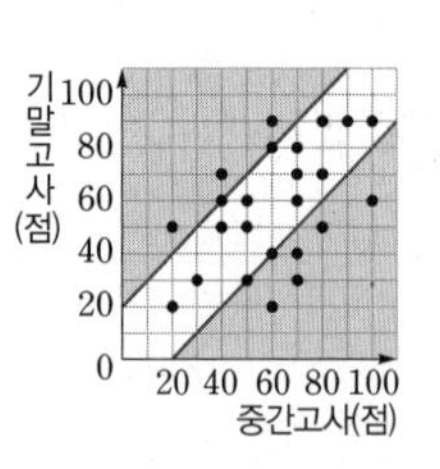

02 (1) 쇼트프로그램 성적이 60점 이상인 선수 중 프리스케이팅 점수가 110점 이상인 선수의 수는 오른쪽 산점도에서 어두운 부분(경계선 포함)과 빗금친 부분(경계선 포함)에 동시에 속하는 점의 개수와 같으므로 7명이다.

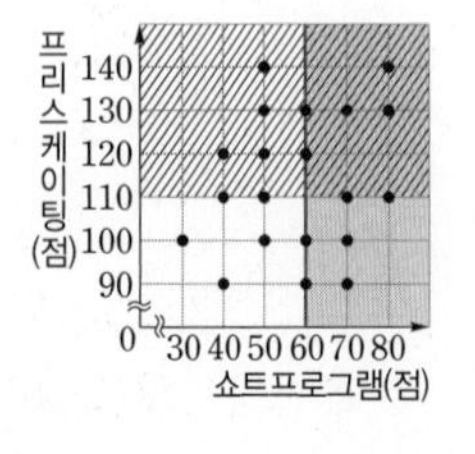

(2) 두 종목의 점수의 합이 180점 이상인 선수의 수는 오른쪽 산점도에서 어두운 부분(경계선 포함)에 속하는 점의 개수와 같으므로 9명이다.

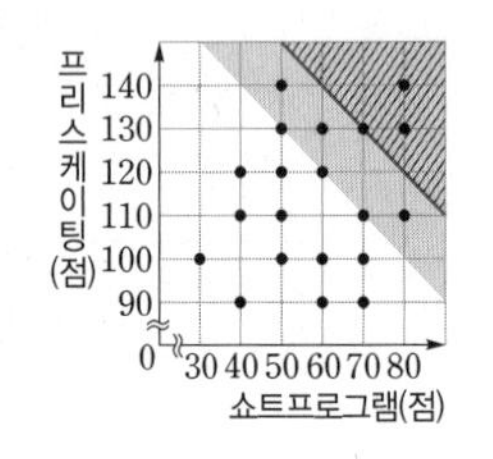

$\therefore \frac{9}{20}\times 100=45(\%)$

(3) 동계올림픽에서 메달을 따려면 3등 이내에 들어야 하므로 (2)의 산점도에서 빗금친 부분(경계선 포함)에 속해야 한다.

따라서 두 종목의 점수 합계는 200점 이상이어야 한다.

03 (1) 실기와 필기 점수의 평균이 50점 이하, 즉 총점이 100점 이하인 학생 수는 오른쪽 산점도에서 어두운 부분(경계선 포함)에 속하는 점의 개수와 같으므로 9명이다.

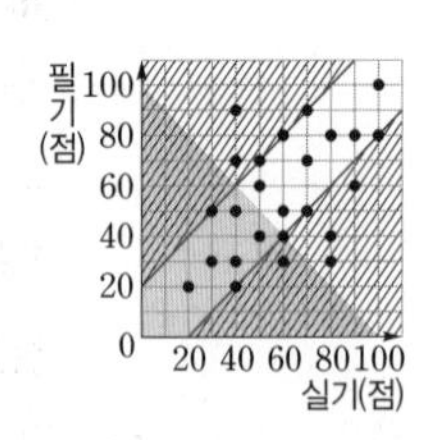

$\therefore \frac{9}{25}\times 100=36(\%)$

(2) 실기와 필기 점수의 차가 20점 이상인 학생 수는 (1)의 산점도에서 빗금친 부분(경계선 포함)에 속하는 점의 개수와 같으므로 14명이다.

(3) 전체 학생 수가 25명이므로 상위 24 % 이내에 드는 학생 수는 $25\times\frac{24}{100}=6$(명)이다.

따라서 상위 24 %, 즉 6명 이내에 들려면 오른쪽 산점도에서 어두운 부분(경계선 포함)에 속해야 하므로 점수의 합이 최소한 150점 이상이어야 한다.

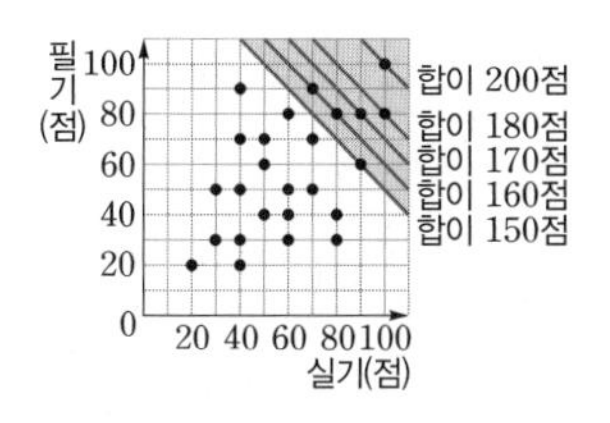

04 음악 점수와 미술 점수가 모두 80점 이상인 학생은 오른쪽 산점도에서 빗금친 부분(경계선 포함)에 속하는 학생들이다. 이 학생들의 음악 점수에 대한 도수분포표를 만들면 다음과 같다.

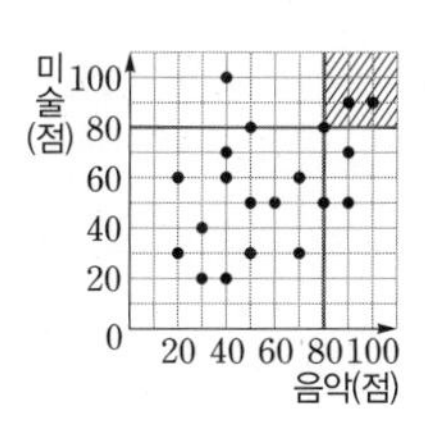

음악(점)	80	90	100	합계
도수(명)	1	1	1	3

$\therefore$ (평균)$=\dfrac{80+90+100}{3}=\dfrac{270}{3}=90$(점)

05 적어도 한 과목에서 80점 이상을 받은 학생들의 점수를 (영어 점수, 국어 점수)로 나타내면

(60, 80), (70, 90), (80, 40), (90, 70), (90, 90)

이므로 적어도 한 과목에서 80점 이상을 받은 학생은 모두 5명이다.

따라서 이 학생들의 영어 성적의 평균은

$\dfrac{60+70+80+90\times2}{5}=\dfrac{390}{5}=78$(점)

06 필기보다 실기에서 더 높은 점수를 받은 학생들의 점수를 (실기 점수, 필기 점수)로 나타내면

(20, 10), (25, 15), (30, 15), (30, 25),
(35, 20), (40, 30), (45, 20), (45, 30),
(45, 35), (50, 40)

이므로 필기보다 실기에서 더 높은 점수를 받은 학생은 모두 10명이다.

따라서 이 학생들의 실기 점수의 평균은

$\dfrac{20+25+30\times2+35+40+45\times3+50}{10}$

$=\dfrac{365}{10}=36.5$(점)

07 연습 경기보다 실전 경기에서 안타 개수가 더 많은 학생들의 안타 개수를

(실전 경기에서 안타 개수, 연습 경기에서의 안타 개수)

로 나타내면

(2, 1), (3, 2), (5, 2), (5, 3), (6, 4), (7, 3),
(7, 5), (9, 4)

이므로 연습 경기보다 실전 경기에서의 안타 개수가 더 많은 학생은 모두 8명이다.

따라서 이 학생들의 연습 경기에서의 안타 개수의 평균은

$\dfrac{1+2\times2+3\times2+4\times2+5}{8}$

$=\dfrac{24}{8}$

$=3$(개)

또, 이 학생들의 실전 경기에서의 안타 개수의 평균은

$\dfrac{2+3+5\times2+6+7\times2+9}{8}$

$=\dfrac{44}{8}=5.5$(개)

따라서 연습 경기보다 실전 경기에서 평균 $5.5-3=2.5$(개)의 안타를 더 친다.

08 하루 평균 3시간 이상 운동하는 사람들의 질병 발생 횟수에 대한 도수분포표를 만들면 다음과 같다.

질병 발생 횟수(회)	2	3	4	5	6	8	합계
도수(명)	2	1	3	1	2	1	10

$\therefore$ (평균)$=\dfrac{2\times2+3+4\times3+5+6\times2+8}{10}$

$=\dfrac{44}{10}$

$=4.4$(회)

09 두 과목의 점수를 합하여 상위 6등인 학생은 국어 성적이 70점, 영어 성적이 70점인 학생이다.

따라서 이 학생보다 영어 성적이 높은 학생들의 국어 성적에 대한 도수분포표를 만들면 다음과 같다.

국어(점)	60	80	90	합계
도수(명)	1	2	1	4

$\therefore$ (평균)$=\dfrac{60+80\times2+90}{4}$

$=\dfrac{310}{4}$

$=77.5$(점)

10 2년 동안 평균 상위 32 % 이내인 학생 수는

$25\times\frac{32}{100}=8$(명)

2년 동안 평균 성적이 8등 이내인 학생들의 성적을 (1학년 점수, 2학년 점수)로 나타내면

(60, 70), (60, 80), (60, 90), (70, 60), (80, 70), (80, 80), (90, 70), (90, 90)

따라서 이 학생들의 2학년 성적의 평균은

$\frac{60+70\times3+80\times2+90\times2}{8}=\frac{610}{8}=76.25$(점)

12 주어진 산점도는 x의 값이 증가함에 따라 y의 값은 대체로 감소하므로 음의 상관관계를 나타낸다.

ㄱ, ㄹ : 음의 상관관계

ㄴ, ㄷ : 양의 상관관계

따라서 음의 상관관계를 나타내는 것은 ㄱ, ㄹ이다.

13 ①, ②, ③, ④ 양의 상관관계

⑤ 음의 상관관계

따라서 나머지 넷과 다른 하나는 ⑤이다.

14 ③ A는 키에 비해 발 크기가 작은 편이다.

⑤ A, B, C, D 중 키에 비해 발이 큰 학생은 B이다.

따라서 옳지 않은 것은 ③, ⑤이다.

15 ① A는 원석의 크기에 비해 가격이 비싼 편이다.

② B는 C에 비해 원석의 크기가 크다.

③ D는 A보다 크기는 크지만 가격은 낮다.

⑤ 원석의 크기와 가격 사이에는 양의 상관관계가 있다.

따라서 옳은 것은 ④이다.

16 ② 모의고사에서 가장 높은 점수를 받은 학생은 B이다.

④ 모의고사보다 수학경시대회에서 더 높은 점수를 좋은 성적을 받은 학생은 A와 C이다.

⑤ 모의고사 수학경시대회 점수와 점수 사이에는 양의 상관관계가 있다.

따라서 옳은 것은 ①, ③이다.

17 ㄷ. C는 E에 비해 독서량은 적지만 국어 성적은 좋다.

ㄹ. D는 독서량도 적고 국어 성적도 좋지 않다.

따라서 옳지 않은 것은 ㄷ, ㄹ이다.

18 (1) 수학 점수가 높으면 대체로 과학 점수도 높으므로 수학 점수와 과학 점수 사이에는 양의 상관관계가 있다.

(2) 수학 점수와 과학 점수가 같은 학생은 아래 상관표에서 대각선에 속하는 학생이므로

$1+3+4+2+1=11$(명)

과학(점) \ 수학(점)	60	70	80	90	100	합계
100					1	1
90			1	2	1	4
80		2	4	3		9
70		3	2			5
60	1					1
합계	1	5	7	5	2	20

(3) 과학 점수보다 수학 점수가 더 좋은 학생은 (2)의 상관표에서 대각선 아래쪽의 어두운 부분에 속하는 학생들이므로

$2+3+1=6$(명)

19 (1) TV 시청 시간이 3시간 이상인 학생은 다음 상관표에서 빗금친 부분에 속하는 학생이므로

학습 시간 \ TV 시청 시간	0이상~1미만	1~2	2~3	3~4	4~5	합계
4이상~5미만	1					1
3 ~4	2	3				5
2 ~3		5	4	1		10
1 ~2		1	6	4		11
0 ~1				2	1	3
합계	3	9	10	7	1	30

$7+1=8$(명)

(2) TV 시청 시간이 3시간 미만이고, 학습 시간이 2시간 이상인 학생은 (1)의 상관표에서 어두운 부분에 속하는 학생이므로

$1+2+3+5+4=15$(명)이다.

$\therefore \frac{15}{30}\times100=50(\%)$

20 (1) 수학에서 두 문제를 맞힌 학생 수는 총점이 3점인 학생 중 객관식 1문제와 주관식 단답형 1문제를 맞힌 학생, 4점인 학생, 5점인 학생 수의 합이다.
이때 수학에서 1점, 2점, 3점을 받은 학생 수의 합은 $2+6+10=18$(명)이고, 한 문제만 맞힌 학생 수는 16명이므로 3점을 받은 학생 중에서 두 문제를 맞힌 학생 수는
$18-16=2$(명)이다.
따라서 수학에서 두 문제를 맞힌 학생 수는
$2+10+6=18$(명)이다.
같은 방법으로 과학에서 1점, 2점, 3점을 받은 학생 수의 합은 $2+2+8=12$(명)이고, 한 문제만 맞힌 학생 수가 9명이므로 3점을 받은 학생 중에서 두 문제를 맞힌 학생 수는 $12-9=3$(명)이다.
따라서 과학에서 두 문제를 맞힌 학생 수는
$3+7+9=19$(명)이다.

(2) 구하는 학생 수는 총점이 3점인 학생 중 서술형 한 문제만 맞힌 학생, 4점인 학생, 5점인 학생, 6점인 학생 수의 합이다.
이때 수학에서 총점이 3점인 학생 10명 중에서 서술형 한 문제만 맞힌 학생 수는 두 문제를 맞혀서 3점을 받은 학생 2명을 제외해야 하므로
$10-2=8$(명)이다.
따라서 수학에서 서술형 문제를 맞힌 학생 수는
$8+10+6+1=25$(명)이다.
같은 방법으로 과학에서 총점이 3점인 학생 8명 중에서 서술형 한 문제만 맞힌 학생 수는 두 문제를 맞혀서 3점을 받은 학생 3명을 제외해야 하므로 $8-3=5$(명)이다.
따라서 과학에서 서술형 문제를 맞힌 학생 수는
$5+7+9+7=28$(명)이다.

21 (1) 중간고사와 기말고사 성적을 합하여 하위 40 % 이내인 학생 수는
$25\times\frac{40}{100}=10$(명)

(2) 중간고사와 기말고사 성적을 합하여 하위 40 % 이내인 학생들의 중간고사 성적을 도수분포표로 나타내면 다음과 같다.

중간고사 성적(점)	60	70	80	합계
학생 수(명)	2	6	2	10

(3) (2)에서 구한 학생들의 중간고사 성적의 평균은
$\frac{60\times2+70\times6+80\times2}{10}=\frac{700}{10}=70$(점)

22 (1) 국사 점수가 80점 이하이고, 도덕 점수가 70점 이하인 학생들은 다음 상관표에서 어두운 부분에 속하는 학생들이다.

도덕(점) \ 국사(점)	60	70	80	90	100	합계
100					1	1
90			1	2	1	4
80		1	4	1		6
70		3	2	1		6
60	2	1				3
합계	2	5	7	4	2	20

이 학생들의 국사 점수에 대한 도수분포표는 다음과 같다.

국사(점)	60	70	80	합계
도수(명)	2	4	2	8

$\therefore$ (평균)$=\frac{60\times2+70\times4+80\times2}{8}$
$=\frac{560}{8}=70$(점)

(2) 두 과목의 평균이 80점 미만인 학생들은 두 과목의 총점이 160점 미만이므로 다음 상관표에서 어두운 부분에 속하는 학생들이다.

도덕(점) \ 국사(점)	60	70	80	90	100	합계
100					1	1
90			1	2	1	4
80		1	4	1		6
70		3	2	1		6
60	2	1				3
합계	2	5	7	4	2	20

이 학생들의 국사 점수에 대한 도수분포표는 다음과 같다.

국사(점)	60	70	80	합계
도수(명)	2	5	2	9

$\therefore$ (평균)$=\frac{60\times2+70\times5+80\times2}{9}$
$=\frac{630}{9}=70$(점)

(3) 두 과목의 점수 차가 10점 이상인 학생들은 (2)의 상관표에서 빗금친 부분에 속하는 학생들이다. 이 학생들의 도덕 점수에 대한 도수분포표는 다음과 같다.

도덕(점)	60	70	80	90	합계
도수(명)	1	3	2	2	8

$\therefore$ (평균)$=\frac{60+70\times3+80\times2+90\times2}{8}$

$=\frac{610}{8}=76.25$(점)

23 (1) $1+A+2=5 \quad \therefore A=2$

$1+B+3=8 \quad \therefore B=4$

$1+B+3+1=1+4+3+1=C \quad \therefore C=9$

$A+3+1=2+3+1=D \quad \therefore D=6$

$\therefore A-B+C-D=2-4+9-6=1$

(2) 1차, 2차 기록 중 적어도 한 번은 30개 이상을 한 학생은 다음 상관표에서 어두운 부분에 속하는 학생이므로

$1+8+6+5=20$(명)이다.

$\therefore \frac{20}{32}\times100=62.5(\%)$

2차(개) \ 1차(개)	10이상~20미만	20~30	30~40	40~50	50~60	합계
50이상~60미만					2	2
40 ~50			1	$A=2$	2	5
30 ~40		1	$B=4$	3	1	$C=9$
20 ~30	2	5	3	1		11
10 ~20	3	2				5
합계	5	8	8	$D=6$	5	32

(3) 1차 기록이 30개 이상이고, 2차 기록이 40개 미만인 학생은 (2)의 상관표에서 빗금친 부분에 속하는 학생이므로 $3+1+4+3+1=12$(명)이다.

$\therefore \frac{12}{32}\times100=37.5(\%)$

24 (1) 과학 성적이 90점인 학생은 5명이므로

$1+A+1=5 \quad \therefore A=3$

과학 성적이 80점인 학생은 9명이므로

$2+B+2=9 \quad \therefore B=5$

수학 성적이 80점인 학생은 8명이므로

$1+5+C=8 \quad \therefore C=2$

과학 성적이 70점인 학생은

$1+4+2+1=8$(명)이므로 $D=8$

(2) 두 과목의 평균이 80점 이상인 학생은 다음 상관표에서 어두운 부분에 속하는 학생이다.

과학(점) \ 수학(점)	60	70	80	90	100	합계
100					2	2
90			1	$A=3$	1	5
80		2	$B=5$	2		9
70	1	4	$C=2$	1		$D=8$
60	1					1
합계	2	6	8	6	3	25

두 과목의 평균이 80점 이상인 학생의 수학 성적을 도수분포표로 나타내면 다음과 같다.

수학 성적(점)	80	90	100	합계
학생 수(명)	6	6	3	15

따라서 이 학생들의 수학 성적의 평균은

$\frac{80\times6+90\times6+100\times3}{15}=\frac{1320}{15}=88$(점)

25 (1) 사회 성적이 90점인 학생은 6명이므로

$1+B+2+1=6 \quad \therefore B=2$

국사 성적이 90점인 학생은 7명이므로

$A+2+1=7 \quad \therefore A=4$

사회 성적이 70점인 학생은 13명이므로

$C+7+1=13 \quad \therefore C=5$

국사 성적이 70점인 학생은 14명이므로

$3+7+D+1=14 \quad \therefore D=3$

국사 성적이 80점인 학생은

$1+5+5+2=13$(명)이므로 $E=13$

$\therefore A+B+C+D+E=4+2+5+3+13$

$=27$

(2) 국사 성적보다 사회 성적이 10점 이상 높은 학생들의 사회 성적을 도수분포표로 나타내면 다음과 같다.

사회 성적(점)	70	80	90	100	합계
학생 수(명)	1	3	3	1	8

따라서 이 학생들의 사회 성적의 평균은

$\frac{70+80\times3+90\times3+100}{8}=\frac{680}{8}=85$(점)

(3) 국사 성적보다 사회 성적이 10점 이상 높은 학생들의 국사 성적을 도수분포표로 나타내면 다음과 같다.

국사 성적(점)	60	70	80	90	합계
학생 수(명)	1	4	2	1	8

따라서 이 학생들의 국사 성적의 평균은

$\frac{60+70\times4+80\times2+90}{8}=\frac{590}{8}=73.75$(점)

(4) 국사 성적보다 사회 성적이 10점 이상 더 높은 학생들의 사회 성적과 국사 성적의 평균의 차는

$85-73.75=11.25$(점)

26 ① $1+A+3+2+1=8$ $\therefore A=1$

$1+3+B+1=6$ $\therefore B=1$

$2+4+B+1=C$ $\therefore C=8$

$A+4+1=D$ $\therefore D=6$

$E=25$

$\therefore A-B+C-D+E=1-1+8-6+25$
$=27$

③ 국어와 영어 점수의 차가 20점 이상인 학생 수는 다음 상관표에서 어두운 부분에 속하는 학생이므로 4명이다.

영어(점) \ 국어(점)	50	60	70	80	90	100	합계
100						1	1
90				1	1		2
80		1	$A=1$	3	2	1	8
70		2	4	$B=1$	1		$C=8$
60	1	2	1	1			5
50	1						1
합계	2	5	$D=6$	6	4	2	$E=25$

④ 두 과목의 평균이 70점 이하인 학생은 두 과목의 점수의 합이 140점 이하인 학생이므로 ③의 상관표에서 빗금친 부분에 속하는 13명이다.

$\therefore \frac{13}{25}\times100=52(\%)$

⑤ 영어 점수가 80점 이상 90점 이하인 학생들의 국어 점수에 대한 도수분포표를 만들면 다음과 같다.

국어(점)	60	70	80	90	100	합계
도수(명)	1	1	4	3	1	10

$\therefore$ (평균)$=\frac{60+70+80\times4+90\times3+100}{10}$

$=\frac{820}{10}=82$(점)

따라서 옳지 않은 것은 ③이다.

27 (1) 수학 점수가 80점인 학생 수를 x명이라 하면

$2+3+x+7+2+3=25$ $\therefore x=8$

또한, $1+1+A+2=8$ $\therefore A=4$

$1+D=2$에서 $D=1$

$2+B+C=7$에서 $B+C=5$ ...... ㉠

영어 점수가 80점 이상인 학생이 70점 이하인 학생보다 1명 더 많으므로

(영어 점수가 70점 이하인 학생 수)$+1$

$=$(영어 점수가 80점 이하인 학생 수)

에서 $(9+B)+1=11+C$

$\therefore B-C=1$ ...... ㉡

㉠, ㉡에서 $B=3$, $C=2$

$\therefore A=4$, $B=3$, $C=2$, $D=1$

(2) 영어 점수와 수학 점수가 같은 학생은 주어진 상관표에서 왼쪽 아래에서 오른쪽 위로 향하는 대각선 위에 있는 학생이므로

$1+1+B+A+1+1=1+1+3+4+1+1$
$=11$(명)

$\therefore \frac{11}{25}\times100=44(\%)$

28 (1) $C+2=5$ $\therefore C=3$

수영과 농구 실기 점수가 모두 40점 이상인 학생은 전체의 25 %, 즉 $20\times\frac{25}{100}=5$(명)이고

다음 상관표의 빗금친 부분에 속하는 학생이므로

$1+B+1+1=5$ $\therefore B=2$

농구 실기 점수가 40점인 학생 수를 x명이라 하면 전체 학생 수가 20명이므로

$x=20-(2+5+6+2)=5$

또한, $A+B+1=5$에서 $A=2$

$\therefore A-B+C=2-2+3=3$

농구(점) \ 수영(점)	10	20	30	40	50	합계
50				1	1	2
40			$A=2$	$B=2$	1	$x=5$
30			$C=3$	2		5
20	1	2	2	1		6
10	1	1				2
합계	2	3	7	6	2	20

(2) 두 종목의 평균 점수가 30점 이하인 학생은 두 종목의 점수의 합이 60점 이하인 학생이므로 (1)의 상관표에서 어두운 부분에 속한다. 즉, 11명이다.

$\therefore \frac{11}{20}\times100=55(\%)$

단원 종합 문제

본문 107~111쪽

01 ③, ⑤ **02** ③ **03** 25회 **04** ⑤ **05** 90점 **06** ① **07** 178 cm, 16.5
08 ⑤ **09** ③ **10** 4 **11** $\sqrt{3}$ **12** ③ **13** ③
14 (1) 풀이 참조 (2) 1.9 (3) $\sqrt{1.9}$ **15** ② **16** (1) 풀이 참조 (2) 3 (3) 89 **17** ③
18 ②, ④ **19** ③ **20** 60점 **21** ⑤ **22** (1) 25 % (2) 4명 **23** ㄱ, ㄴ
24 (1) 6명 (2) 80점 **25** (1) ③, ④ (2) ③ (3) ③
26 $A=4$, $B=1$, $C=1$, $D=2$, $E=20$, 26.25점 **27** (1) $A=6$, $B=3$, $C=2$, $D=1$ (2) 87.5점

01 ③ (편차)=(변량)−(평균)
⑤ 표준편차는 산포도의 일종이다.
따라서 옳지 않은 것은 ③, ⑤이다.

02 주어진 변량을 크기순으로 나열하면
1, 1, 5, 5, 6, 8, 8, 8, 9, 9
이므로 평균은
$$a=\frac{1+1+5+5+6+8+8+8+9+9}{10}$$
$$=\frac{60}{10}=6$$
또, 변량의 개수가 짝수 개이므로 중앙값은 5번째의 값과 6번째의 값인 6, 8의 평균이다.
$$\therefore b=\frac{6+8}{2}=7$$
최빈값은 변량의 개수가 가장 많은 8이므로
$c=8$
$$\therefore a+b+c=6+7+8=21$$

03 6번에 걸친 줄넘기 횟수의 총합이
$15+20+24+29+30+32=150$(회)
이므로
$$(\text{평균})=\frac{150}{6}=25(\text{회})$$

04 A반 학생들의 미술 실기 시험 점수의 총합은
$8\times38=304$(점)
B반 학생들의 미술 실기 시험 점수의 총합은
$12\times43=516$(점)
따라서 전체 학생 20명의 점수의 평균은
$$\frac{304+516}{20}=41(\text{점})$$

05 전체 10과목 중 수학, 국어, 사회, 과학 4과목의 점수를 각각 x_1점, x_2점, x_3점, x_4점이라 하고 나머지 6과목의 점수를 각각 x_5점, x_6점, $\cdots$, x_{10}점이라 하면 전체 점수의 평균이 92점이므로
$$\frac{x_1+x_2+x_3+\cdots+x_{10}}{10}=92$$
$$\therefore x_1+x_2+x_3+\cdots+x_{10}=920$$
또, 수학, 국어, 사회, 과학 점수의 평균이 95점이므로
$$\frac{x_1+x_2+x_3+x_4}{4}=95$$
$$\therefore x_1+x_2+x_3+x_4=380$$
따라서 나머지 6과목의 점수의 평균은
$$\frac{x_5+x_6+\cdots+x_{10}}{6}$$
$$=\frac{(x_1+x_2+\cdots+x_{10})-(x_1+x_2+x_3+x_4)}{6}$$
$$=\frac{920-380}{6}$$
$$=\frac{540}{6}=90(\text{점})$$

06 편차의 총합은 항상 0이므로
$(-1)+x+6+(-3)=0$
$\therefore x=-2$

07 형준이의 키의 편차를 x cm라 하면 편차의 총합은 항상 0이므로
$2+(-1)+(-6)+x=0$
$\therefore x=5$
(편차)=(변량)−(평균)이므로
형준이의 키는
(편차)+(평균)$=5+173=178$(cm)
또, 4명 전체의 키의 분산은
$$\frac{2^2+(-1)^2+(-6)^2+5^2}{4}=\frac{66}{4}=16.5$$

08 연속하는 5개의 짝수를 $a-4$, $a-2$, a, $a+2$, $a+4$ (단, a는 4보다 큰 짝수)라 하면

$$(\text{평균})=\frac{(a-4)+(a-2)+a+(a+2)+(a+4)}{5}=\frac{5a}{5}=a$$

$$\therefore (\text{분산})=\frac{(a-4-a)^2+(a-2-a)^2+(a-a)^2}{5}+\frac{(a+2-a)^2+(a+4-a)^2}{5}=\frac{16+4+0+4+16}{5}=\frac{40}{5}=8$$

09 a, b, c, d의 평균은 1이므로

$$\frac{a+b+c+d}{4}=1$$

$\therefore a+b+c+d=4$

a, b, c, d의 분산은 3이므로

$$\frac{(a-1)^2+(b-1)^2+(c-1)^2+(d-1)^2}{4}=3 \quad \cdots\cdots ㉠$$

따라서 $1-3a$, $1-3b$, $1-3c$, $1-3d$의 평균은

$$\frac{(1-3a)+(1-3b)+(1-3c)+(1-3d)}{4}=\frac{-3(a+b+c+d)+4}{4}=\frac{-3\times4+4}{4}=\frac{-8}{4}=-2$$

분산은

$$\frac{(1-3a+2)^2+(1-3b+2)^2+(1-3c+2)^2+(1-3d+2)^2}{4}$$
$$=\frac{(3-3a)^2+(3-3b)^2+(3-3c)^2+(3-3d)^2}{4}$$
$$=9\times\frac{(a-1)^2+(b-1)^2+(c-1)^2+(d-1)^2}{4}$$
$$=9\times3\ (\because ㉠)$$
$$=27$$

$\therefore (\text{표준편차})=\sqrt{(\text{분산})}=\sqrt{27}=3\sqrt{3}$

다른 풀이 a, b, c, d의 분산이 3이므로 $1-3a$, $1-3b$, $1-3c$, $1-3d$의 분산은 $(-3)^2\times3=27$

$\therefore (\text{표준편차})=\sqrt{(\text{분산})}=\sqrt{27}=3\sqrt{3}$

10 $(\text{평균})=\dfrac{8+6+x+10+y}{5}=8$에서

$x+y=16$

$$(\text{분산})=\frac{(8-8)^2+(6-8)^2+(x-8)^2+(10-8)^2+(y-8)^2}{5}=(\sqrt{2})^2=2$$

$x^2+y^2-16(x+y)+136=10$

$x^2+y^2-16\times16+136=10$

$\therefore x^2+y^2=130$

이때 $x^2+y^2=(x+y)^2-2xy$이므로

$130=16^2-2xy$에서 $xy=63$

$\therefore (x-y)^2=x^2+y^2-2xy=130-2\times63=4$

11 두 팀의 평균이 5로 같으므로 두 팀 전체의 평균도 5이다.

A팀의 팀원들이 맞힌 퀴즈 수를 각각 x_1, x_2, x_3, x_4라 하면

$$(\text{A팀의 분산})=\frac{(x_1-5)^2+(x_2-5)^2+(x_3-5)^2+(x_4-5)^2}{4}=2$$

$\therefore (x_1-5)^2+(x_2-5)^2+(x_3-5)^2+(x_4-5)^2=8$

또, B팀의 팀원들이 맞힌 퀴즈 수를 각각 y_1, y_2, y_3, y_4라 하면

$$(\text{B팀의 분산})=\frac{(y_1-5)^2+(y_2-5)^2+(y_3-5)^2+(y_4-5)^2}{4}=4$$

$\therefore (y_1-5)^2+(y_2-5)^2+(y_3-5)^2+(y_4-5)^2=16$

이때 x_1, x_2, x_3, x_4, y_1, y_2, y_3, y_4의 평균도 5이므로

$$(\text{두 팀 전체의 분산})=\frac{(x_1-5)^2+(x_2-5)^2+(x_3-5)^2+(x_4-5)^2}{8}+\frac{(y_1-5)^2+(y_2-5)^2+(y_3-5)^2+(y_4-5)^2}{8}=\frac{8+16}{8}=\frac{24}{8}=3$$

$\therefore (\text{표준편차})=\sqrt{(\text{분산})}=\sqrt{3}$

12 분산 또는 표준편차가 작을수록 분포 상태가 고르고 $(\text{분산})=\dfrac{(\text{편차})^2\text{의 총합}}{(\text{도수})\text{의 총합}}$이므로 두 학생 A, B의 분산이 같다.

따라서 두 학생 A, B의 6과목 점수의 고른 정도는 같다.

13 평균이 높을수록 실력이 좋으므로 턱걸이 실력은 현정이네 반이 더 좋다.
또, 분산 또는 표준편차가 작을수록 분포가 고르므로 턱걸이 실력은 나연이네 반이 더 고르다.

14 (1)

계급값	도수	(계급값)×(도수)	편차	(편차)^2×(도수)
4	3	12	-2	12
5	6	30	-1	6
6	3	18	0	0
7	4	28	1	4
8	4	32	2	16
합계	20	㉠ 120		㉡ 38

㉠에서 (평균)$=\frac{120}{20}=6$이므로 표를 완성하면 위와 같다.

(2) ㉡에서 (분산)$=\frac{38}{20}=1.9$

(3) (표준편차)$=\sqrt{(\text{분산})}=\sqrt{1.9}$

15 주어진 도수분포표로부터 다음과 같은 표를 만들 수 있다.

권수(권)	도수(명)	계급값(권)	(계급값)×(도수)	편차(권)	(편차)^2×(도수)
7이상~11미만	2	9	18	-6	72
11 ~15	2	13	26	-2	8
15 ~19	5	17	85	2	20
19 ~23	1	21	21	6	36
합계	10		㉠ 150		㉡ 136

㉠에서 (평균)$=\frac{150}{10}=15$(권)

㉡에서 (분산)$=\frac{136}{10}=13.6$

16 (1)

계급값(회)	도수(명)	(계급값)×(도수)	편차(회)	(편차)^2×(도수)
5	2	10	-19	722
15	3	45	-9	243
25	11	275	1	11
35	x	$35x$	11	$121x$
45	1	45	21	441
합계	$x+17$	㉠ $35x+375$		㉡ $121x+1417$

(2) 평균이 24회, 전체 도수가 $(x+17)$명이므로 ㉠에서

$\frac{35x+375}{x+17}=24$, $35x+375=24x+408$

$11x=33$ $\therefore x=3$

(3) ㉡에서

$$(\text{분산})=\frac{121x+1417}{x+17}=\frac{121\times3+1417}{3+17}=\frac{1780}{20}=89$$

17 차량의 고속도로 운행거리가 길수록 고속도로 통행료가 비싸지므로 양의 상관관계가 있다.
따라서 양의 상관관계를 나타내는 산점도는 ③이다.

18 ② 상관표의 분포 상태를 보고 두 변량 사이의 상관관계를 알 수 있다.
④ 상관표에서 세로축의 변량은 아래에서 위로 갈수록 계급이 점점 커지도록 잡는다.
따라서 옳지 않은 것은 ②, ④이다.

19 ② 오른쪽 산점도에서 대각선에 속하는 점의 개수와 같으므로 3명이다.

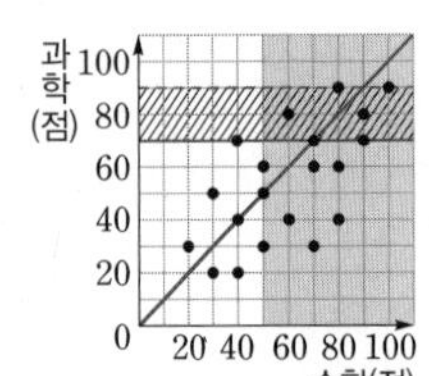

③ 과학보다 수학 점수가 더 높은 학생 수는 오른쪽 산점도에서 대각선의 아래쪽에 있는 점의 개수와 같으므로 11명이다.
④ 수학 점수가 50점 이상인 학생 수는 위의 산점도에서 어두운 부분(경계선 포함)에 속하는 점의 개수와 같으므로 14명이다.

$\therefore \frac{14}{20}\times100=70(\%)$

⑤ 과학 점수가 70점 이상 90점 미만인 학생은 위의 산점도에서 빗금친 부분(경계선 포함, 점선은 포함하지 않음)에 속하므로 5명이고, 5명의 수학 점수는 40점, 60점, 70점, 90점, 90점이므로 평균은

$\frac{40+60+70+90+90}{5}=\frac{350}{5}=70$(점)

따라서 옳지 않은 것은 ③이다.

20 국어 점수가 60점 이상 80점 미만인 학생들의 영어 점수에 대한 도수분포표는 다음과 같다.

영어(점)	30	40	50	60	70	80	90	합계
도수(명)	1	1	1	2	1	1	1	8

$\therefore$ (평균)$=\dfrac{30+40+50+60\times2+70+80+90}{8}$

$=\dfrac{480}{8}=60$(점)

21 ⑤ 다섯 명의 학생 중 진단평가 성적이 가장 높은 학생은 소희이다.

따라서 옳지 않은 것은 ⑤이다.

22 (1) 도덕 점수가 50점 이상 80점 이하인 학생들은 오른쪽 산점도에서 어두운 부분(경계선 포함)에 속하는 학생들이고, 사회 점수가 70점 이상인 학생들은 빗금친 부분(경계선 포함)에 속하는 학생들이다.

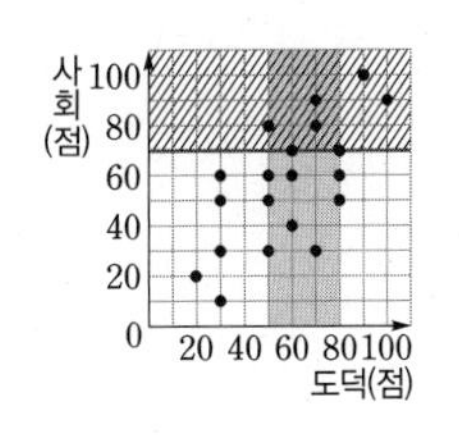

따라서 구하는 학생 수는 5명이므로

$\dfrac{5}{20}\times100=25(\%)$

(2) 조건 (가)에서 9등 이내인 학생들은 오른쪽 산점도에서 어두운 부분(경계선 포함)에 속하는 학생들이다.

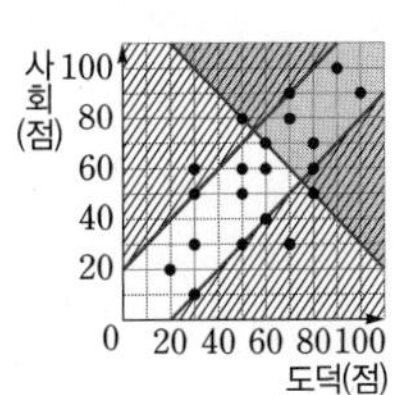

조건 (나)에서 두 과목의 점수 차가 20점 이상인 학생들은 위의 산점도에서 빗금친 부분(경계선 포함)에 속하는 학생들이다.

따라서 (가), (나)를 모두 만족하는 학생 수는 4명이다.

23 ㄱ. 두 과목의 점수가 같은 학생 수는 오른쪽 산점도에서 대각선에 속하는 점의 개수와 같으므로 5명이다.

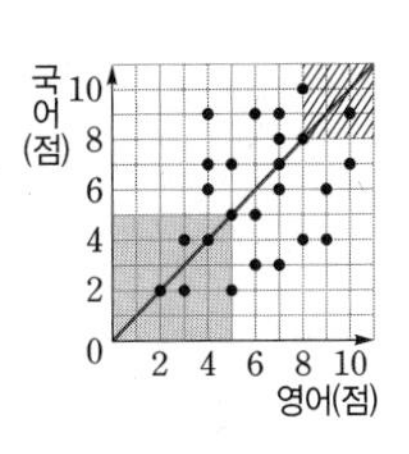

$\therefore \dfrac{5}{25}\times100=20(\%)$

ㄴ. 두 과목의 점수가 모두 5점 이하인 학생은 ㄱ의 산점도에서 어두운 부분(경계선 포함)에 속하는 점의 개수와 같으므로 6명이고, 두 과목의 점수가 모두 8점 이상인 학생은 ㄱ의 산점도에서 빗금친 부분(경계선 포함)에 속하는 점의 개수와 같으므로 3명이다.

$\therefore 6\div3=2$(배)

ㄷ. 두 과목 점수의 평균이 8점 이상, 즉 총점이 16점 이상인 학생들의 점수를

(영어 점수, 국어 점수)로 나타내면

(7, 9) (8, 8), (8, 10), (10, 7), (10, 9)

이므로 5명이다.

따라서 옳은 것은 ㄱ, ㄴ이다.

24 (1) 두 과목의 평균이 상위 40 % 이내인 학생 수는

$25\times\dfrac{40}{100}=10$(명)

두 과목의 평균이 10등 이내인 학생들의 점수를 (영어 점수, 수학 점수)로 나타내면

(60, 90), (70, 90), (70, 100), (80, 80), (90, 60), (90, 70), (90, 80), (90, 90), (100, 80), (100, 90)

이들 중 두 과목의 점수 차가 20점 이상인 학생들의 점수는

(60, 90), (70, 90), (70, 100), (90, 60), (90, 70), (100, 80)

이다.

따라서 두 조건 ㉠, ㉡을 모두 만족하는 학생 수는 6명이다.

(2) ㉠, ㉡의 조건을 모두 만족하는 학생들의 영어 점수의 평균은

$\dfrac{60+70\times2+90\times2+100}{6}=\dfrac{480}{6}=80$(점)

25 (1) 주어진 상관표를 보면 과학 필기 점수와 실험 점수 사이에는 양의 상관관계가 있음을 알 수 있다.

①, ⑤ 음의 상관관계

② 상관관계가 없다.

따라서 양의 상관관계인 것은 ③, ④이다.

(2) ① $2+A+2=7$ $\quad\therefore A=3$

$1+2+B=5$ $\quad\therefore B=2$

$1+A+1=C$ $\quad\therefore C=5$

② 필기와 실험 점수가 같은 학생 수는

$1+2+A+1+1=1+2+3+1+1=8$(명)

③ 필기 점수보다 실험 점수가 더 높은 학생은 5명이다.

$\therefore \dfrac{5}{20}\times100=25(\%)$

따라서 옳지 않은 것은 ③이다.

(3) 필기 점수와 실험 점수의 차가 2점 이상인 학생은 아래 상관표에서 어두운 부분에 속하는 학생들이므로 3명이다.

실험(점) \ 필기(점)	6	7	8	9	10	합계
10					1	1
9		1	1	1	2	5
8		2	3	2		7
7	1	2	1	2		6
6	1					1
합계	2	5	5	5	3	20

$\therefore \frac{3}{20}\times 100=15(\%)$

26 필기 점수가 40점인 학생은 6명이므로

$1+A+1=6 \qquad \therefore A=4$

실기 점수가 40점인 학생은 6명이므로

$4+C+1=6 \qquad \therefore C=1$

필기 점수가 30점인 학생은 6명이므로

$B+4+1=6 \qquad \therefore B=1$

필기 점수가 20점인 학생은 5명이므로

$D+2+1=5 \qquad \therefore D=2$

상범이네 반 학생은 모두 20명이므로 $E=20$

실기 점수와 필기 점수의 차가 10점 이상인 학생의 필기 점수를 도수분포표를 나타내면 다음과 같다.

필기 점수(점)	10	20	30	40	합계
학생 수(명)	1	3	2	2	8

따라서 이 학생들의 필기 점수의 평균은

$\frac{10+20\times 3+30\times 2+40\times 2}{8}$

$=\frac{210}{8}=26.25$(점)

27 (1) $2+B+1=6 \qquad \therefore B=3$

$1+B+C=6 \qquad \therefore C=2$

$3+A+C=11 \qquad \therefore A=6$

$D=$(전체 학생 수)

$-$(D를 제외한 모든 학생 수)

$=30-29=1$

$\therefore A=6,\ B=3,\ C=2,\ D=1$

(2) 책을 8권 이상 읽은 학생 중 국어 점수가 80점 이상인 학생들의 국어 점수에 대한 도수분포표는 다음과 같다.

국어(점)	80	90	100	합계
도수(명)	8	9	3	20

따라서 이 학생들의 국어 점수의 평균은

$\frac{80\times 8+90\times 9+100\times 3}{20}=\frac{1750}{20}=87.5$(점)

개념 확장

최상위수학

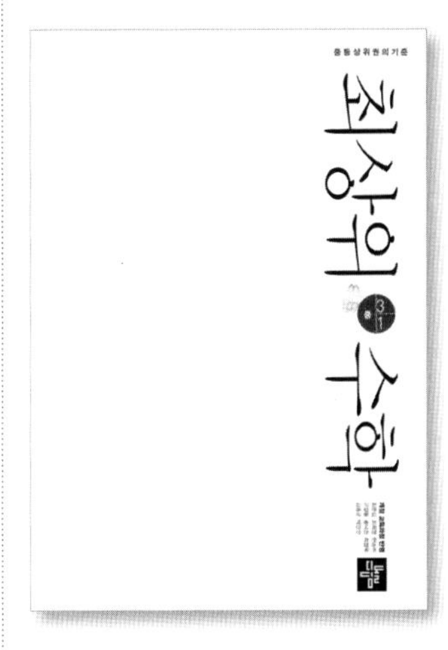

수학적 사고력 확장을 위한
심화 학습 교재

심화 완성

개념부터 심화까지

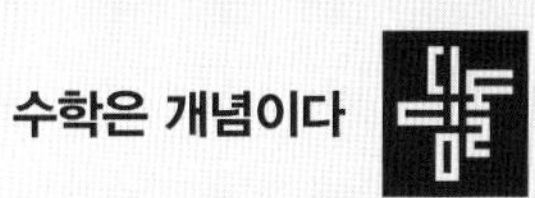